YUANGUOMINDANGJIANGLINGKANGRIZHANZHENGQINLI

正面战场

淞沪会战

原国民党将领抗日战争亲历记

宋希濂　黄　维等著

中国文史出版社

目　　录

前　　言

　　抗日战争是中国人民一百年来第一次彻底打败帝国主义侵略的民族解放战争，是反法西斯第二次世界大战的重要组成部分，在中国和世界的历史进程中都占有重要地位。为取得抗日战争的胜利，全国军民浴血战斗，英勇牺牲，为国家、为民族立下了不朽的功勋。为了全面反映抗日战争的概貌，为史学工作者提供研究资料，特将全国政协和各地政协征集的原国民党将领回忆抗日战争的文章，经过审慎的选择和核实，汇编成《正面战场·原国民党将领抗日战争亲历记》丛书。本书是丛书中之一部。

　　一九三七年七七事变之后，日本侵略者又聚集大量兵力，向上海发动进攻。中国军队广大官兵基于民族义愤，奋起抵抗，得到上海各界和全国人民的热烈支持，揭开了全面抗战的序幕，在中国人民抗日战争史上写下了可歌可泣的篇章。

　　上海是我国首都南京的门户，又是我国的经济中心和重要工业基地，拥有发展军工生产的巨大潜力。日本军国主义者为了打击中国人民持久抗战的决心和能力，决计挑起战端，攻占上海，并在上海及其外围地区寻求与中国军队主力决战，企图速战速胜，在短期内压迫我国政府做城下之盟。我国政府限于一九三二年一·二八战役后签订的《淞沪停战协定》的规定：上海及其邻近地区不得驻扎中国军队，只能由保安团队及警察维持地方秩序；但为了积极备战，遂任命张治中将军为京沪警备司令，在苏州留园以中央军校野营办事处名义，主持京沪分区防御设施计划，构筑苏州—福山、无锡—江阴和嘉兴—乍浦的永久性国防工事，铺筑苏州至嘉兴的铁路。七七事变后，又派正规军一个团化装成保安团，进驻上海虹桥机场，同时调集精锐，准备一旦战事发生，先发制人，一举歼灭驻上海日军。

淞沪会战从一九三七年八月十三日开始，至同年十一月十二日我国军队西撤，历时三个月。在此期间，日本侵略军先后投入海军陆战队和陆军十四个半师团的兵力，共约二十八万人，动用军舰三四十艘，飞机四百余架，战车三四百辆，狂妄地宣称一个月内占领上海。我国政府划京沪杭及浙江全省为第三战区，先后调集中央部队，广东、广西、湖南、四川、贵州、云南等地部队和税警总团、中央军校教导总队，以及部分省市保安团队，总计兵力约七十余师，投入战斗。广大官兵同仇敌忾，斗志昂扬，以劣势装备和血肉之躯，冒着敌人的现代化装备和陆海空联合作战的强烈炮火，前仆后继，奋力拼搏，毙伤日军四万多人，迫使其从国内及华北、青岛、台湾抽调兵力，四次增援，我军终于坚守上海达三个月之久，粉碎了日本军国主义者速战速胜、吞并中国的迷梦。这次战役之激烈，真是一寸山河一寸血，广大官兵表现的爱国主义精神，均属前所未有，足以永标史册。

淞沪会战大体可分三个阶段：

第一阶段，自八月十三日至九月十七日，是我方按照预定计划，采取进攻态势，猛烈攻击日军在沪据点，阻击敌后援部队沿江登陆阶段。在此阶段，双方先在虹口、杨树浦一带进行市街战，我方官兵奋勇争先，逐街逐屋攻击前进，一度攻占敌海军操场、汇山码头，压迫敌军于黄浦江左岸狭隘地区，并包围敌海军陆战队司令部、公大纱厂等据点，予敌重创。八月二十三日，日军增援部队第三、第十一师团由上海派遣军司令官松井石根率领，在狮子林、川沙口登陆，与我方陈诚部遭遇，日军恃其武器精良，实施中央突破。我方不顾牺牲，先后在宝山县城、月浦、杨行、罗店一带几度逆袭，血战两周余。终因江岸地形有利于敌陆海空协同作战，同时敌增援部队陆续开到，我方为减少损失，主动退守。

第二阶段，自九月十八日至十一月四日，是敌我相持阶段。在此阶段，双方在刘（行）罗（店）公路、蕴藻浜、大场地区及苏州河沿岸展开激烈的战斗，一村一浜，往往经过反复争夺，双方均有较大伤亡。我方许多将领身先士卒，英勇杀敌，以身报国；有的部队誓与阵地共存亡，出现了全团全营殉国的壮烈情景；有的士兵腰捆手榴弹，宁与敌坦克同归于尽，也不让敌坦克前进一步；有的部队几经整补，斗志不衰。十月二十一日，我方还以广西增援部队为主，向蕴藻浜敌人发起反攻，敌人每占一地，都须付出极大代价。

第三阶段，自十一月五日至十一月中旬，是我方转移阵地、撤离淞沪阶段。这时日军以三个半师团的兵力，趁金山卫一带中国军队防守薄弱之隙，偷袭登陆，淞沪地区守军侧背受敌，有被围歼的威胁，第三战区司令长官部于十一月八日下令全军撤离淞沪地区，转入南京保卫战。至此，上海除租界"孤岛"外，全部沦陷，历时三个月的淞沪会战随之结束。

纵观这次战役，虽然在客观上，敌军装备精良，占有陆海空联合作战优势，我方武器落后，海空力量薄弱，难以抵御，但失利主要原因是指挥失当。初期由于国民党统帅部寄希望于国际调停，未能积极实施进攻计划，失去战机；大场失守后，又未及时部署，予敌重创，转移至吴福线、锡澄线既设国防工事阵地组织防御，更造成战略、战术上的失误。以致进攻受挫，退守困难，未能达到全歼日军、阻敌增援、坚守淞沪、巩固南京的目的。尽管如此，淞沪战役是我国由局部抗战转向全面抗战的历史转折点，在国际反法西斯斗争和我国抗日战争史上占有重要地位。特别是我国军队官兵，在这次战役中英勇抗敌，挫败了日军中央突破、速战速胜的战略意图，迫使日军在华北战场上转攻为守，在青岛地区暂停军事行动，打乱了日军侵华的全盘计划，粉碎了日本军国主义者在短期内征服中国的迷梦。广大官兵不畏强暴、不怕牺牲的爱国主义精神，永远激励着亿万中国人民，为抵御外侮，统一祖国，振兴中华，反对侵略战争和维护世界和平而团结奋斗。

本书辑录的文章，主要是当年亲身参战的原国民党将领的亲历、亲见和亲闻，对战役的起因、经过和战斗情况，各就所知，作了翔实的记述，是研究抗日战争史的重要史料。由于时间匆促，水平所限，在编辑加工和史料核实方面，如有疏漏讹误之处，敬请读者批评指正。

编　者

第 一 章

战役综述

回忆淞沪会战

白崇禧[※]

淞沪会战

民国二十六年八月四日[①]，我奉委员长电召飞抵南京，任副参谋总长职。当时情形日日紧急，日本在河北、绥远、平津一带挑衅不已。我最高当局知日为贯彻其大陆政策，必不会停止侵华之行动，乃于南京召集全国将领开会，表示决心抗战。各将领归去后，秣马厉兵，动员调遣，待命抗敌。八月九日，敌武装官兵侵入上海虹桥机场警戒线内滋生事端，与我方保安队发生冲突，借此集中多数兵舰，并以陆战队登陆，要求我撤退驻沪保安队，我严词拒绝。八月十三日，敌遂集中驻沪陆军及海军陆战队约万余人[②]，向我保安队进攻，淞沪战事即告发生。我为应付事变，令张治中部三个师向上海增援，初期我以优越之兵力一度进展至汇山码头。八月二十二日晚，敌军第三师团、第十一师团及第八师团之第

※　作者当时系国民政府军事委员会副参谋长。
①　民国二十六年八月四日，即公元一九三七年八月四日。以下凡民国年号不再另注。
②　此时日在沪尚无陆军，海军陆战队兵力亦不足万人。本书注解除注明"作者注"外，均是编者注。

四旅团、第一师团之第一旅团，于川沙①、狮子林、宝山②等地同时登陆，向宝山、罗店、浏河之线南犯，我方续以陈诚部增援，二十四日起开始反攻。上海地狭而近海，敌人陆海空联合作战，极易发挥威力，我军反攻因未能奏效。后以敌人之增援部队陆续增加，以主力进攻罗店。十九日③罗店陷，我军退守闸北、江湾、庙行、双草墩一线。第三战区副司令长官顾祝同将军（司令长官原为冯玉祥，冯调任第六战区司令长官后，由蒋介石兼任）指挥张发奎、朱绍良、薛岳、罗卓英、刘湘（本人未至前线）④、廖磊（淞沪战事发生后月余始到达上海）等之集团军，与敌对峙于北站、刘行、浏河之线。当时我军力若每一集团军以三军计算，共十八个军，若每军以三师计，共五十四个师。敌人之兵力至九月底共聚集二十万人，并与强大之海空军力量配合，故以优越之势，突破我庙行、江湾之防线，我军乃向蕴藻浜南岸、陈行、广福、施相公庙、浏河一线转移。

我军转至新防地继续与敌相持，战事激烈。我军因缺乏现代化武器，全赖血肉之躯与之相抗，所以伤亡甚重。后因敌人火力猛烈，我军被迫向苏州河南岸、江桥镇、小南翔撤退。因制空权操之敌手，敌机日夜侵扰，遂与左翼兵团续退至青浦、白鹤港⑤。当时因联络困难，下达命令较迟，各部准备不周，撤退秩序甚为混乱，是以青浦、白鹤港之线不守，乃向吴福线⑥之既设阵地撤退。当时以受敌机日夜跟踪之威胁，各部队撤退秩序更为紊乱，以至吴福线又告不守，而续退向锡澄线⑦。十一月九日⑧敌迫近锡澄，中央见部队伤亡重大，于敌人强大空军之威胁下又无法作战，乃下令撤退淞沪战场，部队主力向浙皖赣边境撤退，一部沿京沪大道向南京撤退，参加守城。上海抗战至此告一结束，历时二月又二十六日。上海抗战原计划本是节节抵抗，故有既设阵地和吴福线、锡澄线，

---

① 浦东另有川沙县，这里系指川沙口，又称小川沙。

② 日军未在宝山城登陆，是在宝山县境之小川沙登陆，另有一部在蕴藻浜附近黄浦江岸登陆。

③ 应为二十九日。

④ 刘湘本人在武汉。所部由第二十三军军长潘文华指挥。

⑤ 据了解，十一月九日我军全线撤退，乃因日军十一月五日在金山卫以三个师团登陆包围我侧后方之故。我军一部退至青浦、青田港是九日以后之事。

⑥ 吴福线系指苏州至福山一线的国防工事。

⑦ 锡澄线系指无锡至澄江（江阴县城）一线的国防工事。

⑧ 十一月九日下令撤离上海，敌迫近锡澄线在十数日后。

后因敌人掌握制空权，行军不易，不能按照原定计划实施，复以命令下达仓促，部队准备不周，故原计划尚未实现便开始撤退。

淞沪战役之检讨

对日军之检讨

一、敌人利用淞沪沿海之形势，发挥陆海空三军联合作战之威力，以装备之优良，训练之纯熟，发挥各兵种在战场上之战力，予我军创伤甚重。

二、日军官兵在战场上均能发挥奋斗牺牲，前仆后继，有武士道与大和魂之精神，彼虽为我之敌人，亦应取其所长而效法之。

三、敌人之纪律太差，对民众奸淫、掳掠无所不为。我军虽装备不如敌人，因日军之行为所激起同仇敌忾之心理，却为抗日战事中激发精神之利器。

对国军之检讨

一、国军官兵深具民族意识与国家观念，于淞沪战场虽制空、制海权操之于敌手，而我方之装备训练亦远不如敌人，然我军悉能以血肉之躯与日军相抗，其视死如归之精神可歌可泣。

二、我军以劣势之陆军装备，抵抗敌军海陆空联合作战之优势，所凭借的全是爱国精神。自八月十三日至十一月九日将及三个月，我军伤亡虽重，但敌人损失也不少。打破日军阀三个月征服中国之迷梦。

三、我军因无空军掩护，炮兵又少，攻坚非常困难。抗战期间，我军攻陷敌人坚固阵地之战役，固不乏其例，如昆仑关与密支那两场战役，但终属少数，考其原因乃在于武装不如敌人。

四、日军炮火猛烈，又有空军掩护，我军进攻效果很小。

五、我军训练远不如敌人，使用同一武器之命中率亦远逊于敌人，步兵对轻重武器因训练不精，不能使用自如。未发挥较大之威力。

国际对沪战之评论

我军在淞沪作战，装备虽居绝对劣势，因为英勇抵抗，赢得国际间一致之赞誉，今列举数条如下：

一、二十六年十一月二十八日伦敦海通电云：此间各报对上海前线华军于猛烈抵抗后，能按照预定计划，作最有秩序之撤退至业经布置妥当之防线，一致表示钦佩。英国《泰晤士报》发表社论，特别提出华军之英勇抵抗，并称日军尚未获得其摧毁中国军队之主要目的。即此次两军作战，双方伤亡惨重，但十周之英勇抵抗，已造成中国堪称军事国家之荣誉，此前所未闻者。须知若干华军器械，犹未充分，但一般所认为不能保持一日之地，彼等竟守至十周之久。此种奇迹，自属难能可贵。上海一隅之抵抗，对于整个中国均有极大之影响。

二、十一月二十八日伦敦路透社电云：《泰晤士报》同日社论，对淞沪战事之最近一幕有所评论，先论本报对于此次上海作战中国部队之英勇智谋表示最大敬意，继谓日军欲使华军有计划退却变为总溃散，殆将感力尽精疲之苦。日军之最大与唯一目的，在摧毁中国陆军，使之不复有坚强有效之战斗力，苟无以达此目的，则土地纵有所得，亦无多大关系。日军纵谓杀死华兵甚多，纵谓上海战事此后不必再延长，然实则未必如是，上海十周血战，将有一日证明中国已安置从来未有的兵力之基础矣。华军现已从滑稽故事之迷雾中，脱颖而出。……目前虽华军大部分犹训练未足，武装未齐备，并因无力量购置雨衣，犹携雨伞（指川军）与俱，虽如此犹能抵抗现代化武器，做有秩序之撤退，此种精神将在各处发生影响。

三、十一月二十八日路透社伦敦电云：新闻纪事报同日社论称，华军在沪抵抗日军攻击之战绩，实为历史中最英勇光荣的一页。沪地华军之忠勇抗战，当可感动参加九国公约之诸代表，为维护国际法起见，同取均势之坚决立场，各国有较中国所有更强之武器，力能发起对日之国际抵制，此举可使日本早日屈膝，而迫令放弃侵略之狂暴行为。

以上是英国报纸对沪战之批评与推崇。这种国际间之同情，与国内人民情绪得到安慰，全是三月来淞沪会战牺牲三十万部队之悲惨结果。

上海战场撤退之后，蒋介石对战地之转移，有下列之训示：

一、此次淞沪战争已给日人绝大之打击，充分表示我们军人为国家为主义决死抗敌的精神；

二、纪念光荣战死之官兵，就要继续他们牺牲的精神，完成他们的遗志；

三、高级将领应加倍勤劳，认真研究改进部队的缺点，讲求有效的战术，以减少官兵的伤亡，增大战斗的力量；

四、今后作战应注重之要点：此次上海阵地转移，我们移到沪战最后一线，大家应抱定牺牲的决心，誓死固守，与上海共存亡。

淞沪会战时，军队高度表现了大无畏精神，人民所表现的也是慷慨捐输。凡部队所需要的无论食物，或是防御用品如麻袋、沙包、铁丝等都是无条件贡献，这种爱国热诚无形中鼓舞士气不少，至今犹令我深为感动。

冯玉祥出任第三战区司令长官见闻

葛云龙※

七七事变后，冯玉祥将军被任命为第三战区司令长官。那时我在第三战区司令长官部任中将参议，始终追随着他。关于这一段历史经过，就个人当时所见所闻，回忆如下：

坚持抗日，众望所归

冯玉祥将军早在一九三三年就组织察哈尔民众抗日同盟军，坚持抗日，多次向蒋介石提出个人的主张和建议。他曾公开地向朋友们说："我在中央见到的即说，当局未必全听，亦未必不听，我为我的责任，不能不说。"七月下旬，北方军事正吃紧之时，冯关心宋哲元第二十九军的作战，曾致蒋一函云："国家多难之时，凡想到的、见到的不敢不说。若有所隐，则对国为不忠，对友为不诚。兹本举尔所知之义，分陈于下：一、北平、保定等处防空器械应提前发给。二、平、津、保三处之军械弹药应早日发给，并特别补充。三、黄村至永定门之铁路再补一条，可避免丰台之扰乱。四、长辛店以南至大灰场到门头沟应速补修铁路一条。"其时，宋哲元、韩复榘向南京请饷、请械等事，多分电冯请予促成，冯均爱护关怀备至。

当时，京沪发生一个谣言，盛传在中央会议上，蒋介石不主战，冯

玉祥坚决要抗战，争执不过，乃拔出手枪，愤欲自戕。对此，冯一再辟谣，但从中可以看到人民渴望抗日的心情和对冯寄予希望。的确，在人们的意愿和推测之中，莫不认为，指挥北方军事，统率西北军抗日，冯是一位最理想、最可能的将领。所以，每日到冯的陵园寓所访问者踵迹相接。有一天，杨伯峻来访，问北方战况。冯说："北方谣传我已赴保定，此不过一般人之想象。"又有一次，邹鲁访冯说："既然要抗，北方军队应由您指挥才好。"冯说："北方军队复杂，总以蒋先生为宜。"邹说："现在大家已下定决心了，非您莫属。"当时由冯主持北方军事的呼声实有水到渠成之势。但一九三七年八月上旬，南京政府忽命冯玉祥以国民政府军事委员会副委员长出兼第三战区司令长官，这不能不说是南辕北辙的决定。

斯时，第三战区的辖区是京沪线周围。初期主要人事配备是：司令长官冯玉祥，参谋长鹿钟麟，第九集团军总司令张治中，在京沪线；第八集团军总司令张发奎，在沪杭线。

决献身于国难，几遭敌机袭击

八月九日以后，淞沪局势日益紧张。张治中电贺冯玉祥任第三战区司令长官，并欢迎他早日履新。冯复电除表示钦佩之革命功业及学识外，有"此后共在一区，抗敌救国，互相策勉，尤愿一致在大元帅领导之下，牺牲小我，而谋民族复兴"等语。冯痛心国难，忧愤日深，决心不惜为国牺牲，写下遗嘱七条，留给家中。淞沪战起，冯于八月十五日由京率部分官兵进驻无锡。未几，据报白沟堡方面日舰及商轮百余艘企图登陆，仍欲演一·二八的故伎。冯立即通知各警戒区域有关部队，令其注意防范。又闻日军在淞沪地区向我军猛烈进攻，冯极愤慨，决定亲往视察。

十六日，冯带长官部少数幕僚及随从人员赴南翔前线，十时许到昆山即闻炮声隆隆，震动大地。冯精神奋发地向左右说："我年来奔走抗日工作，今日始听到我民族的怒吼声，何等痛快！"旋有敌机来袭，飞行很低，冯与左右分避树下，敌机去后，复乘车前进。甫出街，又有敌机二架疾飞而来，在上空盘旋不已。冯与左右下车避在一所茅屋里，只听到机声轧轧，震动屋壁。冯态度自若地安慰左右说："当战事初起，我即抱定牺牲决心。现虽处危险环境，心情转觉舒畅。"敌机在周围投弹十余枚而去。冯于硝烟弥漫中冒险前进，行不多远，敌机又至。冯与左右至一瓜田里暂避。敌机飞行甚低，机上的人和枪都清晰可辨，盘旋了几分钟后逸去，冯等始乘车前进。行不久，张治中、张发奎、杨虎等来迎接。冯与张等同到一个小村里叙谈。冯说："诸君为国拼命，至堪嘉尚，我故亲冒矢石到前方来看看诸君。"张治中说："副委员长公忠为国，我们素所钦佩，决竭诚听副委员长指挥。"张发奎亦在图上将部署情形报告，并说虹口汇山码头之敌大举反攻，我警察总队不支，第八十七师正增援中。当即决定将戴民权一师归张发奎指挥，钱塘河以北地区归张负责，以南地区归刘建绪负责。是日下午，冯始遄返苏州，刚进街，有六架敌机来袭，大肆轰炸。冯等一行避于树下，敌机久不去，似有所察。冯不顾一切，命左右驱车前进，敌机跟踪而来，低飞几擦树梢，势极危殆。冯在车中从容不迫地对左右说："敌机如果投弹，自难幸免，我当高呼中华民国万岁的口号，虽以身殉，必留这壮丽的口号作为我民族祈求解放的最后呼声。"幸天色渐晚，敌机遂去。其时，各处汉奸活动频繁，冯的行动当然是一个显著的目标。这一天四次遇到敌机来袭，均极危险。后来冯很不安地对当地官员说："我对不起苏州老百姓，敌人因我在这里，屡来轰炸。"

十七日，冯玉祥乘汽车往嘉兴视察，抵双桥站，张发奎来迎接。相见之下，张陈述两事：一是前方事权不统一，恐误大事，深为忧虑；二是所部缺乏炮兵，如敌登陆，非至近距离则无法射击。其实说到前方的事权问题，冯何尝不具同感，不过现在他以战区司令长官的身份替部属说话，谋求解决，那还是可以的。当时，冯答应张一定向蒋介石商量，分别予以调整和补充。后来，张的要求均得以如愿，曾向冯表示感谢。是日夜间，冯回到无锡，始知下午三时许曾有敌机四架来袭，炸弹皆落于距冯住处二华里之小山上，山下的长寿桥被炸坏。当我去察看时，有数百尾被炸死的鱼漂浮于水面上。

不久，冯得到南京电话，说蒋介石已派陈诚为第十五集团军总司令，参加第三战区作战。冯在华藏寺召集随员说话，发表此项消息，并用好的言词对陈诚介绍了一番。

蒋介石亲临前线，冯玉祥为部属解难

二十五日午后，蒋介石忽然来电话，约冯于当夜九时在南翔会晤。冯于四时许乘汽车前往，过灵岩时大雨倾盆，仍冒雨前进。九时赶到南翔附近徐公桥，蒋介石携宋美龄、顾祝同、陈诚、钱大钧等已在先。移时，张治中及各师长亦陆续来到。当即举行会议，首由各师报告战况，接着张治中亦缕陈各方面情形。蒋在听取各人汇报之后，目光向场内打量了一下，加以讲评说："综观近日之战况，我军伤亡奇重。战争固不能免于伤亡，然指挥失当，致增伤亡，牺牲殊无价值。我军缺点在于攻击实施之先，未能充分考虑，率尔从事，牺牲遂大。今后应悉心研究，当攻则攻，当避则避。其次是炮兵分割使用，不能发挥威力，此点宜急改正。"夜半散会，冯回无锡锦园。

二十六日上午，冯玉祥携带幕僚多人在锦园湖滨柳荫下欣赏大自然景色，其时军事委员会参谋本部次长熊斌（冯的老幕僚）亦在座。冯兴致益然地和大家闲话。他说："我们只要能抗日，不必军队一定要听我的指挥。我们只要能救国，不必一定自己处很高的地位。此间军队，我都不甚熟悉。若必处处听我指挥，必致败了大事。故蒋先生亲临指挥时，时而嘲骂，时而激动，无不如意。这是历史关系，绝非编组的形式所能制约。所以我前见二张（张治中、张发奎）时，曾向他们说，你们有什么意见和困难，我可设法；我有什么意见就随时说给你们。必须这样处置，才算得体。现在我们的目的是怎样战胜敌人，怎样使国家转危为安，怎样使民众出诸水火。至于斤斤唯名义权位计者，应该引以为耻。"会后，有人说："这两天先生（僚属称冯为先生）像有什么感触似的。"

是日傍晚，蒋介石由南京来电话请冯谈话。蒋说："前方的将领都太年轻，勇敢有余，经验不足，望大哥多多指教，不要客气。"冯答："绝不客气。曾记得日俄战争的时候，日本的大将乃木将所有的指挥计划的重要事务都委之于他的参谋长，自己却每天骑自行车和打猎。别人问他，你的任务是什么，怎么这样消闲？乃木说："我的任务有二，一是骑自行车和打猎，二是等着死啊！"现在我们前方的各将领都是有血性、有良心、勇敢善战的革命青年。他们在前方拼命、流血，我在后头的任务也正和乃木大将相同，一是骑自行车和作几首歪诗，再一个就是等死罢了。"

蒋说："大哥，无论如何，您不要客气，请尽量多加指导。"冯说："当然的，我见到的就说，绝不客气，请您放心吧！"

冯虽以乃木大将的闲适生活自况，仍席不暇暖地出入前线各阵地。除给各指挥官一些指示外，并颁布破坏敌坦克车战法。一、在屋中布置炮位，俟坦克车过时，击其侧面。二、用麻袋包地雷，俟坦克车过时轰炸之。三、用长短铁轨埋插地下，做参差不齐状，使坦克车易于颠覆，甚至不能通过。四、用松香等易燃的药剂投掷车身，令其发火以燃之。此外，又拟订构筑工事的一些办法，决定战壕须有四丈宽、二丈深，每隔二十里筑一道，前后设置假阵地。本区第二、第三防线之构筑皆参照进行，并叫我到苏州协助构筑工事。适南京大本营的德国顾问富肯豪森来访冯，对一般军事部署设施多所建议。他的意思处处要标榜现代化以与日本较量。冯说："中国是一个落后的国家，工业赶不上日本，因此战术等项应不同于敌人。如在喜峰口作战，第二十九军的大刀也能特别奏效。"富肯豪森又说，你亲自来前线，未免太危险了。冯说，我出入于前线，常以危险为娱乐。

　　的确，冯玉祥将军常不避艰险，奔走前沿。因此他了解情况，对战争中出现的问题能结合实际，提出可行的办法，加以解决。如给养方面，采用以煮饼为主，耐久适用；精神教育方面，颁发了《对日本作战特别办法》；作战方面，提出对日军阵地破坏办法，以及给各指挥官其他一些临时措施和指示，在当时都能行之有效，为各方所乐于接受。同时，前方将士激于民族义愤，莫不英勇作战，如张治中部攻击杨树浦，张发奎部肃清浦东敌人，均打得有声有色。再说到群众支持的热烈，亦属空前，各界爱国人士赴前线慰劳官兵者络绎不绝。

赤诚相见，痛陈利害

　　当时关心国家民族并对冯玉祥寄予厚望者颇不乏人。九月八日，郭沫若来访，赞冯为中国的兴登堡，并问冯有什么事需要他做。冯说："先生有一支生花的笔就够了。"郭说："我有两事为我的日课，其一为吃饭，其二为写文章。"冯说："我也有两件事，你晓得吗？"郭说不知，冯说："其一待日本人之杀我，其二即用我的秃笔作几首骂日本人的诗。"言毕相视而笑。

　　未几，徐谦、李济深、柏文蔚等来访，倾谈之下，他们以蒋介石对孙科尚抱成见，其他可知，因而对大局前途表示忧虑。据闻，徐等回京后，向蒋痛陈利害，认为国难当头，各方非精诚团结不足以救亡，应该人尽其才，才尽其用，建议冯到北方主持军事。适马厂失守，北方局势剧烈变化，这就促成了冯玉祥由第三战区司令长官调任第六战区司令长官的新命。九月十二日，冯玉祥由锦园回到南京。

揭开淞沪会战的战幕

张治中[※]

一九三六年二月，南京国民政府为了准备对日作战，把全国划为几个国防区，我奉命兼任京沪区的军事负责长官。

战前准备，定下"先发制敌"的战役思想

成立京沪抗日秘密指挥部

我担任这个极为机密的备战工作，是不能公开进行的。我在奉命之初，先在中央陆军军官学校（简称中央军校）选调了一批干部，筹划一切。

首先我考虑的一个问题是用什么名义来掩护这个工作的进行。中央军校是个教育机关，我是该校的教育长，我就在学校东大楼教育长办公室的旁边，设置了一个高级教官室。我利用这个"高级教官室"，作为备战的实际司令部。把从军校选调来的工作人员，武的派在参谋处，文的派在秘书处。我当时对所有的工作人员，有一个很严厉的规定：绝对不许对外泄露工作的机密。因而，没有一个外人知道，这个小小的机构，竟是日后揭开全面抗日战争序幕的司令台。

我把机构设立之后，首先决定两项重要工作：一是关于国防工程；二是关于民众的组训。我派了两批人员分别到京沪区各地去视察。

※ 作者当时系京沪警备司令，后任第三战区第九集团军总司令，中央军总司令。

半个多月以后，我把这个"高级教官室"移驻苏州。为了不引人注意，先选比较偏僻的狮子林作为办公处所。后来，因为机构扩大，工作人员增多，狮子林地方狭窄，容纳不了这么多人，决移驻留园。在移驻留园时，我觉得"高级教官室"这个名义不能掩护工作的积极进行，决改对外名义为"中央军校野营办事处"。

如果说苏州是全国最负盛名的风景区之一，那么留园就是代表苏州风景的最令人留恋的一座名园。说起这座名园的历史，许多人都知道，那是清代维新后，一个鼎鼎大名的邮传大臣盛宣怀的家园。这座用民脂民膏所建成的美轮美奂的名园，在我的记忆中留下了一个深刻的印象。它是集东方古典艺术之特点，一楼一阁，一亭台，一水榭，幽静曲折有趣，乃至水池里各种各样的金鱼，古老的树木，鲜艳的花卉，都极尽园林之胜。然而，我今天所留恋的不只是这所名园的风光，而最令我回味的是我在那座名园中，考虑过许许多多有关民族抗战前途的问题，拟制和决定过许多对敌作战的计划方案。在那些怪石嵯峨的假山之上，或茂林修竹丛中，也曾留下我一点深思熟虑的痕迹啊！

这个"中央军校野营办事处"，一直到淞沪战争爆发前夕，没有人知道它究竟是干什么的，敌方更是始终不知道。我所任的抗日备战工作得以从容布置，得力于这个秘密机构不少。留园啊！我向你致意。

我们这群在留园工作的同志们，都怀着孜孜不倦的心情工作着。把平时当作战时看。

我又把这个机构学校化，实行很有规律的作息，常常集合参谋人员研究一些问题，做出若干决定，派出一批一批的人到淞沪线、苏福线、锡澄线一带实地侦察、测量、绘制地图。这批人回来之后，完成了战术作业和初步的作战方案，并开始构筑淞沪线、苏福线和锡澄线一带的小炮机关枪据点工事。这都要在种种困难情况下，秘密地进行工作。特别是在上海，敌人耳目众多，为不让敌人侦知，必须采取巧妙的掩护手段来进行工作。

为了加强军事上和政治上的研究设计工作，我又设置了军事研究委员会和政治研究委员会两个附属机构。两会的职能是搜集有关军事和社会科学的学术材料，研究国内外军事、政治、经济、社会、外交、文化各方面的情形，做出报告或建议。除了从本处干部内选充研究委员外，又聘请了几位有专门学识的人担任研究工作。他们都提出了许多宝贵的意见。

我当时兼顾中央军校的校务，并时有向政府请示工作，需要来往于南京、上海间。政府为此曾给我指定一节专用车厢，随时挂在任何一次客车上。这个时期，我成为京沪路上来去匆匆的忙人。

对京沪抗日作战的建议和决心

自一·二八淞沪抗战到一九三六年期间，中日关系日趋紧张。日本军国主义在东北阴险地让溥仪傀儡粉墨登场，做了伪满洲国的皇帝；又肆无忌惮地侵占了我国华北；一九三六年八九月间，在上海又制造紧张局势。九月二十三日夜，日方以"出云"舰水兵三人，在上海北站附近租界内被人狙击，伤二死一事件为借口，出动全部海军陆战队，在青云路、八字桥、粤东中学、天通庵、五洲公墓一带，布设岗哨，派队巡逻，大有挑衅的企图。我方虽经多次交涉，渐趋缓和，而其陆战队驻沪人数，则借故增加。日军频繁地举行各种演习，且迭派舰队到宝山、福山镇、段山港、浒涌各港口，测量水位，积极图谋进犯。当时的中日形势，已经是"山雨欲来风满楼"。

我当时认为形势严重，不能不做进一步准备。即将第三十六师由无锡推进至苏州附近；第八十七师由江阴推进至常熟、福山一带；原在南京附近的第八十八师推进至江阴、无锡；并秘密设计扩充上海保安总团。我于九月二十三日向国民政府陈述意见：

一、请将本分区作战上必需之部队，密令配拨，以便指挥。

二、请即令饬通信主管机关建设京沪分区军用电话及指定地方长途电话，战事发动后之使用权。

三、请将京沪铁路及锡沪公路之车辆尽量控置于无锡以西各站、昆山支塘以东及上海附近。所有船舶，请密令各县尽量诱至于吴县、常熟附近，以利我军运输，且免为敌所利用；并将本区各县船舶车辆明定统制管理办法，俾得于军事运输适时利用。

四、请于本区预定作战地区各要点，囤积必需粮秣，以供军食。

五、请将阵地内已由驻军筑成路基之各路桥梁涵洞，迅予建筑。

我当时看了南京国民政府的种种情形，又焦虑，又愤慨，又于十月四日再次沉痛地具述意见：

一、上海为我经济重心，系世界视听，我沪上武力仅保安一团，守土匪易。在事变之初，必先以充分兵力进驻淞沪，向敌猛攻，予以重创，至少亦须保持我与租界交通，取攻势防御。若自甘被动，虽占苏福线或锡澄线，亦属非宜；若迎战不能一举破敌，又不能持久支持，则使国人回忆一·二八之役，薄现在中央军之无能矣。

二、为达成上述任务，须有兵力六七个师，以四至五个师任淞沪正面，两师控制浏河、福山、常熟一带。如此，在淞沪附近作战当可支持三个月以上。除现有第三十六师、第八十七师、第八十八师三个师外，请再调三至四个师来沪。

三、大局至此，无论外交如何，似应以决心抗战积极准备。唯各方面仍不免空泛、纡缓、推诿，使部属无所秉承，如徒有作战计划，迄今毫无准备，即其例也。

从这几个月来，日军在上海的动态，推测中日形势，今后可能更趋恶化。我为了应付万一，于十一月初，下令进行下列部署：

一、令第三十六师、第八十七师在苏福线上一面警戒，一面继续构筑工事。

二、令第八十八师接防锡澄线阵地。

三、以地方团队担任沿江防务。

四、以各县警察为监视哨。

五、令江苏保安第四团分驻浏河、梅李镇、牌头镇等处，为东自浏河附近西迄大港镇地方警察各监视哨后方之支援。

六、成立太湖水警联防处，任太湖水上之警备。

西安事变对京沪防御的影响

一九三六年十二月十二日，西安事件突然发生了。当时南京国民党首要对西安事件主张用军事解决的占多数，我是主张政治解决的少数人之一。在调兵遣将的"讨逆"计划之下，原驻在京沪区的第三十八师、第八十八师被调走了。这时对日军的戒备兵力，只有一个第八十七师了。第八十八师在八个月后才调回，第三十六师到八一三战起才调回。这对淞沪作战的准备，是一个顿挫。

我当时最担心日军乘我内部发生问题的时候，爆发淞沪方面的战事，那就没有办法来应付。不过上海方面的日军，此时却反而采取冷静观望的态度。这或者由于当时西安事件完全出于日方意料之外，或者它做了错误的估计吧！

受职京沪警备司令官，定下"先发制敌"的战役思想

七七卢沟桥事变后，日军在上海的行动，咄咄逼人。日军在各通衢哨所增加兵力，各屋顶架设高射炮，各要点构筑工事，对市中心区及南翔方面试设炮位，日夜连续举行演习，拟退各地侨民，扩编义勇队及在乡军人队等等。日军将原驻汉口的陆战队千余人撤调到上海，日军舰十余艘位于浏河至吴淞间，对海口施行封锁。在日本国内也已派定正式陆军，待命出动。并先后制造水兵宫崎失踪及撕毁日本国旗事件，真是形势紧张到了极点。

七七事变以前，我正在青岛养病，忽闻卢沟桥战事起来，即于第二天拒绝医生的劝告，径返南京，接受京沪警备司令官的职务。

这时，我所指挥的部队，除第八十七师在常熟、苏州外，第八十八师已调回至无锡、江阴，其他仅江苏省、上海市保安团队数团。原指定共同作战的空军、炮兵等，都调到华北去了。为维护上海的赞源与海口，我方不愿在上海轻易发生战争。但万一发生战争，我则必求立于主动地位。所以尽力为运输、通信等各项工作做好准备。不久，第二师补充旅到达苏州。我令其一团化装为上海保安队，入驻虹桥、龙华西飞机场，加强警戒；一团化装为宪兵，开驻松江。又调江苏保安第二团接替浏河方面江防警戒，将原保安第四团集结太仓附近，担任岳王市、梅李两区的防务。

这时，我有一个基本观念：这次在淞沪对日抗战，一定要争先一着。我常和人谈起，中国对付日本，可分作三种形式：第一种是他打我，我不还手，如九一八东北之役；第二种是他打我，我才还手，如一·二八战役、长城战役；第三种是我判断他要打我，我就先打他，这叫作"先发制敌"，又叫作"先下手为强"。这次淞沪战役，应该采用第三种。我在七月三十日向南京国民政府郑重提出这个意见：

我在北方作战，固不宜破坏上海，自损资源，然若敌方有下列征候之一，如：一、敌决派陆军师团来沪，已开始登轮输送时；二、敌派航空母舰来沪时；三、敌在长江舰队来沪集合时；四、敌在沪提出无理要求，甚至限期答复，即断定敌发动无疑。则因我主力军远在苏、常以西，输送展开在必需时，且上海保安团抵抗力薄，诸种关系，似宜立于主动地位，首先发动，较为有利。曾迭电具申意见，未蒙核示，兹预拟本军行动标准，谨申呈核，是否有当，敬祈示遵。

南京国民政府的复电是：

　　卅未电悉，应由我先发制敌，但时机应待命令。

我知道战争绝不能免，就在给南京国民政府电报的第二天——八月一日，发布了一篇文告，鼓励我京沪区的卫国将士。文告述：

　　此日吾民族已临于最后关头，此日吾人亦陷于生死线上！光荣神圣的民族生存抗战之血幕必且展开。兹特揭橥要义，为本区将士同志告。期以忠勇坚毅，共迎行将到来之无限艰苦，但必有无限希望的岁月。
　　自甲午一役，失地丧师，我同胞忍辱负重，而徒抱复仇雪耻之愿者，殆已四十余年矣。乃敌自此更逞淫威，肆其凶焰，蹂躏我主权，占领我土地，荼毒我人民。本其岛国野心，妄标大陆政策，鲸吞蚕食，肆无忌惮。攻城略地，何日无之？因之九一八之血迹未干，一·二八之屠杀顿起，长城之役甫停，察绥之变旋作。含垢忍辱既已六年，创巨痛深，几难终日。兹复驱师启衅，扰我平津，更且大举动员，图占冀察。然后挥师南指，侵我中原，跃马而行，纵横朔漠，以遂其逐步吞噬之迷梦。我最高统帅所以认为最后关头，抗战到底，以求最后之胜利，而举国人士所以奔走呼号，誓死不能退让者，正以此耳。

文告又说到全面抗战实出于不得已，完全为自卫图存。接着说到敌忾同仇的真正意义，以坚信将士们的信念与决心。最后，我提示了对敌作战应注意的几个要点：如誓雪国耻，不怕死，不怕敌人，信仰中央，爱护袍泽，长期苦斗，百折不挠，实行连坐法等，作为京沪区全体将士的精神教育和纪律的基础。
　　同日，我又发表了一篇《告京沪区民众书》，除提高亡国灭种之警觉及剖析敌国实情外，重在宣示此一战的重要，发动民众，尽力与军队合作。我在这篇文章的结尾说：

　　凡我民众，无分男女，无问老少，智者尽其能，勇者竭其力，以绥靖地方，杜绝奸宄，厉同仇敌忾之气，坚至死靡它之心，以听命于政府，则虽不摄甲胄，不执干戈，不冒矢石，而其贡献于国家民族者，实且伟大莫与伦比矣。至于体力精壮，英勇果敢之同胞，愿为父老之前驱，愿做本军之后继者；精警有为，熟悉敌情，能扑灭无耻之汉奸，能肃清敌方之间谍者；抑或有他一技之长，愿以供战争之使命者，或编入地方组织，或隶属部队机关，不患无效命之机，不患无杀敌工具。昔孙武子以吴兵复楚，阎应元以江阴抗清，东南为人才文物荟萃之区，孤忠英勇之士，悲壮激烈之操，史不绝书。揆之十步芳草，十室忠信之义，市井田畴，动多壮士，必有闻风兴起者。自由之范已胎，独立之旗高举，为民族之英雄，抑为子孙之罪人，决于自择。唯我亲爱同胞，共勉前程，共纾大难，时乎不再，凛凛勿忽。

这样，我从各方面都加以准备布置了，只待大战时机的到来。

揭开战幕，进攻日军在沪据点

抗日将士神速进入淞沪战场

一九三七年八月九日，日军官大山勇夫①在虹桥飞机场与我守军冲突被杀，上海的形势突然告急。十一日，敌第三舰队驶集黄浦江及长江下游浏河以下各港口，有即在淞沪登陆发动战事的企图。

这时，我京沪区在苏州、常熟、无锡一带的驻军，仅第八十七师、第八十八师及炮兵第八团、炮兵第十团、警察总队一总队、独立第二十旅的一个团。我立即命令第八十七、八十八两师，做输送前进的准备。

十一日下午九时，我接到南京统帅部的电话命令，将全军进至上海附近。

我当即做了下列几个重要决定：

一、第八十七师的一部进至吴淞，主力前进至市中心区；

二、第八十八师前进至北站与江湾间；

三、炮兵第十团第一营及炮兵第八团进至真如、大场；

---

① 一说是日军军曹大山勇夫。

四、独立第二十旅在松江的一个团进至南翔；

五、令炮兵第三团第二营及第五十六师自南京、嘉兴各地兼程向上海输送；

六、派刘和鼎为江防指挥官，率领第五十六师及江苏保安第二、第四两团，任东自宝山西至刘海沙的江防，并控置主力于太仓附近。

我是八月十一日夜半离开苏州，统率全军从苏州、常熟、无锡一带向上海挺进，十二日晨，进驻上海。清早，上海居民从梦里醒来，看见遍地都是抗日将士，惊喜交集，都问："从哪里来的？为什么这样神速？"这是由于我们事先控制了火车、汽车，能够于一夜工夫，便进入了上海预定阵地。

决心犹豫，丧失战机

这时，我决定攻击部队于八月十三日拂晓以前，完成对虹口、杨树浦日军据点攻击准备。此时，我突然接到南京统帅部电话命令：不得进攻。我飞急电告："我军业已展开，攻击准备也已完毕。"但回电还是"不得进攻"。

因此，原定十三日拂晓的攻击，不得不停止。我预定十三日拂晓攻击，本想以一个扫荡的态势，乘敌措手不及之时，一举将敌主力击溃，把上海一次整个拿下。但现在失此良机，似乎是太可惜了！

这是什么缘故呢？据说是：上海外交团为避免在上海作战，建议南京政府，改上海为不设防城市——自由口岸。这个建议文件，大概是十一日发出，十二日到达外交部，南京政府不免犹豫了一下，故忽然命令我不得进攻。我未见着正式文电，真实的是否如此，无从确断。

我们的进攻，因此延到十四日午后三时才开始。大家都把这一次淞沪会战称为八一三战役，实际上八月十三日并未开战，不过是两军对垒，步哨上有些接触，而正式的开战是在八月十四日。这样耽搁了两天，却给敌人一个从容部署的机会。

喋血淞沪，决心抗战到底

大战的血幕既已正式揭开，我外交部在这天曾代表国民政府发表了一个重要声明。同日，我也发表了一篇重要讲话，主要显示我军坚决抗日的态度，其中一段是：

昨（十三日）下午四时，日方军舰突以重炮向我闸北轰击，彻夜炮声不绝，我居民损失奇重。同时复以步兵冲出界外，进攻我保安队防地，我方仍以镇静态度应付，从未还击一炮。现日方又大举以海陆进攻，我为保卫国土，维护主权，绝不能再予容忍。时至今日，和平确已完全绝望，牺牲已到最后关头，御侮救亡，义无反顾。兹应郑重声明者，上海和平既为日方炮火所震毁，而我祖先惨淡经营之国土，又复为敌军铁骑所践踏，不得不以英勇自卫之决心，展开神圣庄严之抗战。本军所部全体将士，与暴日誓不共戴一天。五年以来，无日不申儆军中，以湔雪国耻、收复失地为己任。我十万健儿之血肉，即为保卫国土之长城！决以当年喋血淞沪、长城之精神，扫荡敌军出境，不达保我领土主权之目的，誓不终止。

上面这篇讲话，可以看作我对敌行动的正式宣言。

从八月十四日起到二十二日止，是我军对虹口、杨树浦敌根据地猛烈攻击的时期。

敌自我军开始行动后，就在虹口、杨树浦两大根据地，利用其炮舰火力的掩护固守，等候他们国内的援军到来。八月十四日上午，我空军开始向黄浦江敌舰轰炸。我军于下午三时下达总攻击命令。下午四时，我们的炮兵就开始集中射击，步兵勇猛攻击前进，到日没时止，多有进展。突然又接到上级命令：

密。今晚不可进攻。另候后命（寒酉待参京电）。

于是攻击实施，又因此停止。

十五、十六两日都是奉令做攻击准备，并没有实行全线攻击，仅将五洲公墓、爱国女学、粤东中学各点攻占。其中以第八十七师第二五九旅第八连与第七连合力突入敌阵地，占领敌海军俱乐部一役为最壮烈、最英勇。

十五日，我发出一个通电，原文如次：

各报馆转各部队、各机关团体暨全国同胞公鉴：元日下午，暴日侵沪舰队突以重炮轰击闸北，继以步兵越界袭我保安总团

21

防地，我保安队忍无可忍，起而应战。治中奉命统率所部，星
驰应援，保卫我先祖列宗筚路蓝缕辛苦经营之国土，争取四万
万五千万炎黄华胄之生存，誓不与倭奴共戴一天！今日之事，
为甲午以来五十年之最后清算。彼曲我直，彼怯我壮，彼为发
挥野心之侵略，我为决死求生之自卫，无论暴敌如何披猖，最
后胜利必属于我！愿我举国同胞，武装袍泽，毋忘我东北、平
津数千万同胞呻吟于日寇铁蹄践踏之奇惨，毋忘我一·二八战
役、长城战役、天津战役忠勇牺牲先烈之血迹，以悲壮热烈之
精神，共负洗雪国耻收复失地之重任，遵奉最高统帅之昭示，
以百折不挠抗战到底之决心，求得最后最大光荣之胜利。撮甲
陈词，不胜激越！

在日援军登陆以前，我认为对虹口、杨树浦的攻击，尤为必要。十
七日拂晓，奉令继续开始全线总攻击。这次总攻击，其经过及成果的概
要，可见我给南京军委会的一个电报：

　　密。本军于今（筱）晨五时半，按预定部署，全线开始总
攻击。最初目的原求遇隙突入，不在攻坚，但因每一通路皆为
敌军坚固障碍物阻塞，并以战车为活动堡垒，终至不得不对各
点目标施行强攻。谨将各部激战实况分陈如次：一、八十八师
以主力由北分向日本坟山、八字桥、法学院、虹口公园攻击，
往返争夺，伤亡甚重，仅法学院一处，已牺牲一营之众。而攻
日本坟山之部，于上午十一时攻入后，因受敌侧方机枪射击，
未能返出，死伤尤多。日没前，北正面受敌反攻，已被我击退。
二、八十七师先对日俱乐部、日海军操场及沪江大学、公大纱
厂攻击，迄九时许，得王师长（敬久）电话报告，已占领日俱
乐部及海军操场。唯经派员确查，据称日俱乐部旁之四层楼油
漆公司，尚为敌死守，我军正向其包围。对沪江大学、公大纱
厂及引翔港镇方面，则激战终日，尚未得手。下午五时许，敌
由海军操场南两次激烈反攻，均被我击退。三、本日我炮兵射
击，甚为进步，命中颇佳，但因目标坚固，未得预期成果，如
对日司令部一带各目标，命中甚多，因无烧夷弹，终不能毁坏。

　　我在这天上午八时许到前线视察，经第八十八师炮兵阵地到第八十七师，所见官兵士气高涨，不怕牺牲的精神，都极可嘉。从正午十二时到下午四时，我在万国体育场附近督战，枪炮声密集，战斗激烈。我又看见我国空军也很敏捷勇敢。敌人高射炮声如连珠，弹发如雨，胜于民间过年晚上放爆竹。

　　十八日，我又接到暂停进攻的命令。这是开战以来，第三次的停攻命令。

　　但是，敌人在这时却整天在其飞机掩护下，到处以小部队向我反攻。我们司令部到前方的电话，也常被敌谍破坏。

　　十九日，我军又开始攻击。到下午五时，接到第八十七师王师长电话，说他的左翼最前线部队已经突入杨树浦租界至岳州路附近。我决心即刻扩张战果，突入贯穿杨树浦租界至汇山码头，截断敌左右翼的联络，向东西压迫，一举而歼灭之。当即我率同重要幕僚，进驻江湾叶家花园第八十七师司令部，部署一切。

　　一、令第三十六师即夜加入沙泾港至保定路间的正面，向汇山码头江边突破攻击。

　　二、在日俱乐部正面的第九十八师之一旅，受第三十六师指挥。

　　三、令第九十八师第二九四旅归第八十七师指挥，加入该师左翼，向沪江大学、公大纱厂攻击。

　　二十日拂晓前，我之突破，西进展至欧嘉路，东至大连湾路，南至昆明路、唐山路。敌从昆明路方面向我多次反攻，都被我击退。

　　在这一天的战斗中，有一件事，使我到今天想起来还觉得难过：就是突破杨树浦租界时，我们只凭几辆破坦克（是在厂内修理的，临时拉出，好的坦克早调北方去了）冲击。带领坦克车的连长，也是军校的学生。我命令他冲杨树浦。他说："车子太坏，而敌人的火力过猛，我步兵又很难跟上。"我说："那不行，你的坦克不攻入，休来见我！"结果他冲到汇山码头，连人和车子一起牺牲了！我军虽一度冲到汇山码头，但未能确实占领，因敌人利用钢骨水泥的楼房做据点，放射密集小炮弹，火力异常猛烈，我们的步兵虽极勇猛地跟上，但挡不住黄浦江面敌舰炽烈的炮火，也不容易冲破敌方在街市上的坚固据点。所以这天虽一度攻入汇山码头，仍是站不住脚。

　　二十日晚上，我乘月夜亲赴江湾前线督战，指挥各部队继续猛攻，并以第九十八师全师加入，准备以全力先攻略杨树浦。第三十六师、第八十七师的第一线部队推进到百老汇路、唐山路、华德路之线，以新到的第十一师及教导总队第二团控置于江湾市中心市区为总预备队。二十一日，各部队继续攻击。第三十六师最前线部队，在新调来的战车掩护下，又攻抵汇山码头，到拂晓后，因受敌海军炮火的猛烈攻击，迫不得已，才退回百老汇路北侧。我战车第一、二两连，全被击毁。第八十七、八十八、九十八各师攻击，也都没有多大进展。二十二日，我军各部继续进攻，但因敌增援已到，攻击已不得手，仅第八十七师在午后将精版印刷厂及康泰厂两据点占领。入夜，敌分途反攻，都被击退。

这是从八月十四日至二十二日，攻击虹口、杨树浦根据地的战斗经过概要。

挽救危局，恰遭"卸磨杀驴"的结果

狮子林、川沙口和罗店江防阻击战

八月二十三日上午五时半，我接到江防司令刘和鼎的电话报告：狮子林、川沙口方面，有兵力不明的敌人登陆。那里的守军仅第五十六师步兵一个连（因兵力不够支配，这里只配了一个连）。我当时决心拒止并歼灭登陆敌人的目的，由正面抽出部队，向狮子林方向前进，支援江防军的作战。

这时，我已被任为第三战区第九集团军总司令，指挥淞沪附近的全军作战。总司令部设在南翔附近一小村中。拂晓后，敌机到处狂炸。总司令部通到各方的电线，都被炸毁，通信联络完全中断。我为明了状况，分别派遣参谋到各方观察联络，又为须于指示机宜，亲率重要幕僚，于八时三十分到达江湾。

二十三日的战况以及我的位置，可以在我呈报统帅部的漾亥参电看出轮廓：

> 密。本（漾）日上午五时半接到刘军长电话报告：敌于拂晓以前，在狮子林、川沙口登陆，即与陈次长诚商定部署，以十一师向罗店北进，支援五十六师之作战，而由正面抽出兵力为预备队。当因前方电线为敌机炸断，未能由电话指示各部，乃于八时半亲赴江湾八十七师料理一切。是时，据报张华浜、

蕴藻浜附近，同时有敌登陆，我守军正迎击中。……兹为顾虑左侧登陆之敌起见，将对虹口、杨树浦正面作战之三十六师、八十七师、八十八师、独立第二十旅、保安总团、教导总队第二团各部归王敬久指挥，派其为淞沪前敌指挥官，命对正面固守原阵地；而以教导总队第二团拒止张华浜之敌；由八十七师调一旅支援吴淞；并抽出第九十八师令向宝山、杨行、刘行、罗店之线前进，以该师师长夏楚中指挥该师及第十一师，拒止上陆之敌。……迄下午五时，十一师已不顾敌机轰炸，进至罗店南六公里之处，因罗店为少数敌军占领，该师已将前卫展开，将其驱逐。教导总队第二团，因张华浜上陆敌近两千人，尚在其附近与敌对峙，当由八十八师抽调一团前进至蕴藻浜南岸设防。

电报最后又说：

因驻地于日间受敌机轰炸，本晚正在移营，电话尚未架通，焦急异常。拟即赴太仓或嘉定与罗军长卓英一晤。

这一夜，进行彻夜的激战。狮子林、川沙口方面，进至罗店附近之敌，于十七时顷由第十一师驱逐，并击毙敌下级军官一名，在其身上搜得军用地图，知敌重点指向罗店、嘉定及浏河。我决心：以第十一师向川沙口方面攻击前进；第九十八师向狮子林方向前进。但宝山已被敌占领，第五十六师据守的一营，撤退至陶家宅、张华浜、蕴藻浜方面；教导总队第二团前进展开于张家浜、殷家浜、南徐家湾之线，迎击登陆敌人。嗣于十七时由第八十七师派兵一个团增援，于二十四日三时到达，由第二六一旅刘旅长指挥，与敌激战。

吴淞附近敌军于二十三日下午，以约千余人登陆。吴淞方面原由保安第一团守御，二十四日四时，由第八十七师先派第二六一旅的一个营到达增援，现正与敌激战中。

冒敌机轰炸，亲临前线，挽救危局

我要叙述当时一段危险的情景。我在听到敌人在川沙口登陆报告后，觉得敌人已抄到我军的后面，我军有全部被敌包围的危险。因此，我决定亲到前线去，一面镇定军心，一面设法挽救目前的危局。

从南翔到江湾只有十八里路，本不算远，但我们一出门就碰上敌机三至九架，不断地在上空来往轰炸扫射。我本来坐小汽车去，敌机临头，我就下车隐蔽；敌机转头，马上前进。但走不多远，敌机来往太多，小汽车不能再坐了，我穿着一双马靴徒步走去。中途遇见一个骑脚踏车的传令兵，下车向我敬礼，并问我："怎么总司令走路？"我也来不及对他说别的了，骑上他的脚踏车就走。一路上，我一会儿停下来掩伏，一会儿又乘隙前进，就这样冒险赶到江湾叶家花园第八十七师师部，才把正面军心稳住。

我到了江湾，决定不顾任何困难，抽调第十一师、第九十八师迎击登陆的敌人。那时由正面抽出这些部队真不容易，且因敌机狂炸扫射，部队简直无法行动。第十一师师长彭善在初接到调动命令时，对我说："简直炸得不能抬头，怎么办呢？"我说："不能抬头也得走，难道我能从南翔一路冒轰炸走到江湾，你们就不能从江湾走到罗店吗？"就在这个万分危急的局势下，抽调两个师迎敌。由于这样迅速部署，才把已经失去的罗店收复。罗店收复的影响很大，不仅稳定了正面，而且维护了后面的交通，使后面的部队能继续增援，才能与敌保持对峙的态势。

在攻占罗店的同时，第九十八师也已将狮子林之敌驱逐。保安总团仍守吴淞。唯张华浜的敌人，虽经教导总队猛攻，还是未能击退，二十三、二十四日，先由第三十六、第八十七两师抽调四个团前往围击，经几度猛攻，才把敌人包围在张华浜沿岸泗塘以东的狭小地区。二十七日，敌人被我左翼军（指挥官王敬久）于夜间迫退到张华浜车站附近。

杨树浦正面，我军仅四个团的兵力。突入巷战的我军，因受敌军夹击，在二十四日夜不得已撤出，沿租界路口固守。二十五、二十六两日无激战。二十七日拂晓前，虹口、杨树浦正面敌人，由俱乐部方面向我反攻两次，都被我右翼军（指挥官孙元良）击退。吴淞方面登陆之敌，经右翼军迎击，尚残留于纱厂百余人，也被我包围。教导总队第二团及炮兵第八团、炮兵第十团，都奉命调至后方。第六十一师的主力，已输送至大场附近。二十八日无激战。二十九日，全线战事沉寂。三十日，战事平静无变化。

三十一日拂晓后，敌以飞机三十余架，并以海军舰炮猛击吴淞，强迫登陆；敌另一部由市轮渡码头登陆。我守吴淞的第六十一师的一个团，伤亡过半，不支后退；唯吴淞炮台，仍由上海保安总团固守。我将在刘行的第六师调到杨行、吴淞，驱逐登陆之敌。该师于三十一日夜，向吴淞攻击前进，与敌遭遇于杨行以北地区，发生激战。从九月一日到五日，全军正面无激战。六日晨，敌在虬江码头登陆，经我右翼军猛烈攻击，激战至黄昏，卒将敌包围于码头的栈房中。七日，张华浜之敌倾全力向右翼军及中央军（指挥官宋希濂）阵地猛攻，经全日激战，将敌击退。躲在虬江码头栈房顽抗之敌，也由我第六十一师增援之一团打退。八日，这股败敌倾全力来犯，均被击退。九日上午十时，敌集中军舰炮火和飞机轮流对军工路一带的我左翼军进行猛烈射击与轰炸，掩护一个团的步兵进攻，激战到薄暮，敌伤亡惨重，我也受到很大损失，但因我军奋勇抵抗，阵地屹然不动。十日、十一日均无激战。

这是从八月二十三日到九月十一日，抗登陆战斗经过概要。

我的苦闷

我在八一三战役的整个过程中，总算是一个勉尽职责的人吧。不谈当时冒险犯难、奋不顾身的种种经过，仅从八月十四日以来，我没有好好吃过一餐正式的饭，也没有得到一夜的安眠。在过度疲劳之后，也忘记了困乏，只是感到眼睛是红的，喉咙是嘶哑的。这些我则视为当然，本没有什么值得夸耀的。今天想起来，却有一些无端的横逆，常常在刺痛我的心。

记得八月二十三日，我把战斗序列调整了一下：炮兵第十六团及第六十七师都输送至嘉定附近，连同第一师、第九十八师都划归第十八军军长罗卓英指挥。是日深夜，总司令部已移设于徐公桥，我才吃了一点粥，在椅子上略靠了一下。我想应该去看看刘和鼎和罗卓英他们，商询对该方面登陆敌人的作战方策，并指示机宜。一想到这些问题，立刻动身，于清晨到达太仓，指示刘和鼎如何应付当面之敌。

然后，冒着敌机轰炸，从太仓到嘉定找罗军长。见面后，罗卓英很奇怪地问："张总司令为什么会跑到我们这里来？"我当时内心里很明白：罗军长归我指挥，我应该来看看。可是一谈，才知道陈诚已不是军政部次长，他已经做了第十五集团军总司令。自蕴藻浜以北地区的防务，统归第十五集团军，由陈诚指挥。我与罗卓英谈了半天，傍晚回到徐公桥总司令部。这时，我一肚子的闷气，怎么发表了陈诚做第十五集团军总司令，连我也不通知。第十八军本归我指挥，为什么忽然划归第十五集团军？这究竟是什么缘故，真令人费解。

当我从罗卓英那边回到徐公桥的时候，我得到电话说顾祝同已到达苏州（第三战区司令长官冯玉祥，副长官顾祝同）。我心里想，两日以来，我只专顾前线，没有同后方联络，我应该到苏州看看顾祝同，和他商酌许多问题，并可借此向南京统帅部报告请示。

我一到苏州，还未及见顾祝同，就打电话给蒋介石，满想申说一番内心的苦闷。不料，蒋一接电话，就厉声问："你在哪里？"我回答："在苏州。"蒋又问："为什么到苏州？"我就说明经过："为着左翼作战，亲到嘉定会罗卓英，听说顾墨三（顾祝同字）着苏州来了，所以来同他商量问题。"蒋在电话里又大声地叫："为什么商量？两天找不到你，跑到后方来了！"我也有点气愤了，我讲："罗卓英原来归我指挥，我不能不去看看，我不知道他已划归第十五集团军陈辞修（陈诚字）指挥了！"电话里的声浪越来越大，蒋对于我讲的根本不理，只是严厉地责问："为什么到苏州？为什么到苏州？"我耐不住了，索性说厉害一点："委员长应该怎么办？我是到苏州与顾墨三商量问题的。我一直在前方，委员长究竟怎么样？"即听见粗粝地说了一句："你究竟怎么样？还问我怎样？"一下就把电话挂了。由于这个电话，我伤心了！我怀着很大的伤感，莫大的委屈。为什么？八一三之战，是展开全面抗战的序幕，何等光荣，何等神圣。我在淞沪一带的部署，自信毫无错误。尤其像我以一个总司令的地位，大胆而勇敢，从八月十四日起，一直在师部，在第一线，亲在叶家花园的水塔上督战，始终站在最前线。至于上海未能一举占领，统帅部失机于先，三次叫我停止攻击；后来，大战展开，除陆军外，又没有有力的空军配合。在开战前，委员长问我："有没有把握？"我的答复是："一定要有空军和炮兵的配合。"而自开战以后，因为缺乏这些条件，以致未能达到占领全沪的目的。我这两天（二十三、二十四日）都在前线奔忙，稳住了正面，阻止了左翼登陆的敌人进攻。只因前线电话线屡被炸断，以致没有与后方通电话。我是临阵脱逃吗？为什么不能谅解，反向我生这样大的气呢？

这个意外的横逆，刺伤了我的心！

由攻势转入守势

从九月十一日起，沪战转入了一个新阶段——由攻势转为守势的时期。

战事爆发以来，敌在淞沪一带作战的兵力，陆续增加到八万多人，军舰四十余艘，停泊于定海桥至吴淞镇之间，协同作战。敌机成群结队，滥施轰炸。自九月初旬起，敌主力向吴淞方面猛烈攻击，至十日夜，我第十五集团军右翼阵地被敌突破，退到杨行、月浦的新阵地，与敌对峙。我第九集团军的左侧背，因之越发暴露，大受威胁。九月十一日上午，敌向我蕴藻浜南岸阵地猛袭，战斗异常激烈，潘家宅、徐家宅的阵地被敌占领。我军退到河流西岸固守，并由第二六一旅派兵一部在蕴藻浜上游警戒。午后，接到第三战区司令长官的命令：

> 为整理淞沪嘉浏一带阵地，节约兵力，俾达韧强抗战之目的，着第九、第十五两集团军即转移。第九集团军即向北站、江湾、庙行、蕴藻浜右岸之线转移，占领预筑阵地，但须节约兵力，抽出第六十一师及独立第二十旅充集团军预备队。

我即依令变换阵地，转入守势。各部队奉令后，即于夜间开始行动，到第二天拂晓前，转移部署均告完毕。直到九月二十三日我辞职照准那一天，第九集团军正面，敌我没有多大接触，可以说一切无变化。

辞职的经过

最后要说的是关于我辞职的经过。从八月十三日至九月二十三日，这整整的四十天中，我在前线无分日夜地指挥策划，四出奔驰，得不到休息，体力已疲乏到不堪想象的地步。尤其使我感到疲惫不堪而实在无法支持下去的，就是精神上的苦闷。我不得不决心辞职。记得远在九月八日那天，我曾亲函蒋恳切表示辞职的至诚，并荐贤自代。这封信多少可以表达我那个时期的苦闷心情。

> 一、淞沪作战，已逾三周，兹概呈重要经过，职于八月十一日午后九时许，奉命率所部八十七、八十八师，于十二日进至沪上，以一团占领吴淞，七团进围虹口、杨树浦之敌，至午后六时展开完毕。十三日，奉命勿进攻，延至十四日午后五时，始开始攻击，至十六日，奉命停攻，准备；十七日，再攻击，至十八日夜，八十七师已突入杨树浦租界，又以三十六师加入猛攻，自十九至二十二数日，皆继续进展。讵二十三日晨，敌分由川沙口及张华浜登陆，因警戒川沙部队仅有五十六师之一

连，警戒张华浜部队仅保安团之一部，遂致侧翼感受威胁。职当即亲至江湾部署，抽调十一及九十八两师北上，收复罗店，以迎击上陆之敌。二十四日，至嘉定视察，并与罗军长商讨歼敌计划。此两日皆电话不通，无由向钧座报告，致劳廑念；然职有责任，不能不亲至前方部署与视察也。自二十五日以来，虹口杨树浦之敌，仍为我包围封锁；张华浜之敌，屡给我击退至江边狭小地区。我因受敌舰敌机之轰击，伤亡过大，尚未能将其歼灭。吴淞方面，以六十一师守兵素质稍次，复于三十一日为敌登陆，现由第六师围攻中，已奉令划归第十五集团军作战地境。此三周来作战经过概要也。

二、前奉钧座垂询：扫荡上海敌军，有无把握？如扫荡不克时，能否站得住？等因。职当以"如我空军能将敌根据地予以毁灭，则步兵殊有把握！如空军未能奏效，则以主力守据点，掩护有力一部攻击，取稳扎稳打之战法，亦可站得住"奉答。嗣后攻击实施，我空军虽奋勇轰炸，惜为数量所限，终未能收成效；复因敌工事之坚强，我军诸兵种力量之不逮，致未于短期间克奏全功。窃唯我军战略方针，原为对敌持久战，钧座前所询扫荡不克时处置，职经迭电陈明：在上海附近，以维持与租界交通着眼，预定数线强固阵地，以行攻围，似有坚强持久之把握。现敌虽增援已到，连日来犯，均经击退，我阵容迄未少变，而我王敬久师、孙元良师、宋希濂师及钟松旅各官兵，不辞疲劳、不畏牺牲之攻击精神，询已极度发扬，此当在钧座洞鉴之中。

三、自作战以来，职之部署计划，皆经逐日呈报，而钧座命令意旨，亦一一遵转实施。职于指挥上似无不当之处，但扫荡沪敌之任务，因力量与时间之限制，终未达成，职当身负其责。且职病体未愈，力疾支持，已感形神交瘁。职虽有为国牺牲之精神，深恐于事无补，反足贻误。似此职在责任上，在病体上，均应求所以自处之道。昨因健生副总长回京之便，曾恳托代陈下情，幸蒙特许，准以墨三副司令长官兼代，毋任欣感！乃今复以健生副总长、墨三副司令长官之建议，中止发表，仍令职继续负责，彷徨焦虑，万分不安。务祈钧座迅赐明令免职。如墨三兄不愿兼代，拟请以逸民（朱绍良）兄继任，或将第九

与十五两集团军合并，由辞修兄统一指挥，均甚适当。至职如
蒙钧座鉴宥，畀以闲散名义，派在大本营奔走效力，谨当竭其
绵薄，以报高厚，抗战期间，绝不敢偷安旦夕也。

　　我辞职决心下得很早，而酝酿得很久，总是不蒙批准。说可以批准
了，忽然又不准，经过几次的周折，好容易才于九月二十二日见之命令，
调我为大本营管理部部长。敌人广播说是我的建议不被采纳，而且与陈
诚闹意见，所以辞职。这种诬蔑，当然不足一哂。然而我为减除对统帅
部的烦闷，和预防与友军摩擦，却被敌人道出其中一点点消息。回到南
京，蒋约我吃饭，我请求回家休养。蒋说："好，但你先就了职再走。"
于是遵命先就了管理部部长的职，随即带着一个困乏的身体和一种落寞
的心情，回到我的故乡洪家疃了。

淞沪警备司令部见闻

刘劲持※

一九三六年春，我在陆军大学第十一期毕业，不久同学朱侠（号尚毅）约我到上海龙华淞沪警备司令部参谋处，共同准备抗战有关工作。次年即发生八一三抗战，我们均战到日军金山卫登陆以及南市沦陷。当年亲自见闻及事后了解研究都比较清楚，但年深日久，现在又年老健忘，只能提供点滴，仅供参考。

七月五日急电

一九三七年七月初，我和同事们漫谈时局，均认为西安事变后，国共两党第二次合作，日本侵华受到阻遏，上海市面繁荣，日本浪人敛迹，于是思想上放松警惕。七月五日下午四时许，突然看到蒋介石从南京发给杨虎司令的急电，内容是"时局外弛内张，注意发生事变，暗中加强防范，适时报告。"（电文很短，大致如此）我们都很惊异，立刻到处打电话，问情况，并告知所属注意事项。同时，加强虹桥机场及闸北地区的守备，派员监视日军日舰行动，防范日本浪人闹事，连夜饭都未回家吃，一直轮流守候到天亮。

次日，我们照样暗中严密防范，未发现有异常行动，上海市民当然更不知道。但是过了两天，七月七日，北方就发生卢沟桥事变，之后平

※　作者当时系淞沪警备司令部参谋。

津相继沦陷。事后知道七月五日的电报是侍从室第二组参谋李昆岗奉命拟的，当时探知日本大使川越茂已秘密由上海乘日舰去天津，预料日本军阀和外交人员互相勾结，将在北方发动事变，深怕上海同时出事，才急电告知。后来我们常说，八年抗战应从一九三七年七月五日开始，到一九四五年九月三日正式受降结束。

一·二八沪战后上海情况

一·二八事变后签订的《淞沪停战协定》，条件苛刻，主要内容为安亭以东的广大地区（即现在上海市全部）不准我军驻防；吴淞狮子林炮台被毁，不得重建；上海市区内只准保留一个空头的淞沪警备司令部，指挥少数保安部队及警察维持治安。而日本驻在虹口的海军陆战队，反可在公共租界内外自由行动，可在越界筑路上的日本工厂内任意设防，日舰则在黄浦江上炫耀武力，日本浪人时常寻事生非，上海市民多次遭殃。

京沪杭一带备战

一·二八事变后，国民党政府在几年来或明或暗地也做了一些抗战准备工作。我知道的有：

一、将陆军大学由北平迁南京，从第十期起改为每年招考一次，还增设特别班、参谋班、将官班等，培训军事人才。原有日本教官均解雇，改聘德国军官担任。

二、秘密成立警卫执行部，由唐生智兼主任，筹备有关抗战业务。如：（甲）拟订各地初步作战计划。（乙）规定最高级指挥机构，设立大元帅府及所属八个部（后来实施，只成立几个部）。（丙）划分战区，设立司令长官，下设集团军总司令，指挥各军、师作战。（丁）修筑国防工事，江南一带有南京内外围双层的据点阵地，有锡澄线（无锡至江阴）、吴福线（苏州到福山）、乍嘉线（乍浦至嘉兴）坚固据点工事，由附近驻军赶筑。（戊）筹划江阴附近的长江封锁工程。（己）一九三六年春，在长江以北，即将河南归德机场附近据点工事图，发给驻军第六师构筑。（我当时在第六师任参谋）。可见警卫执行部筹备工作范围之广，虽在后来有许多不适用，但是还是费了一番苦心的。

三、成立京沪警备司令部，由张治中任司令，指挥第三十六师宋希濂部、第八十七师王敬久部、第八十八师孙元良部及独立第二旅钟松部，担任京沪线防务及吴福、锡澄两线据点工事构筑，战事爆发时即进军上海。京沪警备司令部驻在苏州，对外不公开，用"中央军校高级教官室"等名义保密。

四、增建苏州至嘉兴铁路，名义上为缩短京杭距离，实际上是为战时部队调动方便，后来在上海抗战时发挥了作用。

五、这几年陆海空各部队皆加强训练，充实武器装备，增加战斗力，并曾在句容、溧阳地区举行军对抗演习。（实际兵力东西两军各仅一师一旅）

淞沪警备司令部充实力量

淞沪警备司令部驻在龙华，当时的司令是杨虎，归南京军事委员会及京沪警备司令张治中指挥，对下只能间接指挥上海市保安总队长吉章简的两个团、警察局的警察，虹桥机场的守备连及各县的自卫队，没有作战部队，兵力非常单薄。司令部编制很小，每月经费只有一万八千元左右。但五脏俱全，待遇较好。除中将司令、少将参谋长外，下设参谋、副官、军需、军医、军法、秘书六个处及侦缉队、警卫排（当时称特务排）、电话班。官兵薪饷初时发全薪，后来人补齐了，打些折扣，但比部队发"国难薪"好得多。（如中校发全薪为法币一百七十元，打折扣后发一百四十元，但国难薪只一百元）此外，上下班有大客车接送，还有马匹可骑（官佐多数住在法租界）。

一·二八沪战时，戴戟任淞沪警备司令，是十九路军蔡廷锴将军保荐的，干了一年多后去职。杨虎接任司令后，直干到南京市沦陷。可说与上海共存亡。

杨虎任内的参谋长，先为欧阳驹（号惜白），保定军校毕业，广东人，是上海市长吴铁城的好友，特意介绍来负责防务工作的。两广事变结束后，吴铁城调任广东省主席，欧阳驹随去任广州市长。他对上海抗战准备工作，只到南京接洽过一次（我随同前往），不久就离开了。继任的参谋长是由张治中介绍京沪警备司令部参谋处长童元亮兼任，这样备战工作更为方便。童元亮干到八一三抗战开始后，即回到张治中处工作。参谋处处长朱侠是南京选派来上海负责抗战各项准备工作的。他和我及黄家桢都是陆大十一期同学，比我二人资深，彼此向来友好。一九三六年五月间他到差时，看见全司令部只有钟桓及副官处上校副官陈毅是正式军官，其余多数是杨虎的帮会门徒或受军统特务控制（如军法处及侦缉处），就要求先充实参谋处人事，邀我任中校作战科长，黄家桢任中校后勤科长，钟桓仍任上校情报科长，并引进工兵参谋罗崇典等人。我们志同道合，新老合作，逐步搞起备战工作。

按编制规定，各处处长均为上校级，科长、参谋、副官均为中、少校级，人员不多，工作颇难开展。钟桓是保定军校毕业，任过团长，在江西被红军战败，以后来上海任情报科长，有一批谍报人员供其使用，所得情报正确及时，故仍保留上校级，支上校薪。但他胆子小，抗战爆发后未去过前线，留在法租界家中，用电话传达情报，后随张治中去湖南任县长。陈毅是日本士官学校毕业，精通军事及日语，对日交涉由他出面任翻译，也特许任上校。这样，我们更加团结，有利于工作。

记得一九三六年八九月间，虹口电影院发生日本浪人闹事案件，日方气势汹汹，大有山雨欲来风满楼之势。当时两广事变初平，蒋介石坐镇广州，警备司令部及上海市政府都去电报告。事后据侍从参谋邵存诚说，警备司令部电比市府的早到半天，蒋介石看到愁眉不展，低头苦思，连午饭都未吃。午后接到警备司令部第二电，知道可以和平解决，才稍放心，而市府的第一电才到。他还说："我们消息迅速，处事妥当，曾报告过两广事变后有日本军阀支持，得到蒋介石称许。"邵存诚是黄埔三期、陆大十一期同学。陆大毕业时，蒋介石亲自调他为侍从参谋，抗战前外调炮兵团长，侍从参谋由同学李昆岗继任，所以我们消息灵通。在西安事变时，我们也严防日方肇事，迅速做好稳定人心工作。特别是在中共努力下，西安事变和平解决，蒋介石回到洛阳，我们将消息迅速外传，群众欢呼雀跃，租界上许多男女走到马路上跳舞，表示庆祝，可见人心希望国共两党合作，全国一致，共同对外。

西安事变发生后，上海日方很感惊异，时向警备部打听消息。此后半年，他们彷徨无计，不敢生事，我们在郊区修筑国防据点工事，也不出来干涉，上海市西郊稍为安定。我们和上海代市长俞鸿钧、市工务局长沈怡共同合作，并领到十万元经费，乘机积极进行备战工作。总计后来办成及未办成的有下列各项：

一、新修京沪间电报电话线路四条，经由沪西乡下进入公共租界和法租界。因原线路沿铁路通至闸北进入租界，易被日方及机炮火力破坏。

新线路保证畅通，从未发生故障，在八一三抗战中发挥了作用。

二、新修南翔镇通至沪西虹桥机场附近的苏州河木桥，可行驶五吨重的卡车。这样，由苏州至上海车辆，不必再经过闸北附近，对日后抗战特别是退守沪西时，用途很大。日机多次轰炸，我们随炸随修，直到沪西部队撤退时，还能部分使用。

三、绘制详细的上海日军据点位置及全市交通路线图。这地图包括范围很大，但只用一张纸。日军据点标以红线注明号数，略附说明，一目了然，使用方便。后来曾大量印发。

四、增设浦东各县沿海观察哨、监视日舰日船来往方向，每日用电话报告。

五、增设警察总队，等于一个步兵团。市警察局长蔡劲军以没有武装警察，力量单薄，不能维持治安，要求增设一个总队，我们予以促成。因保安总队人数有限制，不能任意增加，只好用警察总队名义。可惜编成不久，战争爆发，未能训练和装备好，力量薄弱。

六、修筑国防据点工事二十九处。在北火车站、江湾、大场、刘行及沪西苏州河南岸等地，选定控制公路、渡口的合适地点，秘密进行构筑。因淞沪停战协定禁止在郊区建筑军事工程，我们就利用警察派出所等名义，先圈好地点，围上篱笆，造几间平屋，再在内中合适的一间，造重机枪、小炮等掩体。平时派警察或保安队守卫，战时拆毁篱笆，打开射口，即可御敌。当时北火车站正在修屋，就在底层构筑重机枪掩体两座，能控制宝山路，抗战时发挥作用。其余各处，因费用大，目标显著，及过于接近日军据点，有的就未构筑，如江湾。有的地点不妥，日军未进攻，等于无用。其余大场、刘行等处是否发挥作用，已记忆不清。

七、做好南市黄浦江封锁计划。黄浦江封锁，原来选定吴淞、虬江码头及南市董家渡三处，认为虬江码头是最好地点。但顾虑英美法等国干涉，也易被日舰拦阻破坏，只好改在法租界与南市相接处的董家渡江面，目的是阻止日军乘船至南市登陆，或派舰沿黄浦江上驶破坏沪杭铁路、公路交通。这事是工兵参谋罗崇典会同海军等有关单位办的，先将每日到达或停在黄浦江上的中国轮船逐日报明。战争爆发时，均开到预定地点，不管有货无货，全予沉没，并用铁缆互相联络，防止漂动，构成封锁线，两岸上均设防监视。这条封锁线共沉没十多艘中国轮船，始终保持完整，至南市沦陷时，日军未进攻破坏。

八、组织别动队。由杨虎组织帮会人员，埋伏在苏州河北虹口到杨树浦一带租界内，在我军进攻时放枪袭击，扰乱日军后方，或放火惊扰日军，或带路帮助我军进攻。

九、组织敢死队。虹口北四川路日本海军陆战队司令部，墙垣坚厚，易守难攻，必须爆炸方能取胜。我们拟用卡车装满烈性炸药，伪装日本医院救护车等，冲进日军司令部大门内引炸，使日军惊慌失措，我军乘势攻占。后因国内搞不到烈性炸药，杭甬铁路曹娥江造桥用余的普通炸药也不够用，加上种种困难不易克服，又怕泄露机密，只好中止。

十、计划修复吴淞狮子林炮台。曾偕炮兵军官暗中前往侦察，原有工事还未全毁，稍加修理即可利用。但因无远距离大口径平射炮，对敌舰船进出长江及黄浦江均难阻止，只好作罢。

以上十项，多数是参谋处长朱侠建议，我们秘密研究的。有的办到了，有的上报后未办妥，有的知难而止。此外，还买到两辆小轿车，一辆归杨虎司令使用，一辆归参谋长使用，并将参谋长原用的篷车拨归参谋处使用，所以去吴淞、沪西等地很方便。

扫荡上海日军据点计划

有一次参谋处长朱侠到南京接洽公务，带回来《扫荡上海日军据点计划》密件一份，供我们研究办理。他说，这是委员长指示拟办，并亲笔批准的，以后要照这个计划准备和执行。还说，当初，委员长要参谋本部拟办，参谋次长杨杰不予重视，只在上海附近的军用地图上，用红蓝铅笔画上几笔，写了一些说明就送上去了。蒋介石看后大为不满，搁置不用。后来何应钦知道了，就叫徐培根、罗泽闿等人详细研究另拟。这份批准的计划主要是罗泽闿起稿，部署妥当，附有详图，蒋介石看后满意，就批准了。从此杨杰开始失宠，不再与闻抗战军事，罗泽闿得到赏识，于一九三八年春升任军令部第一厅第四处处长（罗泽闿是黄埔六期陆大十一期同学，升任少将最早，当处长时主管战术战史业务。当时何应钦是军政部长，程潜是参谋总长）。这个计划主要是出敌不意，夜间奇袭，迅速攻占虹口地区等各日军据点，占领沿江要点，阻止日军登陆增援。兵力只是张治中所指挥的三个多师，加上保安队、别动队等。其目的是先声夺人，取得初战胜利，对苏州河北的租界，认为不是日军势力，不予顾虑。我们都是按这个计划准备的，可惜后来未按计划实行。

虹桥机场事件

七七卢沟桥事变发生后，北方炮火连天，我们在上海日夜防范，加强战备。当时最注意的是虹桥军用飞机场，那里只有一个守备连，万一驻沪日军乘坐装甲车突然经过公共租界及沪西越界筑路前来袭击，无力抵抗，势必被占。这样日机可迅速利用虹桥机场支援日海军陆战队由虹口进攻闸北。另以一部在南方登陆，则上海全市必迅速陷落，因此由独立第二旅钟松部①抽调一个精锐营，于夜间乘火车经嘉兴远至沪杭路新桥站下车，全部换穿保安总队服装，于深夜经小路到达虹桥机场，加强防备。

该营于七月下旬到达，钟松换穿便衣和朱侠、吉章简亲自去布置，行动非常秘密，戒备十分森严，所以未被日探察觉。同时警备司令部与日本领事馆人员接洽好，以北方局势紧张为由，规定日方官兵外出经过华界时，必须预先通知。这一个月来，上海日军及浪人均行动谨慎，未发现有异图。直到八月九日，日本军曹大山勇夫于下午乘摩托车向虹桥机场开来，经我方岗哨阻止，大山勇夫掉转车头直冲机场大门，我方守卫部队认为敌人来袭，开枪予以击毙。此时已近傍晚，形势相当紧张，因未发现有后续部队，才电话报告警备司令部，朱侠处长即驱车前往处理，我则向各地通报情况，注意戒备。这时钟桓科长打电话问日本领事馆："今日下午，你们有无军人乘车外出进入华界？"对方说没有。我方请其再详查。约半小时后，领事馆来电话说还未查清。我方询问有无大山勇夫其人。日方慌了，就乘车来警备司令部了解，并说大山勇夫嗜酒，可能酒醉后私自外出。钟桓则坚持日方违约，纵容他前来挑衅，并告知大山勇夫已闯大祸，今日天黑不能处理，待明晨同去解决，肇事地点及事故均暂不告知。日本领事馆人员自知理亏，无可奈何只好回去等待。

次晨（十日）双方各派数人到虹桥机场大门前，会同验看，互相争辩，无法解决。后由市府秘书和日本领事在市府开会谈判，警备司令部派陈毅副官等人参加，日军司令部也派数人参加，双方争辩很激烈，但会场气氛还算和平。后来日方又提出条件，其中主要一条是要求我方

---

① 钟松旅原名第二师补充旅，后改为独立第二旅。

"撤退各街道上一切××××"，市府翻译不大懂军事术语，译为"防守部队"，陈毅副官译为"防御工事"。这一句话关系重大，陈副官不敢坚持，只好以市府翻译的为准，向南京上报。当时闸北通虹口各街道，布满拒马、铁丝网等障碍物。并筑有简易工事，岗哨林立，对日方要求当然无法接受，十一日下午，蒋介石就下令向上海进军。

对上述这一军事术语如何翻译，当时我方不便要求解释，日本领事及翻译等都是中国通，懂得上海话，也未自动提出解释。但出事后日方未布防，未加强戒备，开会后平静无异动，等待我方答复。到八月十三日上午止，日军司令部附近群众通行无阻。推测当时日方似故弄玄虚，不加解释，以牵制我方行动，待其国内决定。也可能他们早有计划，想故伎重演，先占领天津及华北、内蒙古大片土地，组织傀儡政府，逐步蚕食全国，压迫蒋介石屈服，暂时不想在上海出兵。

进军上海

卢沟桥事变后，全国军队皆加紧备战，整装待命，有的已在运输中，但主战场究在何处，以及如何打法，尚待决定。虹桥机场事件发生后，京沪沿线部队均做好出动准备，第八十八师、第三十六师移驻铁路沿线各站附近，第八十七师移驻公路两旁，当时天热，正好露营。十一日傍晚，接到进军命令，铁路停止客运，旅客全部在各站下车，改运军队，汽车亦集中各预定地点运兵。所以八月十二日早晨，第八十七、八十八两师全部到达上海，第八十八师驻闸北车站一带，第八十七师驻北四川路东至杨树浦一带。当天第三十六师亦全部到沪，进驻江湾及虬江码头附近，钟松独立旅经苏嘉铁路到南市布防，均士气旺盛，行动迅速。当时我军兵力超过日方在沪陆军和海军陆战队兵力（当时估计日本陆战队在上海的兵力约三千人）约八九倍，进攻力量绰有余裕。

十一日晚八时许，我随同杨虎司令乘小轿车到苏州请示任务，看见沿途装满军队和武器的卡车络绎东开，非常高兴。到达苏州留园已十一时许（因途中停车让路），张治中司令已睡，临时起来接待，睡眼蒙眬，颇不高兴。他问过杨虎司令后，只淡淡地说："部队明日可全部到达，本人要往南翔、真如指挥，你们没有特殊任务，可早点回去。"时已夜深，我们只好返沪。

十二日晨，我稍眠后即同朱侠赶到真如。张治中将军已先到，穿一身整齐的军服，佩着上将符号及领章和参谋们谈话。我记得他说："将军若在战场上阵亡，敌军官兵看到，都要敬礼保护，准许将尸体领回，所以穿戴要整齐。"我听后忍耐不住，提出建议说："今天是八一二，过去一·二八沪战，我们挨了打，吃了亏，今天要狠狠地回敬它一下。扫荡计划规定夜间袭击，今晚就可全力进攻，旗开得胜，首建奇功。"不料张治中回答说："委员长指示，等敌人先动手打我们，我们才能回击，否则国际舆论对我不利。"我说："那很容易，部队进攻部署好后，到晚上派便衣去响几枪，一面进攻，一面向上报告敌已进攻就成。"他说："不能这样欺骗领袖。"这一整天就毫无作为地过去了。

过去，我乘车到闸北、江湾侦察，看见居民纷纷迁进租界，第八十七、八十八师的营连长也换上便衣，随同进去侦察，他们下午回来说："进出很容易，我们携带手枪到日本司令部附近看了一圈，摸清大街小巷，均未遭到检查，今晚只等待进攻。"当时，部队忙于筑掩蔽部，但缺材料，我说虬江码头有钢梁，可以派车去运。傍晚，我到虬江码头运回一卡车软钢梁，运到南翔西端某村作构筑指挥所防空掩体之用。

一夜过去，到十三日上午还平静无事。正午，日军即越过租界，到宝山路、北四川路等地迅速布防，与第八十八师部队发生小战，八一三抗战便从此开始。日军熟悉地形，占据有利地点，火网封锁越来越严密，我军无法突进，日本陆战队也只守不攻，形成对峙局面。

初战无功，受到斥责

从十二日晨，张治中到达上海，至二十三日晨，日军在罗店登陆，我和朱侠经常来往于南翔、龙华间，和各方面接触频繁，知道蒋介石已将嫡系精锐部队调淞沪战场，准备先攻下虹口日军据点，再阻止敌人登陆。如杨步飞的第六十一师由浙江调来；陈诚的嫡系第九十八师夏楚中部由汉口乘火车至广水，又折回汉口乘船开南京，转车来上海；周岩的第六师先头已到石家庄，又掉转头开上海，这三个师均暂归张治中指挥①，进军虹口日军据点的力量是很雄厚的。

十三日正午发生战斗后，日军布防还未巩固，如果当晚严令猛攻，

---

① 第六师到达，已在日军登陆以后，继第九十八师到的是第十一师，这两师都归张治中指挥。日军登陆后，归罗卓英建制。

或可突破。十四日，杭州发生空战，英勇的空军打落敌机多架，士气更为振奋。但都未下令猛攻，前线说一声攻不进去，就停下来，错过了机会。传说上海外国使团建议上海改作不设防城市，又说要求停战二日，使虹口租界两边居民能够迁至安全区，这样动摇了张治中将军进攻的决心。我和朱侠都怨张将军缺乏决断，既未按照扫荡计划于十二日晚间进攻，坐失戎机，尔后又未严令所部进攻，耽误多日①。

十五日，敌机开始轰炸，飞机是由木更津来的，除早晚外，一批一批地不断，白天部队不敢行动，忙于构筑掩蔽部，更无法做好进攻准备。似在十九日，在北四川路东的第八十七师阵地上，有一爱国居民偷偷前来报告，那里有一条小路没有日军守备，可以进入租界，他特来带路。当晚张治中将军亲到前线指挥王敬久于天黑后派大军进去。部队占领了许多街道，日军惊慌失措。我们在地图上对照已占领的街名，离敌海军陆战队司令部很近，非常高兴，只是第八十八师以后再无消息。次日拂晓，张治中将军回到南翔指挥所，夸奖王敬久师突破敌人阵地，并说："王敬久认为部队很疲劳，于夜深二时许，要求停下来整顿，准备今晚猛攻，我允许了。"我们私下说："一切完了，白天敌军调动部队，由日舰支援反攻，第八十七师部队难以守住。"果然白天三个师被迫退回原阵地，损失颇大。有人说王敬久虚报战功。进去的部队不多，也未到达所说的街道。

后来听第九十八师参谋长叶苔中②说，那晚第九十八师驻在附近，接到张治中电话，要夏楚中以一个旅归王敬久指挥，另一个旅归孙元良指挥，立即准备进攻，惹得夏楚中破口大骂，不服从命令。这也可能是那晚停下来整顿不能继续进攻的原因。此后再无进攻机会。过了几天，日军在罗店、吴淞登陆，作战重点转移，从此租界附近互相对峙，形成"西线无战事"状态。

我还听说王敬久异想天开，将师部与租界电话接通，本人住进租界内用电话遥控指挥。孙元良师部移驻苏州河边四行仓库，那里房屋坚固，对岸就是租界。不会受到轰炸。师长如是，下属可知，当然不会力战，张治中将军也劳而无功。

---

① 这是蒋介石的严令，不能怪张治中。见本书张治中文。
② 据当时任国民党武汉行营高级参谋宋瑞珂说，叶苔中当时是第九十八师参谋主任，参谋长是罗广文。

罗店、吴淞敌军登陆后，张治中将军被发表为第九集团军总司令，仍负责吴淞上海方面作战；陈诚为十五集团军总司令，负责罗店方面①。由于罗店方面能顶住，而上海方面逐步撤退至江湾、大场，又未拿下虹口的敌军据点，张治中在电话中遭到蒋介石痛骂，他接受不了，将电话中断，不久被免去总司令职，后来为湖南省主席，从此再不带兵，只搞政治工作。

罗店、吴淞登陆战斗

张治中在南翔西端乡村的指挥所，本来构筑得很好，南翔镇也未挨炸，但因人车进出频繁，隐蔽不够严密，怕被敌机侦明受到轰炸，就于八月下旬（似二十三日下午）移驻通嘉定公路的某村，我和朱侠随同前往②，是夜日本海军的远射程炮纷向这条公路射击，炮弹飞越上空及落在附近的爆炸声，震耳欲聋，大家都不能好睡。同时知道敌陆军在罗店以北登陆，已由陈诚指挥他的嫡系部队前往堵击，指挥所明晨须再移动位置。我和朱侠预料敌人亦必在吴淞等地登陆，大战即将开始，遂于拂晓驱车回上海。此后，白天敌机轰炸猛烈，晚间路上车辆拥挤，我就未再到过张治中、陈诚等人的指挥所，一些消息都自电话中得来，事非亲历，记忆不深，只能简述如下：

回到龙华警备司令部，得知第九十八师夏楚中部已由江湾急行军经吴淞开宝山，归还陈诚部建制，第六十一师杨步飞部赶往吴淞布防，第六师周岩部整装待命，第三十六师同守虹江码头至蕴藻浜一带江岸③，第八十七、八十八两师停止进攻。虹江码头本想破坏，经过数次侦察，该处水深，可泊两万吨以上巨轮，码头坚固，爆破很难，只能加强火力封锁。虹江以北至吴淞炮台的许多小码头也未全破坏，多数需用火力封锁。事先估计这里是敌人登陆合适地点，应早派得力部队前往布防，可是未

———————

① 张治中的第九集团军总司令、张发奎的第八集团军总司令职务是八月十二日部队推进到上海后即发表的，陈诚的第十五集团军总司令职务是日军登陆后发表。

② 第九集团军司令部原在南翔古漪园，日空军丢过两颗炸弹，无损失。日军登陆后西移至徐公桥。

③ 据史说谈，不是第三十六师，是日军在蕴藻浜以南登陆后，第八十七师一部前往抵御。

办。次晨（二十四日）日军在猛烈的兵舰火力掩护下，在吴淞强行登陆，第六十一师新到，地形不熟，未战即败，溃不成军，吴淞镇轻易被敌占领。第六十一师是第十九路军旧部，素称勇敢善战，闽变后师长易人，战力薄弱，杨步飞被撤职，成为八一三抗战后第一个战败的师长。后来由独立第二旅补充该师，由钟松任师长，朱侠被邀去任师参谋长，调下整顿好后再上去作战，就很坚强，一直打到敌人在金山卫登陆后才向金华撤退。

敌占领吴淞还未巩固时，第六师周岩部即去反攻，与敌在同济大学内争夺很激烈，攻占楼下各屋，日军退至楼上顽抗，双方死伤重大。终因敌人继续登陆增援，第六师有一个王营长（湖南人）临阵弃职潜逃，部队失去指挥，影响反攻力量，打了两天，逐步后退。这一战给敌人以沉重打击，第六师干部也多伤亡，同学沈澄年由旅参谋主任调任团长。

罗店方面敌人登陆后，陈诚指挥他的嫡系部队第十八军、第五十四军所辖的第十一、十四、六十七、九十八四个师由东西两面猛烈夹攻，想乘敌立足未稳，把他赶下海去，所以战斗甚烈。据说第九十八师派一个旅反攻宝山城，打死很多敌人，宝山化为焦土，该旅几乎全部壮烈牺牲①。我军顽强抵抗，不断反攻，敌人火力虽猛，也无法前进攻占嘉定城，双方阵线遂在罗店附近胶着，一直到最后撤退。陈诚的指挥所有同学石祖黄、刘云输、洪懋祥三人，石祖黄这时到第十四师任团长。

登陆的敌军第三、六、九三个师团，全为日本南方九州、四国的部队，也可能有波田登陆旅。他们在吴淞、宝山登陆后即继续进攻。可能因靠近上海方向的吴淞、江湾、大场等地，道路网良好，桥梁坚固，附近地形多棉花田的旱地，有利于炮兵坦克行动，加上有码头补给容易，江湾跑马场可迅速改作飞机场，于是把主攻方向改向这里。后来延伸为罗店、刘行、大场、闸北之线。当然敌人也不断猛攻罗店，想进占嘉定，截断我军后路。

从八月下旬敌人登陆到十月底我军退守沪西的六十多天内，蒋介石调集绝大多数中央基本部队和川黔湘鄂皖豫等省部队，以及广东广西和

---

① 据史说谈，宝山控制在第九十八师手中，至九月十一日全军后撤至北站、江湾、罗店、浏河一线后，顾祝同电话命令留一营守宝山（这是蒋介石的意见，顾打电话时，我在他身旁），以后姚子青营死守宝山，全营官兵无一生回，为淞沪战役可歌可泣之一幕。

部分东北军共六十多个师投入淞沪战场。这些部队，在敌人飞机轰炸下，在敌炮兵、坦克等优势火力下，英勇奋战，不怕牺牲，寸土必争，每屋必守。打得敌人焦头烂额，伤亡重大，世界各国群相惊叹，称誉我军勇敢善战，当时的国际联盟及九国公约也要开会谴责日本侵略。这个决定虽然代价重大，但奠定了全面抗战、长期抗战的局面。现就我所能想到的当时部队及作战情况概述如下：

在上海北郊的有：第一军胡宗南部，辖第一师李铁军、第七十八师李文两个师；第七十四军俞济时部，辖第五十一师王耀武、第五十八师冯圣法两个师；川军第二十军杨森部，辖第一三三、一三四两个师；鄂军第二十六军肖之楚部，辖第三十二、四十四两个师；第三师李玉堂，第六师周岩，第八师陶峙岳，第九师李延年，第十三师朱鼎卿①，第十八师朱耀华，第二十六师郭汝栋，第三十六师宋希濂，第五十五师李松山，第六十一师钟松，第七十七师陈安宝，第八十七师王敬久，第八十八师孙元良等；桂军第七军、第三十一军下辖的第一七〇、一七一、一七二、一七三、一七四、一七六等六个师（第一七五师留在广西）。其他只知番号记不起负责人姓名的有税警总团、第十五师、第十六师、第二十一师、第五十师、第五十六师及黔军第一二一师等。

在罗店方面的，除陈诚嫡系第十一、十四、六十七、九十八四个师外，还有：吴奇伟第四军两个师（第五十九、九十四两师）；广东军叶肇的第六十六军，邓龙光的第八十三军共四个师及教导旅；湘军王东原等部队；东北军王铁汉等师。这方面电话联络很困难，当时就不够清楚。后来陈诚任前敌总指挥，双方部队调动都乱了。

各部队作战情况，我听到的有：

胡宗南部接防后，士气旺盛，作战顽强，对敌人寸土必争，每屋苦战，打了一个星期，始终守住阵地，因此伤亡惨重。胡宗南一声不叫，顾祝同知道了，在电话中说今晚派某部来换防，胡才说再不换防，明天我也要拿枪上火线顶缺了。后来在沪西作战，我到第一军了解情况，参谋处长傅维藩说，该军已补充兵员四次，接防换防五次，总算能顶住。以第一师为例，旅长两个，先后伤了三个，团长四个，死伤五个，全师连长除通信连长外，余均伤亡换人。他们住在竹林村庄内，白天隐蔽不

---

① 据宋瑞珂谈，当时第十三师师长是万耀煌，朱鼎新是第十一师第六十五团团长，到一九三八年春才调第十三师任旅长，那时第十三师师长是吴良琛。

动，敌机投弹扫射，不予理会。这样沉着应付，守多攻少，反可持久。

陈诚告诫官兵说，登陆敌人使用轻重机枪，都用"啪啪啪"，"啪啪啪"三发的点放来考验我们，意思是问你"怕不怕"，我应还以两发的点放，表示"不怕"，"不怕"，敌人听到后就不敢进攻。如我连续不断的"啪啪啪啪"乱放，就等于说"怕怕怕怕"。敌人知道我们是新兵，无作战经验，待我子弹放光后，就猛烈进攻。陈诚还主张有作战经验的部队不要多换防，伤亡重大时宁可将兵员于夜间送上前线补充，以免换防后发生危险。所以有些素质稍差的师，如湖南的第四十六师师长戴岳部和河南的第四十五师师长戴屈权开到前线，就全部拨补了。各省调去做补充兵的保安团更多。陈诚的四个师都经过四五次补充，才能打到最后。

后来敌机在江湾跑马场起飞，从早到晚不断轰炸，夜间也有敌机盘旋，有些官兵就不敢坚守岗位。炮三团团长邵存诚，将全团火炮放在阵地上，没有一个官兵看守，被上级（似是白崇禧）看到了，被调职，后随顾祝同任第三战区副参谋长。

广西军反攻失利，朱耀华自杀殉国

十月下旬，桂军第七军、第三十一军六个师到达淞沪战场，似由李品仙任集团军总司令，廖磊、夏威任军长（番号已记不大清）①。李宗仁、白崇禧都到南京，并来上海视察，多年的蒋桂分裂，从此重新合作，我们都很高兴。

当时白崇禧认为桂军英勇善战，力主反攻，亲来前方指挥。适国际联盟开会在即，蒋介石也想打一胜仗，显示中国军队力量，但嫡系部队，均已残破不堪，无力反攻，想借重桂军。反攻前，调集了一些炮兵，并准备好施放烟雾，予以支援，但这时已无飞机，只好将桂军六个师全部用上。是日晨（似十月二十八日）风向不利，烟雾反吹向我方，炮兵看不清目标，无法支援。日军炮多威力大，视界清楚，我炮一发射即刻被制压。似知道我反攻部署，预先将坦克及炮兵机枪等火力布置好。桂军官兵不知利害，挺直身体毫无掩蔽地向敌阵猛进，拿起步枪向坦克冲锋。敌人放桂军官兵进到阵地前，即用火力前后封锁，猛烈射击。肉体挡不

---

① 以广西军队为主的是第二十一集团军，廖磊任总司令。所属除周祖晃第七军外，另一军是韦云淞第四十八军，不是第三十一军。

住子弹，又无藏身之地，桂军纷纷壮烈牺牲。后续部队急忙退却，敌人阵地则丝毫未被突破。这样，一日间桂军六个师即被击溃，损失重大，不能再战，当晚只好另派部队接防。

次日，敌人以坦克领头，向大场附近进攻，守该地的第十八师朱耀华部是湖南部队，兵力薄弱，正面过广，阵地被突破，朱耀华师长羞愤自杀，这是八一三抗战后上海方面第一个战死殉国的师长，应该受到人民的尊敬。阵地被突破后，无法恢复，也无力恢复。当晚撤退，一部退守沪西苏州河南岸，主力向西撤退，日军未穷追，后来在南翔、真如间停止下来，尚可与罗店方面联成一线。

桂军六个师撤下后，即车运皖中地区整顿，不久发表李品仙为安徽省主席①。是役白崇禧本想取得胜利，结果反招失败，从此桂军再不夸强。后来刘斐对我们说："这些人不知道现代战法，只凭一股勇气，拿着刺刀向坦克冲锋，自招死亡，不败何待，今后训练部队，指挥作战，应当切戒。"

沪西战斗

我军由闸北大场撤退时，传说陈诚曾建议，应考虑长期抗战，保全部队战力，有秩序地逐步退守吴福线、锡澄线，保卫南京安全，不必退守沪西。但蒋介石以国际联盟及九国公约开会在即，能守住沪西、南市两地，可壮国际视听，因此决心要守住沪西，至会议结束通过谴责日本侵略决议时，这批守军再向杭州方向退守乍鬅嘉线阵地。事前对固守沪西似无计划，也无完整兵力可调，临时将装备良好，在训练中未作过战的教导总队作为主力，由南京运至沪西苏州河南岸布防。该总队在南京留有很多部队，开上海的不到一师人，总队长桂永清也亲来指挥。此外，由胡宗南第一军两个师、钟松的第六十一师及其他部队（番号已记不清，似有第三十六、六十七师）约十个师协助。这些部队多数是作战多次，新近换下补充的，由张发奎任总指挥，指挥部驻徐家汇法租界外边一座楼房内。胡宗南这时已任第十七军团长，参谋长为罗列，胡似兼副总指挥名义，驻在越界筑路南面另一条可通汽车的小弄内，地点相当偏僻。

---

① 安徽省政府主席先是李宗仁，后是廖磊，廖病故后才是李品仙。

这段苏州河面较阔，只东端有沪杭铁路桥及中山公路桥，西端南翔附近有通汽车的木桥，中间过渡全靠船只，交通颇不便利。铁路桥及中山路桥，由警备部工兵参谋罗崇典负责，花了两夜，初次炸药量不足，第二晚才彻底炸断。我们当时很着急，幸日军未迅速追击，可能因中山路太靠近租界，后来也未从这里进攻。西端木桥，有部队在河北岸真如、南翔间守住，可保无虞。

似在十一月二日（或三日），敌人开始渡河进攻，渡河点在当时的大夏大学西面，正对着教导总队阵地。这次敌人采用先以炮兵击毁阵地，后用步兵占领阵地的战法，经过飞机炮兵猛炸后，即用军舟渡河，但未架桥和使用战车。教导总队兵员虽体壮善战，死守阵地，但伤亡惨重，无法阻止，逐步后撤。打了数日只好换防，由第一军及六十一师接替。

那几天，日军老式轰炸机飞得很低很慢，步机枪都可命中，但无人放射，怕暴露目标先遭轰炸。晚上，敌巡逻机在空中投照明弹扫射，威胁我部队车辆行动。敌远程炮从闸北、江湾掠过租界上空向龙华等地射击，啸声震耳，警备司令部人员多数不来办公，只我和罗崇典二人时去一看，有事用电话报告杨虎司令。

黄琪翔天黑才乘车到徐家汇附近楼房办公，天亮前即退入法租界，只有两人跟随，我被邀去帮忙。他以亲笔写信方式指挥作战，我则打电话问部队情况或接待来人，并负责送信传述命令。

由于过去修筑据点工事，我对沪西道路村庄地形相当熟悉，白天无事，就骑脚踏车到各部队了解战况，傍晚回来报告。第六十一师接防后，我去指挥所看望钟松、朱侠，正值敌人进攻，前线机枪声此起彼落，头上敌机不断巡逻投弹，炮弹也飞过上空或落在附近。他二人住在小竹林中一座平屋内，镇定自若，没有掩蔽部，只桌上有电话机、记事本等，有一位士兵站在门口瞭望。遇到炮弹炸弹在附近落地，震得全房摇动，尘灰满桌，只好相视而笑，颇有听天由命之感。我待了一个多小时，待炮击停止方骑车回来。这次尝到前线作战辛苦滋味，迄今记忆犹新。

我两次到过第一军军部，第二次是陪伴市警察局长蔡劲军去见胡宗南，他的司机不熟悉沪西道路村庄，要我带路。上海情况危急，大家要找出路，我也接洽好今后随胡宗南工作。次日傍晚，将小小行李放上汽车，打电话向杨虎辞行，他坚决不让我走，说警备司令部参谋处没人了，黄琪翔也留我再帮忙几天，情不可却，打电话向罗列说明，允许再留几天。但是局势突变，敌金山卫登陆，沪西撤退，我就未去成。

近十天的沪西战斗并不激烈，敌步兵渡河后进展很慢，也可能预知金山卫登陆后，我军自然要退却，所以不急于进攻。教导总队换防撤下后，伤亡并不很大，约三千人，就先开回南京。

日军在金山卫登陆，我军撤退

九一八事变前，陆军大学驻在北平，聘请有日本高级军官担任教官，有一次一位战术教官酒后狂言说："金山卫、大鹏湾、北海都是登陆的好地方。"可见日本军阀早已存心侵略我全国，对这些登陆地点早有研究。陆大迁南京后，第十期同学曾于一九三三年到金山卫作野外战术实施，误认为水浅涂深，大小船只靠岸困难，内部又是水网地带，河港纵横，登陆后活动困难，就不重视。唐生智任警卫执行部主任时，也曾带领参谋多人亲往金山卫视察，遇到一条河浜，唐生智穿着长筒皮马靴毫不迟疑，涉水而过，参谋们只好随同涉水过河。他们视察后，也认为登陆不利，就未筑工事，不设防，反认为乍浦重要，选筑乍浦至嘉兴线据点工事。因此警备司令部也未在这一带设监视哨或瞭望哨，这是事先犯下的错误。从敌人在罗店、吴淞登陆突破大场阵线后，又认为不会有第二次登陆，要登陆也必在长江方面，对浦东各县更不注意，只有第五十六师分驻在浦东各要点①，这个师是安徽陈调元旧部，战斗力很差，兵力也很分散，更难阻止敌人登陆。在沪杭铁路线上，只有第五十五师李松山部驻在松江、莘庄间，作为机动部队，也是力量很差的陈调元旧部。嘉兴原驻有张銮基独立旅，后拨补取消番号，未驻兵设防。十一月五日（或六日）钟桓的情报人员说，黄浦江内很多小火轮向吴淞口外开去，不知有何用途，转报后未引起注意。

七日晚，得到敌人在金山卫登陆消息，张发奎、黄琪翔都在观望，未采取行动。八日晚，知道敌人登陆成功，兵力强大，占领金山县后向闵行前进，黄琪翔亲笔写好命令，要李松山师迅开闵行黄浦江北岸布防阻敌过河。这封命令信，由我乘小轿车开大灯送去，限时送到（似九时前），当晚敌机在上空巡逻，沿途官兵要我熄灯，几乎开枪。九日晚得知闵行失守，敌人兵力很强，又由苏州河战线上抽调第六十一师前去堵击，

---

① 不是刘和鼎的第五十六师，而是阮肇昌的第五十七师。

我在中山路上送朱侠南行，都说防范太疏忽，不料敌有此举。十日晚，得知全线撤退，我们收拾文件，通知有关单位后，于十二时许随黄琪翔退入法租界。次早（十一月十一日）全市沦陷，数处起火，日本哨兵站在法租界的外面。这就是使我一直记住的惨痛日子——上海的"双十一"。

京沪杭国防工事的设想、构筑和作用

黄德馨※

设防方案的确定

一九三二年一·二八上海抗日战争后，国民政府鉴于上海是全国经济中心，南京是政治中心，为了防止日本帝国主义再从上海入侵，一九三三年就开始拟议在沪杭一带构筑国防工事。初由杨杰提出"京沪杭设防方案"，因范围过大，尤其对南京采取闭锁式（用堡垒团构成）的设防，形式陈旧，在当时条件下，不适宜对敌进行持久消耗战，故未被采用。继由德国顾问经过实地踏勘，提出一个方案，因非财力所及，也未被采纳。后来由国民党军事委员会参谋本部李青等人（李在抗战期间继马崇大任城塞局长）几经实地勘察和研究，提出了一个较为合理的方案。自一九三四年起至一九三六年为期三年所构筑的国防工事，基本上是按照这个方案实施的。

当策划这个方案时，对日军可能进犯的方向，作了具体分析和判断，认为：日海军可能由长江和杭州湾进犯，空军由上海袭击南京和各大城市，陆军可能由上海附近及杭州湾北侧登陆后，分两路西进，进攻南京。因此，便把京沪杭一带划分为京沪、沪杭和南京三个防御地区，并以京沪地区为防御重点，先行构筑工事，配备兵力防守。

京沪区防御阵地：京沪地区有沪宁铁路、京沪公路和长江三条水陆

※ 作者当时系工兵学校教官。

交通干线,从军事上分析,将是日海陆军协同向西推进的主要路线,故应选择要点加强设防。这个地区北有长江,南有太湖,二者之间湖沼绵亘,河流纵横,形成水网地带,是敌人运动的天然障碍,有利于守而不利于攻。同时又有虞山、定山、惠泉山等许多高地分布于苏州、常熟、无锡、江阴附近,地势险要。因此,选定吴福线(苏州至福山)和锡澄线(无锡至江阴)为这一地区的主要阵地,并在这两线阵地的前后,分别设置后方阵地和前进阵地。后方阵地,选在常州—石庄一线,左有长江,右有滆湖可为依托,而两翼侧面也有较为可靠的保障。这一线的地形虽不险要,但阵地正面较为有利,便于预备队兵力集结,运输也较方便,后方兵力增援和物资补给,有铁路、公路和长江水路可资利用。在昆山附近选择险要之地构筑前进阵地,以青阳港和附近河川为障碍,平时酌量构筑少数永久性和半永久性工事,驻兵防守。在昆山以东及上海附近,则临时设置警戒阵地。

沪杭区防御阵地:沪杭间交通有沪杭铁路、沪杭公路和杭州湾水路,日军海陆协同,利用这些交通线西侵也是可能的。为此,在乍浦、澉浦、拓林等海岸要点,构筑永久工事形成要塞,以防日海军陆战队登陆。在沪杭铁路线,以嘉兴为策应枢纽,配备相当兵力防守,免为日军利用。因嘉兴南有杭州湾,西有太湖,也属水网地带,日军大部队不易活动。而且天目山脉横阻于太湖与钱塘江之后,可以阻碍日军炮兵和机械化部队向我阵地后方侵犯。根据这些地形特点,这个地区虽处于次要防御方向,但为了与京沪地区吴福线和锡澄线阵地衔接,故选定乍嘉线(乍浦经嘉善至苏州)和海嘉线(海盐经嘉兴至吴江)为主要阵地,并在两线阵地前后分设后方阵地和前进阵地。后方阵地选定杭州至湖州一线,两翼有太湖和钱塘江为依托,前是水网地带,障碍力较大。整个后方阵地背靠天目山脉,可以形成最坚强的阻止线。但后方交通条件较差,对阵地的补给运输不大方便。前进阵地选定全公亭至枫泾镇一线,择其险要构成据点,据点前虽有纵横交错的河川,但障碍力较差。故预定在前方构筑一警戒阵地,与京沪地区警戒线相联系,以为缓冲。

南京区防御阵地:南京依山带水,地势险要,但由于四通八达,战争中容易受敌包围。因此,对南京区阵地的选定,首先必须使进犯之敌不能包围。其次,即使遭受包围,也要能在独立进行作战条件下,打破敌人包围,尽可能歼敌于阵地前或阵地内。基于这一要求,决定在南京城外构筑外围阵地和复廓阵地,并在外围阵地前设置警戒阵地。外围阵地选定乌龙山、栖霞山、青龙山、淳化镇、牛首山、大胜关一线，两翼依托长江天堑，形成一弧线阵地，并以东南为阵地的主要防御方向。复廊阵地以南京城墙为外廊，在环城外选定紫金山、麒麟门、雨花台、下关、幕府山要塞炮台一线为外廊阵地，形成城内城外两线，相互为用，内线便于支援外线，外线可以巩固内线。在城内，以北极阁、鼓楼、清凉山为界，划分两个守备区，并将清凉山等高地构成坚固的核心据点。此外，还在长江北岸浦口，构筑桥头堡阵地，以封锁渡口。警戒阵地选在后头山、大连山、湖熟、秣陵关、江宁镇一线，虽离外围阵地较远，但可使其有充分时间作战斗准备。

防御阵地的编成与永久工事的设计

确定设防方案后，接着就决定如何编成防御阵地。在上述三个地区的阵地中，最重要的首推吴福线和锡澄线，其次是乍嘉线和海嘉线以及南京外围阵地和复廊阵地。当时这些阵地的编成，主要采取以步兵营阵地为单位，在特别重要地段或次要地段，也有采用团阵地或连阵地的。由于这些阵地是各地区最重要的部分，必须构筑数量较多的永久性工事和部分半永久性工事，并尽量利用天然障碍物，辅以人工障碍物做掩护，使其成为坚固的阵地。后方阵地和前线阵地，基本上是按营阵地或连阵地编成的，平时根据需要，构筑为数很少的永久性工事，战争开始前后再构筑大量的野战工事，以适应战斗需要。

各阵地编成的基础主要是营阵地。当时步兵营由三个步兵连、一个重机枪连、一个迫击炮连编成。每个营阵地包括三个连阵地，每个连阵地包括三个排阵地。各连排阵地，通常都分第一线和预备阵地，形成纵深梯次配置。根据防御计划，各战斗单位在预想的各种战况下，采取必要的措施，对射击、观察、通信、交通、伪装、掩体和障碍等，做好系统的设备，组成严密的战斗整体，既有利于战斗行动，又能独立持久地进行防御战斗。无论是整个营阵地或是各个连阵地，在编成上都必须构成环形防御。各连阵地之间须相互配合，构成交叉火网。营阵地还包括各种用途不同的工事，如轻重机枪、战防炮、迫击炮等射击工事，还有观察所、掩蔽部、弹药库和散兵壕、交通壕以及障碍物等，其中轻重机枪和战防炮工事、观察所、掩蔽部、弹药库，都是步兵阵地的骨干，必须用坚固材料建筑永久性工事，使其能经久不坏。

　　永久性工事的设计，主要由参谋本部城塞组（后扩充为城塞局）负责，中央军校和工兵学校也参加了一部分工作。工兵学校参加设计的人员有教官黄德馨、张其意、工程师毛毓源，还有德国顾问凌克等。当时设计的工事标准，对步兵骨干阵地筑城强度，以确能抵抗敌人十五厘米口径的炮弹和五百磅炸弹为标准。对地下工事，以确能抵抗一千磅以上炸弹为标准。因此，建筑工事的材料，是以钢筋混凝土为主，顶和墙都须有一定的厚度。

　　重机枪工事有两种类型，一是用于正射，另一是用于侧射。正射工事只有一间战斗室，射孔采用外八字形，一般成九十度开口。工事顶盖和前、侧墙的厚度，均为一米左右。侧射工事，除战斗室外，还有一小间寝室，射孔是内八字形，成七十度开口，也有外八字形，成六十度开口，其厚度较正射工事稍薄。当时设计偏重于正射，但淞沪战役中的实践证明，正射工事不如侧射工事。

　　轻机枪工事也有两种类型，分单射孔和多射孔。单射孔工事只有一间战斗室，射孔是外八字形，成九十度开口，其盖顶和前墙，同重机枪工事差不多，但侧墙和后墙都较前墙薄。多射孔工事有战斗室和寝室各一间。战斗室三个射孔，都是内外八字形，正面的射孔也成一百度开口，两侧的射孔均成五十度开口。其前后墙和侧墙都较单孔工事薄。淞沪会战时，吴福、锡澄两线，只有重机枪工事，未见有轻机枪工事建筑。

　　战防炮工事有一战斗室，射孔成七十度开口，其顶盖和前侧墙，厚度约一米左右，后墙厚度为前墙的一半。观察所分甲乙两种，甲种用于观察一个方向；乙种用于观察四周。甲种观察所设有一间观察室，观察口开在一面，是外八字形，成六十度开口。乙种观察所也设有一间观察室，观察孔设在顶上，顶空之上有钢板制成的圆形掩盖，其顶盖和前墙的厚度约一米左右，较甲种观察所稍厚。掩蔽部设有一大间寝室，可容纳半排人休息，也可作为指挥使用。弹药库设有一间弹药室。掩蔽部和弹药库工事的顶盖和前、侧、后墙的厚度均相同，和观察所差不多。

　　以上这些工事，所负的战斗任务虽不同，但各工事内部都有必要的设备，如射击台、床铺、弹药架等等。各工事都只有一个出入口，门是钢板制成的。这些工事的共同特点是：体积较小，便于选择位置和伪装，构造比较简单，施工也方便。至于永久性工事，当时参照德式筑城的工事标准酌予加强，但未进行具体设计。

工事建筑的经过和实况

　　各阵地、要塞及南京城防所需要新建和增筑的各种永久、半永久性工事,于一九三四年至一九三六年三年期间,分期分批进行。先后派了第三十六、五十七、八十七、八十八共四个步兵师和独立工兵第一团、工兵学校练习队以及宪兵团等部队,担任工事的构筑任务。由于技术上的需要,还向上海陆根记、陶馥记等私营营造厂,借调了许多熟练工人参加。后来这些工人大多编入各工兵团。各步兵师和工兵团,担任吴福线、锡澄线、乍嘉线、海嘉线和南京阵地的工事建筑。工兵学校练习队担任南京城内外个别据点、地下室和紫金山附近部分重机枪的工事建筑。宪兵团专任南京城墙永久性工事的建筑。从事工事建筑的主要力量,是几个步兵师和工兵团,如王敬久的第八十七师、孙元良的第八十八师、宋希濂的第三十六师,分担吴福、锡澄两线阵地工事建筑,阮肇昌的第五十七师担任乍嘉线阵地工事建筑。

　　一九三五年下半年,各地永久性工事半数以上完成,有的还正在施工。是时曾由工兵学校教官黄德馨、张其意、申承基等组成视察组,到乍浦、澉浦、江阴和苏州等地,对已完成的工事进行视察,一面为了工兵学校教学参考需要;一面观察建筑情况,发现问题,提出改进建议。在视察过程中,发现有些工事位置不合战术要求,如平地上的工事多数是孤单单地突出于地面,未利用地形、地物背景。在有坟堆和小高地的地方,没有尽量将工事配置在高地侧斜面或反斜面,而是建筑在高地附近的平地上。有的机枪工事建筑在山顶上,射孔很大,只求射界广阔,未虑及易被敌炮击毁的后果。也有的工事建筑位置较低,或因原有基础不固而下沉,势将影响火器的射程。机枪工事往往限于地形条件,不得不建筑在地面上,不够掩蔽。弹药库应有伪装设施,可是有的弹药库也建筑在地面上,伪装很差,顶上和周围的覆土多已坍塌,像"土地庙"一样,一座座突出于地面,很远就能看见。

　　各地已建成的工事,基本上是按照固定图案构筑的,没有根据地形实际情况,临时设计切合需要的构筑,以致造成工事上许多不利因素。至于工事的保管和维修,也缺乏一定的制度。工事钥匙多交当地乡公所或镇公所负责保管,有的交给保长保管。当视察组在澉浦向镇公所索取钥匙时,锁都生了锈,费了好多时间才启开。似此情形,一旦作战,部队要使用工事必然忙乱一团。经过观察，总的说来，工事外形一般还算不错，至于实际质量是否符合设计要求，因非该组视察范围，未作观察和探讨。据悉当时施工中存在偷工减料等情况，难免不影响工事质量。视察组回南京后，将视察中发现的问题，由工兵学校向有关部门提出了改进意见。

经过三年的施工，各主要阵地的永久性工事，基本上按照预定计划建筑完成。按照当时规定，次要阵地非有特别必要，原则上是不建筑永久性工事的。但是地处沪杭区后方阵地的湖州，因是陈立夫的家乡，根据他提出的要求，特意在湖州构筑了部分永久性工事。在各个阵地中百分之九十是重机枪工事。在水路方面，乍浦、澉浦也建立了小要塞。对江阴要塞做了必要的加强和改进，除加强要塞阵地的火力外，还将要塞的范围扩展到长山、定山附近，并于长山、定山安置了部分大炮，既可分散目标，有利于要塞的掩护，又能扩大炮火射击范围。在沿江地面敌人可能登陆的地方，配置重机枪阵地，以阻敌登陆。在要塞工事建设方面，各种设施都有所加强，要塞及陆上正面的防御与澄锡阵地相结合，选择几个要点构筑了步兵阵地。至于障碍设施，除陆上采用鹿寨、外壕和部分铁丝网外，对水上则于必要时设置阻塞物，横断长江，予以封锁。八一三抗战前夕，江阴要塞已用沉船封锁了长江。

江宁要塞的重要性在于配合有关阵地，拱卫南京，为了改进和加强要塞设施，根据需要对各炮台中比较密集的炮种、炮位和口径作了适当调整，增设了新式大炮，其中部分火炮，除用于对陆上正面射击，也兼顾对空防御。工事方面也在原有基础上有所加强，对新增的火炮，还建筑了新的工事，并在要塞附近各要点，建筑了战防炮和重机枪工事。在各炮台附近，利用丘陵侧、反面，设置了防空、通信和指挥等掩蔽部以及弹药库。各掩蔽部中设有一般的防毒设备。各炮台的伪装措施主要是植林，露出地面的工事多架设了伪装网。

此外，在南京城内外的富贵山、鸡鸣寺、南山、清凉山、雨花台、童子仓、方山、都天庙等处，建筑了地下室和坑道工事，作为指挥所和防空之用，其中以富贵山地下室规模为最大，设备也较完善。当时蒋介石住在中央军校后院，富贵山地下室就在军校后面。

战时工事利用情况

上海抗战前日本帝国主义者曾声言"三个月内打败中国"，殊不知仅上海战役就打了三个月。在上海战役中，日军先后调动了十一个师团、四个海军陆战队，总兵力达二十二万余人。使用的各种火炮共三百余门，轻重战车二百六十余辆，装甲车一百余辆，军舰总吨位约四百吨，飞机二百余架。我国投入的作战兵力，先后有七十多个步兵师，约八十余万人，其他各兵种尚不在内。上海抗战开始时，在淞沪一带进行作战，一时还用不上国防工事，使用的是临时构筑的野战阵地。在战斗过程中，这些阵地一再被破坏，再修再用，起了一定的作用。但当时日军在海陆空方面占绝对优势，又不断增兵猛烈进攻，我方部队不得不急于筹设后续阵地。因此，八月下旬，南京大本营派工兵学校教育长林伯森（那时蒋介石兼该校校长）随带我、黎玉絮及工兵学校第五期学员（大多是各部队送训的工兵军官）五十人和工兵教导营营副及连长等数人，到上海筹划大规模地构筑野战阵地。当时第三战区长官部指挥所驻在安亭南翔间张治中的第九集团军司令部内，我们到达后，晋见了战区副长官顾祝同，并与参谋处取得联系。经过商讨，成立了临时工事构筑指导处，由我和黎玉絮负责，在林伯森指导下，根据战区阵地构筑计划，拟订了工事构筑指导计划，并将大部分学员分派到我军占领的刘行、杨行、闵行、顾家宅、广福、施相公庙、唐桥站、大场、罗店一带的各部队，根据指导计划构筑工事，约一周后，黎随林返回南京。

当时各部队建筑工事极为认真，白天利用敌机空袭间歇时间进行，夜晚普遍展开，故进度较快，质量一般也能符合要求。但也有缺点，如重机枪掩体，为了射击界限远些，总希望把位置设在较高的地方，而且又着重于正面射击，忽视侧面射击，更少注意到侧防友军阵地。我随第九兵团副司令黄琪翔，到刘行、杨行一带视察第三十二师等部队的阵地时，发现了上述情况。当时第三十二师王修身师长还认为重机枪只有如此配置，才能发挥其骨干火力作用。殊不知射击位置如果暴露，不待其发挥火力，就有被敌炮火摧毁的可能。事实上，这些情况，在上海战役中屡有出现。

有些工事，幅员虽小而作业量大，工地只能容纳有限的作业人员，建筑也有一定的程序。可是有些部队长急于求成，往往想以加倍的人力，缩短完成时间，顾祝同也有这种要求。事实证明，人多并不能做到进度快，反而影响进度。当时一般部队长虽重视工事建筑，但对人力、器材和时间三者的相互关系，以及如何有组织地合理使用，是不大注意的。

有些阵地工事，在建筑刚完成就用于战斗，也有未完成就用于战斗的，于是出现了边战边建的现象。各部队凭借阵地工事，坚持战斗，即使牺牲很大，绝不轻易放弃阵地。为此，每当前一线阵地进行战斗，后一线阵地工事就预先建筑好。在战斗中，阵地工事常遭敌人炮火和飞机破坏，需要不断修建，因而发生材料供不应求现象。有些部队赶筑工事，需用材料急如星火，不得已只好拆用铁路钢轨、枕木和战场上被毁房屋等一些可用的材料，以济眉急。

工事在各部队构筑和利用下，发挥了应有的作用，但作战不可过分依赖工事，更为重要的是部队的战斗力和坚守阵地的决心。战区指挥长官顾祝同依赖工事的心理比较突出。当战区得知日军将于九月十三日对我正面阵地发动强大攻势时，约在前两日，顾祝同命我赶赴第一师李铁军部、第十五师王东原部所据守的阵地，进行检查。他说："看看这些阵地能打几天。"并限于当晚利用南翔通信所专线电话向他报告。他不问部队战斗力和决心如何，竟提出"阵地能打几天"，可见他当时的心理状态。我与第一师工兵营长夏同彭、第十五师工兵营李营长，对阵地进行了检查。当时阵地工事已基本建成，也具有相应强度，并在继续加强。后来由于日军一再猛攻，在激烈的炮火中，工事几全被毁。但防守部队英勇顽强，奋力抵抗，坚守阵地数天才被突破。

约在九月下旬，我到唐桥站第六十一师钟松部队，检查了阵地构筑情况。该部队工事构筑较好，对伪装也较注意，但后方司令部的防空掩蔽部同司令部筑在一起，经过建议随即改进。

十月上旬，因前线部队伤亡甚重，难以坚持，将向吴福线永久阵地转移。长官部迁往苏州后不久，又迁至无锡。当时准备待前线部队到达吴福线永久工事后，再指导工兵构筑需要补充的野战工事。后因长官部作战决策突然改变，令在撤退途中的部队重返原阵地，故将部分工兵学校学员随前线部队行动。同时，因适应战况发展需要，另成立了工兵司令部，专门承担阵地工事的构筑任务，我等遂返回南京。

十一月初，日军因正面进攻伤亡惨重，未能达到预期目的，便在金山卫登陆，进行侧面迂回，企图围歼我据守上海阵地的各部队。由于战局形势发生变化，我前线各部队不得不撤守吴福线和锡澄线。因日军陆空军协同跟踪追击，我部队先后撤至两线，均难立足据守，于是只得大踏步向南京撤退。

据最后撤回南京的几个工兵学校学员说，正面部队从上海撤退，吴福、锡澄两线的国防工事都未及利用。有的部队撤到两线阵地后，虽准备利用工事据守，但保管钥匙的保长逃走，无法开启工事。有的因工事位置过于暴露，不便利用。有的工事虽完全适合战术要求，但个别部队认为情况紧急，在这种工事中进行战斗，机动性受限制，不愿利用。江阴要塞在我军从锡澄线撤退后，即被日海、空军协同陆军包围，战斗异常激烈，要塞及其附近阵地的守军（两个步兵师和要塞部队约一个团），损失虽重，但仍孤军奋战，坚守七天，杀伤了大量敌人，并击毁击伤日舰六艘，飞机六架。要塞工事对保障守军作战和发挥火炮威力，掩护我部分守军安全撤退，起了一定的作用。

当战事发展到南京时，防守南京的部队大多是从上海撤退来的，秩序较乱，有些工事未能利用，即使被利用的，因工事未尽符合战斗要求，作用也不大。日军在海、空军掩护下，从三面包围南京，而保卫南京的最高指挥集团也缺乏决心，战斗一周后，国民党政府西迁武汉，南京沦陷。

淞沪战役，从一九三七年八月十三日起至十一月十二日止，历时三个月，上海沦陷后一个月（十二月十三日）南京相继沦陷。数年间国民党政府筹建的各线国防工事，总以为在这次抗战中可以发挥阻止敌军的作用，结果并未如愿。上海各部队未能及时主动撤至永久阵地，利用这些永久工事，继续作战，消耗敌人。当部队被动撤到永久阵地时，迫于敌人尾追，无喘息余地，不得不一退再退，永久工事无从利用。再则当时构筑永久工事，是在消极防御思想指导下进行的，存在不少缺点。例如：两线阵地相距七八十公里，相互之间不便联系，形成单独阵地作战。同时各阵地的纵深过小，只有一公里，不便回旋，在阵地线上的重要地段，也没有充分注意重点加强设防。各营阵地火力网的编成，一般注意本营的正面阵地较多，很少考虑邻近阵地的侧防和相互支援。阵地的永久工事数量虽多，强度也相当大，可是工事内部还缺少消烟、减声和卫生设备。工事的出入口多是直通的，对防强防震缺乏保障，特别是人员掩蔽部，只有一个直通的出入口，更不安全。有些工事突出于地面很高，而伪装又差，易被敌炮击毁。杭州湾海岸乍浦、澉浦和拓林等要点的永久工事没有很好利用，对日军登陆未起到阻止作用。江阴要塞虽坚守了七天，但永久工事所起的作用也有限，南京永久工事的效果也微不足道。总之，国防工事在八一三抗战中，因大部分未被利用或不善于利用，未起到它应有的作用，而临时增筑的野战工事虽强度较差，却起了相当大的作用。

确保淞沪会战通信畅通

沈蕴存※

战前通信设施的准备

一九三六年春，中央军校教育长张治中将军奉蒋介石之命兼京沪警备司令，他调该校教官兼办参谋业务，我是教官调兼参谋之一。

参谋处成立以后，为了避免日本察知我国准备抗日的措施，以军校高级教官的名义，对有关单位及所属单位保持联系。

参谋处展开工作，首先作状况判断：假想敌军侵犯京沪地区，预想战场内设几个作战地带。我主管通信，根据作战计划，调查本地区内现有通信情况，了解到当时通信设施在江苏省长江南岸富庶之区较为发达。尤其南京是国民党政治中心，上海是中外贸易经济繁荣区域。国民政府交通部所辖的国营线路包含有（无）线电报和有线电话集中在京沪铁路沿线，电报能通各县城及重要镇市，电话仅通少数几县。江苏省建设厅辖有省长途电话，从省会镇江通至各县城。苏州、无锡、常州、江阴等县的商人成立民营电话公司，建立县内电话线路，联络城乡。

以上国营、省营、民营三大通信系统，各自为政，电话线路不沟通，未从国防上着眼，长江南岸许多港口，在军事上极关重要，但都缺乏电话线路，是个弱点。

※ 作者当时系第九集团军上校通信主任参谋，后任通信团团长，国防部第二厅副厅长。

　　如在我国境内与敌作战，军事通信要利用现有设备，如不能完全适应军事需要，应责成有关单位增设或改建。因此，我们第一步是调查既有设施，派员向交通部、江苏省建设厅索取所辖的电信、电话线路图。我详细核阅后，会同作战参谋史说设计江防通信网和吴（苏州）福（常熟福山）线及锡（无锡）澄（江阴）线永久阵地内通信设施线路图。拟定后，呈军事委员会核准，认为可行。一九三七年春，军委会令通信兵第二团建筑阵地内通信线路，该团官兵在湖汊纵横地区，测地势，竖电杆，架电线，辛苦备尝。在日军窥我华北，战云日矍的情况下，于两个月内架设完成。

　　总司令咨请交通部通令江南各县电报局（有兼营电话业务的）协助我试通各地电话和调查电报状况。我与作战参谋唐化南同行，分别查勘地形，视察通信。从上海吴淞起至江阴县城止，每日步行八十余华里，雇一独轮车，由一勤务兵推行李，先到宿营地。走了两三天，我腿肿，脚掌上长出直径一英寸的水泡，脚沾地就痛。客店主人劝我说：不能再走，以防泡内积水化脓。他告诉我：点一个线卷，用烟先熏痛处，尔后用绣花针在水泡上刺成许多小孔，让水流出，擦干，休息一天续行，就毫无痛苦。我如法治理，果然见效。阳春三月，步行二十四天，徜徉在田野中，日丽风和，越走越感兴趣盎然。我们走过嘉定、太仓、常熟、江阴等县及其所属乡镇港口。我试通电话时，发现许多口岸，缺少电讯设备，不能从江边和内地、县城通报通话，各种设施互不相连，殊欠灵活，如发生战事，必将影响军情的传递。我视察所得情况报告总司令张治中，建议江防通信非常重要，必须从速补充。他回忆一·二八淞沪抗战时，日军在我左侧背浏河登陆，未能及时接获报告，致受袭击，迫使我军全线撤退的教训，对我的建议非常重视，立即以总部名义函请交通部饬令江苏省建设厅转令所属各县及各机构由上而下设置中继线各两对，这样通话范围就扩大了。在省建设厅函告已次第完成后，我又亲到各地择要试验通话，已较前灵活。

　　我曾和苏州电报局长卢逢泰谈到军事指挥重地的苏州，需要充分灵活的电讯。他说：南京和苏州通话要经过上海转来。我感到这种怪现象令人费解，坚决要他适应军事需要，将南京至上海的电话线切断，接入该局交换机上，以便苏州和南京直接通话，防止经上海时被窃听。完成这项改变后，总部和军委会，张治中将军和蒋委员长经常通话，即无顾虑。

一·二八抗战失败，蒋介石、汪精卫与日本签订《淞沪协定》，规定自安亭经太仓到靠长江边的白茆口南北线以东地区不许驻中国军队，只能驻少数维持地方治安的保安团队和警察；也不许构筑永久工事。因而，只能在战事发生后，各防守部队自行构筑野战工事，这对我抗战准备都很不利，更需加强通信设施。为此，我又建议总部特函交通部，以真如为基点，向闸北、大场、吴淞三处从速秘密构筑三条地下电话电缆线，作为野战时战地通话的主要干线。

五月间，我赴沪查勘淞沪区通信网情况，会同淞沪警备司令部参谋处第三科科长黄家桢，乘车往南翔预备通信所察看，该所设在南翔西街租用的民房内，黄一时记不清房址所在，在街上周游打听，引起当地警察注意，对我二人走出汽车东张西望发生怀疑。忽有一位警察，走近我们身边，低声地说："局长请二位去谈话。"局长问我们从哪里来的，有何公干？我们说从上海来，有事请问淞沪警备司令部，将该部电话号码告诉他。他去查询，我们有恃无恐，耐心等待着，并认为他认真负责，严防汉奸活动，表示赞赏。不久，他回来说："对不起，我的责任所在，请勿介意。"我们相顾一笑，无故被拘留半小时，他恭送登车而别。

战役中通信干扰和排除

在南京和苏州经过一年多的紧张准备工作，正当通信设施粗具规模的时候，卢沟桥事变爆发。张治中任第九集团军总司令，总部驻南翔。原拟在淞沪发动进攻，阻止日军登陆，随后改变为持久拉锯战。蒋介石把大批军队调集淞沪，企图决战获胜，或拖延到十月间国际联盟开会制裁日军。为了达到这个目的，每天有两个师开到南翔，下车后，即向总部报到，领取无线电台使用诸元表等，指定有线电话向总部通信所联络，有线电话线如发现损坏，通话中断时，由下而上负责查修。总部和南京方面通话时常中断，蒋委员长不能及时明了前方战况，激动之余，命交通部长俞飞鹏来前方视察。第三战区副司令长官顾祝同和张治中合署办公，指挥作战。他终日手握电话筒，遇到通信线路发生故障，就大肆喊叫，命令立即修通。俞、顾、张三人商谈后，即召见通信兵第二团长孙少峰和我，由顾祝同面授一切。俞飞鹏谦虚地说："大家辛苦了，委员长叫我来，我有什么办法呢？今后还得靠大家努力，把通信维持好！"说完就乘车返南京。几天以后，交通部派一名专员吴运宪率电话线工数人向总部报到，指挥线工随时出动抢修所属通信线路，并和上海、苏州电讯局确取联系。线路破坏时，一定要在两小时以内修复，确保通信线路畅通。

战时紧张时，在南翔附近至前线各交通要道，发现日军收买的奸民，贪图小利，割断电线，这种破坏电讯现象日渐增多。某晚，通信第二团连长胡其生率兵沿途查修线路，忽见一人窜入稻田中，胡连长大喝一声："谁?"对方就射来一粒枪弹命中胡的腿部，胡倒地，医治月余才恢复健康。凶手迅速逃走，追捕不及。张治中知道汉奸如此猖獗，电话通知军统局副局长戴笠前来面商缉拿汉奸办法，张吩咐戴和我见面。我视察通信所回来很晚。张治中的副官说："戴局长等你很久。"我进屋见他伏案睡着，被叫醒后，苦商防奸办法，他决定派该局一个工作队来维护线路。隔了一天，喻崇毅队长率队员数十人来到总部，我接见了他。他问了当前情况，请示工作地区。我指出总部附近及南翔通前方各公路沿线需要轮回巡查。喻队长接受任务后，带去盖有第九集团军总司令部印信的简明扼要八字布告："破坏通信，就地枪决。"该队展开工作后，每天都捉拿汉奸嫌疑犯数人或多至十数人，送交总部特务连看管，由法制室主任汤武审讯。有时我也旁听，大部查无实据，不能定罪，又不能轻易释放，越集越多，经签请总司令批准，送往后方苏州地方法院处理。几个星期的通信混乱局面，由于各方面认真对待，通力合作，得以改善。

在这次战役中，以有线电话为主，有线电报、无线电报为辅。为了保密或嫌其传递迟缓，其他辅助通信工具如无线电话机等都很少使用。

张治中将军指挥淞沪战役四十多天，赖灵活的通信，调变适应，我军给日本侵略军迎头痛击，使其伤亡惨重，未能突破我阵地。张治中将军日夜勤奋，尽心竭力，积劳成疾。蒋介石准其休假，派朱绍良接充第九集团军总司令。朱坚留原有幕僚人员，但大家准备移交，接替有人后，皆一一辞去。

淞沪战役直至总退却时通信情况良好，足证战前准备设施和战役中及时维护整修，是保证通信顺畅的要图。

第二章

第九集团军

淞沪会战记略

史 说[※]

为抗日备战成立京沪警备司令部

全面抗日战争由一九三七年的七七卢沟桥事变开其端，全国抗战局势的发展却始于一九三七年八一三淞沪战役。

淞沪一带是国民党政府首都的门户。一·二八日军侵沪，国民党政府事前毫无准备，下关日舰一声炮响，只得迁都洛阳。一·二八战役以屈辱的停战协定告终后，蒋介石感到南京至上海，门户洞开，认为有在这一带作防御设置的必要。

早在一九三三年春，陆军大学第十期学员在嘉兴、乍浦一带作战术实施，研究敌军登陆及我军防御方案，我当时是第十期学员，随同出发。参谋本部也派参谋在京沪杭地区侦察地形，拟制设防计划。一九三五年秋，在南京以南句容、溧阳地区举行国民政府成立以来第一次，也是仅有的一次军的规模的对抗演习，由张治中、谷正伦任东、西两军军长、蒋介石自任演习统裁，进行准备抗日作战的训练，我当时任军部参谋，亲与其事。

一九三五年，由林蔚^①定稿的国防计划，主要内容是在郑州、开封、

※ 作者当时系第九集团军司令部作战科长。

① 林蔚，字蔚文，北伐时任蒋介石的参谋处长，时任国民党军事委员会的铨叙厅厅长。

徐州、海州及豫北汲县、新乡、辉县地区和京沪杭地区设施防御阵地。郑、汴、徐、海及豫北地区由当时任河南省政府主席的刘峙负责，京沪杭地区由唐生智负责，并在军事委员会内密设"执行部"，总揽国防工事事务，由唐生智以训练总监兼负执行部总责。京沪杭地区设三个分区：南京分区，即南京到镇江这个核心地区，由当时任南京警备司令的谷正伦负责；沪杭分区，即杭州湾沿海到黄浦江以东地区，由张发奎负责，在嘉兴设苏浙边区司令部；京沪分区，自无锡、江阴东至上海地区，由当时任国民党中央陆军军官学校教育长张治中负责。

在京沪分区，归张治中指挥的军队有三个师：第八十七师，驻江阴、常熟，师长王敬久；第八十八师，驻苏州、昆山，师长孙元良；第三十六师，先驻无锡，西安事变时北调，七七卢沟桥事变后又南来，师长宋希濂①。这三个师的前身是德国军事顾问训练出来的教导师，是蒋介石的精锐部队，曾参加过一九三二年一·二八战役，当时编为第五军，只有第八十七、八十八两师。第三十六师是从这两个师分出来的。还有淞沪警备司令杨虎及所属保安总团步兵两个团（总团长吉章简）与上海市警察局（局长蔡劲军）及所属警察总队；太湖水警指挥官陈又新（指挥部在吴江）所属的太湖水警；江阴电雷学校（校长欧阳格）和江阴要塞，也归张指挥。

张治中为了执行这一任务，于一九三六年春初，在中央军校内密设一参谋机构，名为高级教官室，由军校教育处长徐权、步兵科长童元亮主其事，调战术教官方传进、沈蕴存和我等六七人为参谋，实施京沪分区防御设施计划②。到一九三六年秋，将这个组织推进到苏州，成立京沪警备司令部，对外不公开，张以军校教育长兼任司令官。参谋长是徐权，下设主管军事计划的参谋处，处长童元亮，后调任淞沪警备司令部参谋长，到八一三以后，又调回任处长；作战科长，先是龙矫，后是我。又设主管政训工作的秘书处，处长夏维海，第一科长刘孟纯。西安事变以后，抗日统一战线逐步形成，抗日备战加紧，蒋命张治中卸去军校教育长职务，专任京沪警备司令官，驻苏州留园东半部。

---

① 据张治中将军说：西安事变发生后，原驻在京沪区的第三十六师、第八十八师被调走了。第八十八师在八个月后才调回。第三十六师到八一三战起才调回。

② 作者注：徐权为陆军大学六期同学，童、方、沈、史都是陆大十期同学。

八一三淞沪战役前的备战工作

国民党政府在一·二八战役后的中日停战协定中，已经把安亭经太仓到太仓西北长江江岸七丫口一线划为停战线，并秘密承认在停战线以东，不再进驻陆军部队，淞沪一带不得有防御设施，吴淞炮台破坏后不得重修。而日本在上海虹口、杨树浦驻有海军陆战队约三千人，其陆军随时可在黄浦江岸及长江沿岸登陆。在这种情况下，我国不能不先在内地重要有利地带设置防御阵地，再密图在上海附近部署兵力，防止日军入侵。

京沪分区，依照国民党政府参谋本部的计划，在无锡、江阴一线（名锡澄线）和苏州、常熟、福山一线（名吴福线），设置防御阵地与沪杭分区乍浦、嘉兴一线相衔接；预先在阵地上构筑钢筋水泥的重机枪巢作为阵地骨干，战时再以战壕沟通。为了构筑工事，军事委员会拨款一百几十万元充材料费，由驻军第八十七、八十八、三十六三个师担任构筑。到一九三七年春，这些机枪巢都已完工。这样的工事不要说在现代化战争中，就是当时也不能算是坚固阵地。但军委会限于经费，只能如此设施。

在上海虹口的日本海军陆战队司令部设有坚固工事，杨树浦东端的日商公大纱厂和小沙渡附近的日商丰田纱厂也设有防御工事。蒋介石亲下手谕给张治中，如战事发生，我军应先扫荡这些据点及在虹口、杨树浦的日海军陆战队，使它无法策应登陆的日军。张治中命我拟制扫荡计划，我的主要设想是陆空军配合强袭。张批准了，转报给蒋。蒋来电问，五百磅炸弹能否摧毁日海军陆战队司令部工事，航空委员会派参谋作战科长罗机①到苏州与我这个作战科长订立陆空协同计划。七七事变后，又派张廷孟到苏州见张治中确认这个计划。在部队方面，必须学会对坚固据点的攻坚战术，但当时部队军官缺乏攻坚知识与经验，又没有威力强大的武器，只作了一些形式上的训练。

京沪分区参谋机构，于一九三六年到一九三七年，领导驻军三个师的团级干部及参谋人员，在苏州到上海的长江沿岸及以南地区做了几次

① 作者注：是我军校六期、陆大十期的同学，解放后曾任台湾国防部次长，因与部长蒋经国有矛盾自杀。

参谋旅行，设想各种情况，研究了这一地区作战的方略。政治工作方面，也在苏州、无锡、江阴、常熟各县，利用暑假集训学生，并训练一些民兵。

京沪分区和淞沪警备司令部还想在当时以江湾五角场为中心的上海市中心区，秘密设置阵地工事，防止日军在黄浦江登陆。但只做了几个据点的机关枪巢，没有能照计划全部实施，八一三战役就爆发了。

为了准备运输，协同京沪铁路在有关车站作了便于军队装卸及坦克上下的车站设备；修筑了从苏州经吴江到嘉兴的苏嘉铁路。这条铁路在战争初期起了作用，以后被日军拆毁。

八一三淞沪战役的引火线

七七卢沟桥事变后，蒋介石还想保持上海这个港口与国际间的联系，命令张治中不要在上海与日本人挑起事端。张治中去见蒋介石，说明上海限于一·二八停战协定，在未与日军决裂前不能进驻陆军，只有一个保安总团，兵力薄弱，如果日本海军陆战队一有行动，即可占领淞沪各要地，建议抽调陆军部队化装为上海保安部队，增强兵力。蒋介石同意了，派第二师补充旅（后改独立第二旅，旅长钟松）由徐海地区南调到上海附近，以一部换上保安团服装进驻虹桥飞机场。当事情决定的那天晚上，何应钦和张治中同由蒋介石那里出来，何拍拍张的肩膀说："文白，这是要闹出事来的啊！"

日本人大概知道有中国正规军到达上海的消息，八月九日，派了一个军曹，名叫大山勇夫，骑了机器脚踏车①到虹桥机场，要进机场大门，守门的就是化装保安部队的步兵旅士兵。这些士兵平时恨透了日本人，一见日本军人横冲直撞，不听制止，就坚决自卫，开枪打死了那个军曹。淞沪警备司令部急了，参谋长童元亮与上海市长俞鸿钧商量，把一个死囚犯穿上保安部队服装，打死在虹桥机场大门口，说是日本军曹要强进机场大门时，先把我卫兵打死，以便与日本人交涉。当警备司令部与日海军共同派人来查看的时候，发生了提交法警检验的问题。中国方面要交上海中国法院法警检验；日本人要交租界外国法警检验。双方争吵。

① 即摩托车。

同时，日方又提出撤出一切中国部队的要求。而日第三舰队已由吴港、佐世保运送海军陆战队千余人到沪。形势趋于紧张。以上这些情况是淞沪警备司令部参谋长童元亮亲口告诉我的。大山勇夫是军曹，相当于中国的中士，不是军官，当时警备司令部参谋现浙江省参事室主任刘劲持也记忆相同。有些资料上说大山勇夫是中尉，不准确。

蒋介石料到上海终不免要作战，密令张治中在苏州进行部署，并准备在江阴封锁长江。封锁江阴的消息被行政院汪精卫的主任秘书黄浚（号秋岳，是日本收买的间谍）泄露给敌人，日海军即命江阴上游军舰及汉口日海军陆战队东下，听说当时汉口日侨吃饭未毕，丢了饭碗就上船。这些军舰集中到黄浦江上①。同时又从青岛及国内的吴港、佐世保运来海军陆战队近两千人。到十一日，上海的海军陆战队兵力达五千人以上。附有小坦克及炮兵，集中在虹口、杨树浦一带，以在现虹口公园旁的日海军陆战队司令部及杨树浦东端公大纱厂为坚固据点。丰田纱厂的据点，因在苏州河南的公共租界内，且远在沪西，日军自动撤出。

一九三七年八月十一日夜，蒋介石命令张治中将在常熟、江阴、苏州、无锡的第八十七、八十八、三十六三个师及重炮兵两个团推进到上海。两个重炮团，一个是十厘米加农炮团，番号炮兵第十团，团长彭孟缉（解放后去台湾，曾任参谋总长）；另一个是十五厘米重榴弹炮团，团长邵存诚（以后任顾祝同的参谋处长，被日机炸死），都是从南京附近调来的。

战幕揭开，我国进入全面抗战

军队的运输是准备好了的。第八十七师由江阴、常熟用汽车输送到江湾附近，第八十八师和第三十六师由苏州、无锡用火车输送到真如、南翔。八月十二日晨，第八十七师主力已到杨树浦租界北侧一线，第八十八师主力已到闸北、虹口公园以北一线（虹口公园已为日军占领），第三十六师控置在江湾附近。重炮兵亦已到江湾以南附近进入阵地，准备按原定扫荡计划与空军协同对日军阵地进行强袭。张治中的司令部到达南翔，以便指挥。

---

① 作者注：日本第三舰队的华中部队，司令官长谷川清，旗舰是出云号巡洋舰。

但十二日张治中接蒋介石命令，不得进攻。据说是上海领事团建议，使上海成为不设防城市，南京政府始终想保持上海的国际关系，因此有此命令。但坐失袭击的良机，使原定计划第一次落空。

八月十三日，日军在闸北及虹口公园北的八字桥附近进行火力搜索，两军发生前哨接触，八一三战役正式揭开序幕。

八月十四日，我军正式下令开始进攻。我空军和日本木更津航空队在杭州笕桥上空进行空战，轰炸机主要去炸日军舰，只派了少数到上海轰炸日海军陆战队司令部工事，对日军损伤不大。下午，第八十七、八十八两师开始攻击，战斗激烈，第八十八师旅长黄梅兴中炮弹阵亡。至日没，进展不大。是日夜又奉蒋介石令，停止进攻。

十六日，前线争夺一些小据点。十七日，再次全线进攻，稍有进展。十八日，又奉蒋介石令停止进攻。这第二、第三两次停止进攻命令，是何缘由，我不知道。

是时，由十九路军"福建事变"失败后的残部编成的第六十一师（师长杨步飞）和由陈诚嫡系第十八军所属的第九十八师（师长夏楚中）、第十一师（师长彭善），先后由后方到达淞沪战场。命第六十一师归第八十七师师长王敬久指挥，在第八十七师后方设置第二线阵地，并控置一部准备支援防守杨树浦北至吴淞口的黄浦江岸的上海保安总团。第九十八师控置在江湾附近，第十一师控置在大场附近，准备日军在长江沿岸登陆时，支援自宝山至福山沿江警戒守备的第三十九军（军长刘和鼎，主力为第五十六师）。浙江张发奎的部队也已于十三日到达浦东。

十九日，我军前线又开始进攻，第八十七师突入杨树浦租界内。我国仅有的一个坦克部队南京装甲团（团长杜聿明）奉命派来战车两个连（战车重七吨）、战车防御炮一个营，都配属给第八十七师参加战斗。因为步兵与战车从来没有协同作战的训练，当战车进入杨树浦街市内时，步兵一径逼战车在前面突击而不加掩护，战车都被日军击毁，两个连长阵亡。这两个连长都是我黄埔六期同队同学，配属给第八十七师的命令是我亲自交给他们的。一去不返，思之黯然。

为扩张战果，以第三十六师加入第八十七师与第八十八师的中间，二十日继续进攻。此时，日本也已由国内增运海军陆战队二千五百余人到沪。直至二十二日，双方逐屋争夺，伤亡惨重。第三十六师一度夺取汇山码头。日军放火阻止我军进攻，杨树浦大火烧了几天几夜。

近来有一位陈诚系的高级军官告诉我，张治中曾把第九十八师两个旅分归第八十七、三十六两师指挥加入战斗，夏楚中成了光杆师长，大为不满。在我记忆中没有此事。但张治中的回忆录中亦记有此事，可能是张治中直接电话指示，果若如是，此种部署极不合理。

对日本海军陆战队司令部及公大纱厂的攻击，因我军在战术上缺乏钻研，没有把重炮直接瞄准射击，又没有接近爆破技术，不能奏效，形成胶着。于是防御日陆军从海上到黄浦江岸和长江江岸登陆，成为主要问题。

淞沪战事发生后，全国动员抗战。蒋介石成立大本营，设第一至第六部，把参谋本部、军政部、军训部都编入，各为一个部。蒋自任大元帅，到南京撤退到武汉时，又自动取消，仍称军事委员会委员长。有人说蒋迷信，孙中山、张作霖都称过大元帅，都不善终，所以他不愿称大元帅。又有人说，中日未正式宣战，不宜设大元帅、大本营。我曾见他在八月二十日用"大元帅蒋中正"名义下的一个命令，编定全国军队的战斗序列：划河北方面为第一战区，蒋介石自兼战区司令长官；山西方面为第二战区，阎锡山为战区司令长官；京沪杭方面为第三战区，冯玉祥为战区司令长官。冯设司令长官部于无锡，未到前线亲自指挥。不久，冯调任山东方面第六战区司令长官，蒋自兼第三战区司令长官。第三战区辖第八、第九两集团军。苏州河以北，黄浦江以西，北长江属第九集团军，张治中为第九集团军总司令。苏州河以南及浦东属第八集团军，张发奎为第八集团军总司令。当时，张治中、张发奎以及陈诚、薛岳等都是中将加上将衔，这一官衔是一九三七年上半年在一、二级上将下增设的。

张治中将军冒险指挥抗登陆作战

八月二十三日拂晓前起，日本从国内运来了四个步兵旅团，旋又增加至八个旅团①，由日本上海派遣军大将松井石极指挥，主力在宝山以西狮子林、川沙口长江沿岸登陆（最先登陆的是第十一师团的部队），一部在蕴藻浜南黄浦江沿岸登陆（是第三师团部队）。在二十三日拂晓以后，日空军开始猛烈轰炸，使我援军不能接近，日海军也以猛烈炮火支援日陆军登陆。我沿长江岸守备的第五十六师和沿黄浦江口守备的上海市保安总团，兵力薄弱，日陆军登陆获得成功。

---

① 作者注：这是根据戴笠给张治中的亲笔情报，记载有各旅团名称。日军师团相当于中国的师，旅团是旅，联队是团，大队是营，中队是连，分队是排，小队是班。

日军利用汉奸，到处剪断中国军队的电话线路，前后方电话均不通。张治中由南翔古漪园的司令部一路冒敌机扫射与轰炸的危险，到江湾叶家花园第八十七师师部指挥，我亦随行。他命第八十七师抽出一部与第六十一师抗击黄浦江口沿岸登陆之敌，并令第十一师由大场向罗店，第九十八师由江湾向宝山前进，归还第十八军建制。当第九十八师、第十一师到达前线时，第十八军军长罗卓英尚未到达，此时他已至嘉定，其所属第六十七师及第十四师也先后到达。张要我下达第十一师、第九十八师归建命令。我说罗未有明令归我指挥。张说，在我第九集团军作战地境内，我当然可以指挥他。而张未知蒋介石已决定任陈诚为第十五集团军总司令，指挥抵御沿长江南岸登陆之敌。

张治中于夜间始返司令部，命我拟电报告蒋介石。二十四日拂晓又到嘉定附近乡村，找到罗卓英（我也随行）。张与罗商定把罗带来的部队向罗店、浏河推进。罗卓英指挥第十一、十四、六十七、九十八四个师，进行了激烈的罗店争夺战。战斗结束后，我记得曾看到过第十八军写过一本《罗店十日》的油印资料。

因为电话不通，张治中在嘉定部署定了以后，于日没后到苏州和蒋介石通电话。蒋因很久得不到张的消息着急，在电话中责骂，我看到张气得把电话听筒也砸了。

翌日，蒋介石派陈诚到上海，在张治中的司令部，与张协商我军全般部署。陈当面命我写命令，他讲一句我写一句，我送给张签发，张也签了。

接着，蒋介石正式任命陈诚为第十五集团军总司令，指挥蕴藻浜以北对由长江沿岸登陆之敌的战斗；又从西安把顾祝同调到上海，任第三战区副司令长官，代他指挥全局。顾住在张治中的司令部内（司令部已由南翔移至安亭与南翔间之徐公桥）。顾每天早晚与蒋介石通电话，报告情况，由蒋在电话中指示某师调到哪里，某师如何作战，顾祝同做了传令兵。顾到达时未带参谋，张把我借在顾身边做参谋工作，顾与蒋的电话均由我记录，并下达命令。自此以后，张治中就不大参加指挥。

日军在长江沿岸及黄浦江沿岸继续登陆，与我军一个点一个点地争夺，往往日军白昼占去，夜间我又夺回。此时，我中央军校教导总队的一个团、浙江周岩的第六师、西北胡宗南的第一军两个师先后到达宝山、吴淞、蕴藻浜一带，与敌激战。在日军舰炮火下，伤亡惨重，往往一个部队，不到几天就伤亡殆尽地换下来了。我亲眼看见教导总队那个团，整整齐齐地上去，下来时，只剩下几副伙食担子。

八月底，第九十八师转移阵地时，顾祝同命令留一个营固守宝山（我在侧听顾在电话上说的）。这个营长姚子青率全营官兵誓死抗击日军，宝山失陷，该营无一生存，真是可歌可泣①。

到九月中旬，第十五集团军及第九集团军正面均被日军突入。顾祝同下达命令，两个集团军退守北站、江湾、罗店（以南附近）、浏河一线之阵地，于是我军取固守形势。据宋瑞珂同志回忆，九月十七日蒋介石曾亲到昆山，并饬调整部署。我记得有一天，张治中、顾祝同要和南京的什么人一同出去，我问张，我要跟去吗？张说不必了。他未告诉我是蒋来，事实上此时张已不管指挥事务。

以后日军主要在第十五集团军正面进攻。到九月二十二日，在张治中数次恳辞后，蒋介石任朱绍良为第九集团军总司令，调张治中为大本营第六部（管理部）部长。二十三日，张离沪赴南京，我亦离职到苏州。此时，顾祝同的长官部已在苏州成立，顾派人找我，坚邀我做他的作战科长。我以要回富阳老家看看为辞。顾说你去了即来。但我因张治中有约在先，从家里出来就到了南京。以后上海附近战况只是耳闻。

全国全军参加淞沪会战

到九月二十二日，因后方兵力陆续增加，蒋介石命令调整部署。第三战区分为右翼、中央、左翼三个兵团。右翼兵团总司令张发奎，辖第八、第十两个集团军；第八集团军总司令由张发奎兼；第十集团军总司令刘建绪②；作战地境为苏州河以南、浦东及杭州湾沿海。中央兵团总司令朱绍良，辖第九集团军，集团军总司令由朱绍良兼；待广西军队廖磊的第二十一集团军到达后，亦归中央兵团；作战地境为蕴藻浜以北至长江南岸。顾祝同的第三战区司令长官部在苏州。以后又以陈诚为前敌总指挥，驻昆山。

此后，日军与我军又均由后方陆续增加。日军前后计有第三、九、十一、十三、十六、一〇一等师团，听说日本把伪满军队也调来了。我

① 姚子青是第九十八师第二九四旅第五八三团第三营营长。八月三十一日晚接防宝山，至九月七日全营殉国。

② 作者注：第十集团军主要是湖南何键的部队，先在钱塘江南准备拒止浙东登陆之敌，此时北调。

方除增加中央嫡系军队外，粤军、桂军、湘军、鄂军、川军、东北军都调来了。日军增兵后，不断进攻，到九月底，以主力在我左翼进行了一次大规模进攻，突破左翼兵团刘行附近阵地，我方做了局部调整。

对峙到十月中旬，广西部队廖磊的第二十一集团军到达，酝酿进行一次反攻。白崇禧以副参谋总长身份到上海来了几次。早在张治中尚任第九集团军总司令时，白就商量他的广西部队到后，由西向日军侧翼反攻的部署。他也和我们幕僚人员商量，参谋长徐权和参谋处长童元亮都比较持重，而我当时只二十七岁，年轻气盛，竭力主张于夜间反攻。

十月下旬，以广西部队第七、第四十八军的六个师（一七〇、一七一、一七二、一七三、一七四、一七六师）为主力、在徐行广福前线开始了较大规模的反攻①，激战彻夜，终以在日军猛烈火力下，又未能在夜间进攻前，在白昼侦察好日军火力点，布置火炮压制；以致伤亡惨重，两个旅长阵亡。日军在第二日采取攻势我军不得不退守原阵地。十月二十五日，大场失陷。湘军第十八师师长朱耀华自杀。这是此次战役中殉职的第一个师长。

于是苏州河北阵地已被突破，无力恢复，不得不作西撤之计。原先在京沪地区抗战计划内，预定淞沪抵抗后，逐次撤退至吴福线、锡澄线，作两年的持久作战。此时，淞沪战场已尽到抵抗的责任，应撤退至吴福线再行抗击。蒋介石初亦同意撤退至吴福线，已命令部队开始行动，可是在十一月一日晚，他突然偕白崇禧、顾祝同到南翔附近一小学内，召开紧急军事会议。蒋讲了八一三以来作战概要和国际上的反应，并对前线官兵英勇战斗作了表扬鼓励。接着说，根据外交部意见，九国公约会议将于十一月三日在比利时首都布鲁塞尔举行，这次会议对我国命运关系甚大，要求各部队尽最大努力，在上海至少再支持两个星期，以便在国际上获得同情与支持。这样就改变了撤退部署，苏州河北军队主力守南翔、嘉定，胡宗南第十七集团军及六十一师②、第六十七师等十几个师，撤至苏州河以南沪西地区，归张发奎、黄琪翔（原任第九集团军副总司令）指挥，坚持与租界联系。这样，继扫荡计划落空后，战前预定

---

① 十月十五日第二十一集团军到达。二十一日晚，以第二十一集团军的两个军为第一路，广东的第六十六军为第二路，第十八军的第九十八师为第三路，开始反攻。

② 作者注：原师长杨步飞早已撤职，与钟松旅合并，以钟松为师长。

计划又一次落空，酿成敌在金山卫登陆后之全军溃退。

在张治中任第九集团军总司令时，九月中旬，曾受蒋介石最后也要保持与租界联系之授意，命我草拟在苏州河南沪西之防御计划，并派参谋侦察，准备构筑阵地，旋以张去职作罢。

当第八十八师撤退时，留一个团（第二六二旅第五二四团）的主力坚守苏州河北侧四行仓库。这个仓库建筑坚固，又与河南租界紧邻，谢晋元团长率部坚守，时称"四行孤军""八百壮士"，轰动了租界居民，争着过河送犒赏物品，一女童子军渡河过去送旗，报纸热烈表扬。激战四日，至九月三十日已达成后卫任务，退入租界，被租界当局缴械圈留。其后谢被刺身亡，在国人心中永留纪念。

十一月初，日军强渡苏州河攻击，随即停止。五日拂晓，日陆军第十军司令官柳川平助指挥第六、第十八、第一一四三个师团，在金山卫及其附近登陆，陷松隐镇，占米市渡，进陷松江，一部沿沪杭路北上占南市，主力出青浦，向西北包围我军侧背。十一月八日，第三战区下达转移命令，九日开始全线撤退。后面有日军猛追，南面日军由太湖沿岸登陆，北面由长江沿岸登陆夹击，我全军成溃退之势，经过吴福线、锡澄线之既设阵地，均不能守。

原定计划，前方淞沪会战，后方应在吴福线及锡澄线留置有力后续部队固守阵地，于前线退却时，拒止敌追击部队之前进，掩护我后撤部队。但留置军队到达不久即调淞沪前线，钢筋水泥机枪巢的钥匙几经转手不知去向。到这个时候，退到国防工事线上的部队，在已筑的工事上打几枪就跑，花了多少人力财力的工事，竟丝毫不起作用。

日军一路追击，一路杀戮奸淫，军民遭劫，惨绝人寰。十一月底，我军一部沿沪杭线南撤，大部撤到皖南，仍归第三战区。第八十七、八十八、三十六师及教导总队、叶肇的第六十六军第十几个师，撤到南京，在首都卫戍司令长官唐生智指挥下，进行南京保卫战。这些部队都遭重大伤亡，补充多次也已精疲力乏，南京亦不能守。

尾声——战役经验检讨

八一三淞沪战役是我国全面抗战的开始，把全国军队都调动起来了。蒋介石的嫡系精锐部队，绝大部分到达淞沪战场，成为战斗主力。

当时，首先到的是张治中的三个由德国顾问训练的教导师改的第八

十七、八十八、三十六师；接着就是陈诚系罗卓英的第十八军四个师；以后胡宗南的第一军、李玉堂的第三师、李延年的第九师、俞济时的第五十八师、王耀武的第五十一师等都陆续到达。蒋嫡系部队中，没有到上海的只有汤恩伯的第十三军在南口，卫立煌的第十四军在山西忻口，第二、第二十五师在平汉路上。地方部队也踊跃参战，粤桂湘余汉谋、李宗仁、何键所部都来了，东北军也来了，远至川军、滇军也调动出来，川军一部且到达参加战斗，各省保安团队都调上来补充。全国人民在国共两党第二次合作的抗日民族统一战线引导下，一致奋起，造成了抗日的极好形势。但在军事方面，有很多可以作为吸取教训之处。兹将我的观感，综述如下：

一、战役指导上有两大失着。首先是预定的扫荡计划落空。按照预定计划，要在日陆军登陆前，以陆空军协同强袭上海日海军陆战队据点。但在我大军于八月十二日到沪后，要保持国际联系，一再命令延迟进攻，致失良机，预定计划落空。其次是预定在京沪地区进行持久作战，所以在后方构筑吴福线、锡澄线、嘉兴—乍浦线以及南京外围阵地。但战事爆发后，认为上海是国际视听所在，竭力要保持与租界联系，要在淞沪这个水网地区，抗战三个月。淞沪地区一片平原，掘地不深就见地下水，不能做土木的坚固工事。而日海军军舰的大小口径火炮，威力和数量都比我陆军强大，以致我军伤亡特重。到十月底已不能支持时，还为等待九国公约的开会，要求坚守半月，把应控置在后方阵地和江防、海防的兵力，都吸收到上海来。以致当敌人在金山卫登陆，迂回我军侧背，造成全军溃退，弃有利地形上的既设阵地于不守，甚至南京亦不能保。此实指导上之大失策。

在敌陆军登陆以后，淞沪作战，差不多由蒋介石直接指挥每一师的行动，他坐在南京以电话传达命令，哪能适应战机？后期陈诚任前敌总指挥，调动部队比较乱，特别是大军退却时，固然军队多、道路少，败势已成，控制不易，然如能划分好战斗地境，在后方阵地先部署掩护部队，撤退秩序一定会好些。

二、军队士气极为旺盛。官兵对于抗日无不意气风发，在惨重的伤亡下，犹能奋起作一村一舍之反复争夺，战役进行中，可歌可泣之事甚多。为人传诵的如第九十八师姚子青营为坚守宝山而全部牺牲；第十八师师长朱耀华为失守大场而自杀殉国；第八十八师谢晋元团八百壮士的坚守四行仓库。旅长阵亡者，据我所知有攻虹口日海军陆战队司令部之

78

第八十八师黄梅兴；罗店争夺战中之第六十七师蔡炳炎；在十月下旬反攻中之第一七〇师庞汉桢，第一七一师秦霖；敌在金山卫登陆后守松江之第一〇八师刘旅长，阻击敌向青浦前进时之第五十八师吴济先；守吴兴之第一七三师夏国璋。负重伤的师、旅长尚有多人，中级军官平均伤亡过半。有的师四个团长伤亡四五个、十二个营长伤亡十七八个（包括补充后伤亡的）。下级军官与士兵，平均伤亡三分之二以上。精锐部队由后方来的保安部队，杂牌部队整团补充达四五次之多（此时尚未实行征兵制，新兵无来源）。

到淞沪作战的先后有七十三个师，但有好些战斗力薄弱的部队，也因伤亡过大，战斗激烈时，几天就要换下阵来，有的部队上去，一触即垮。为使前线能保持有经验的指挥骨干，应当充实精锐部队。

三、军队指挥机构，开始时第八、九两集团军各指挥几个师。以后师增加了，编成军①。一个军应该有三个师，但新编的只有两个师，甚至只有一个师，因为资深的师长不升军长摆不平。顾祝同到安亭，设第三战区司令长官指挥所，于是有战区、集团军、军、师四级，这是必要的。以后觉得有些人做军长，官小了，做总司令又不够，例如陈诚认为罗卓英应该做比军长大些的官，蒋介石认为胡宗南做军长嫌小了，于是在军上设军团一级，但又不普遍设。后来又在集团军上设兵团一级，有右翼兵团、中央兵团、左翼兵团，共辖五个集团军，以后是六个。在淞沪一地有战区、兵团、集团军、军团、军、师六级指挥机关，不免叠床架屋，有些机构形同虚设，如何运用得动？

四、上海之能抗战三个月，全凭军队士气，至于战斗训练，战后检讨，即使蒋介石的精锐部队，都只形式上受了一些德式或日式的军事训练。在高级指挥官幕僚中的陆军大学新毕业的参谋人员（包括我自己在内）也只形式上受了一些德式参谋与指挥教育，缺乏针对现实的战术研究。怎样以劣势装备对优势装备作战，怎样利用士气与地形打击日军，都没有深入钻研。初期攻击日海军陆战队司令部，就不知道用重炮直接瞄准去破坏和压制日军火力点以及接近爆破。以后抵抗日军进攻，对炮兵与坦克束手无策。夜间反攻，也不于白昼侦察敌火力点和布置炮火压制，以致伤亡惨重。至于步兵与炮兵、战车协同作战的训练，从来未有

---

① 国民党军队平时最高单位为师，但仍保留一些军，如第一军、第十八军、第三十九军等，抗战开始后，逐渐都编成军。

做过。京沪警备司令部一再请求后方重炮与战车到苏常一带进行联合演习都舍不得，一到战时，互相埋怨。炮兵第十团长彭孟缉到我这个总部作战科长办公处来，希望步兵不要丢了他的炮兵就跑。其实他的十毫米加农炮都是汽车牵引，不怕跑得不快。战车一上战场，步兵不予掩护，说你有装甲，怕什么，单独冒敌人炮火前进，直到战车全毁为止。

五、友军之间常怀猜忌，不特中央军与非中央军之间为然，即同为蒋之嫡系亦如是。高级指挥官如张治中和陈诚都是蒋介石亲信，但互不相容。有人说，张之去职是陈诚排挤出去的。又有人说，陈诚把顾祝同推到苏州后方，自揽前线指挥大权。一九三八年冬，白崇禧、张治中、熊式辉在江西吉安开会，跟张去的副官回来对我说，听到他们谈话，他们对蒋介石之宠陈诚非常不满，说："他（陈）是浙江人嘛！"

中级指挥官也是矛盾重重。如张治中指挥的第八十七师师长王敬久、第八十八师师长孙元良，同是黄埔一期同学，却互不融洽。为了争战斗地界，当面在张治中前争吵，张不得已，把第三十六师插到两师中间来调和冲突。第六十一师归王敬久指挥，王天天讲该师师长杨步飞的坏话，顾祝同撤了杨的职，该师和钟松的独立第二旅合并，以钟为师长，与第八十七师合编为七十一军，升王为军长。胡宗南的第一军到上海，还怕陈诚吃了他，以战后能调回西北为幸。这些情况，以后愈演愈烈，终至互不救援，友军被消灭则幸灾乐祸，而自己亦不免于亡。

六、空军与优势敌机空战很勇敢。在猛烈高射炮火下轰炸敌工事，被击落到敌阵地上的战斗人员，如阎海文还以手枪击敌后自杀。还有轰炸机对日舰猛撞，与敌舰同归于尽，都为人所传诵。但蒋介石建立空军，由宋美龄、宋子文当权多年，从美国购买飞机，往往受军火商诓骗。听说有一批战斗机，仅速度过人而乏迅速升降能力。据航空委员会作战科长罗机对我说，八一四空战开始，只有八十九架飞机能作战，不久即消耗殆尽。到八月下旬日陆军登陆时，天空一色日机，青天白日飞机一架也不见了。

中国海军军舰，大都自沉或被日机炸沉于江阴长江封锁线上，没有和日海军正式作战。当时最大的三千吨，两年前从日本购买的最新的"海容"巡洋舰（舰长欧阳景修，五十年代上海市政协委员）就是在江阴被日机炸沉的。江阴电雷学校（校长欧阳格），号称蒋介石创立的新海军之基础，扬言要用鱼雷炸黄浦江上的日本"出云"舰，但真到浦东放射鱼雷，却毫未伤及日舰。

作战开始以后，后方组织跟不上。伤兵大量下来，京沪线沿途都是伤兵，缺乏医疗与后送能力。铁路白天被日空军炸了，夜间修复通车，也无法送完这些伤兵。

七、日本间谍汉奸活动猖獗。在日军登陆那几天，差不多所有电话线路都被剪断。到了夜间，后方村落到处看到汉奸放的信号弹，直到各村组织民兵放哨，才好了一些。

日军登陆后，到处乱杀老百姓。罗店附近一带，家家有死人，户户穿孝衣。一九六〇年我与中国新闻社记者访问罗店时，公社负责干部对我说，自抗战以后，直至解放，老百姓把阴历七月十五的祭鬼节都移到日军登陆那天。我军退却，日军追击，在京沪沿途到处奸杀，兽兵以刀砍人为乐，逼母子奸淫作为玩赏；集中村中妇女，大寒天裸体置田间稻草堆中，随时拖出强奸。国民党军事委员会政治部第三厅（厅长郭沫若）从战场上日军遗弃尸体中，搜集很多照片，出版了一本日军罪行录，阅之令人发指。

八、日空军轰炸，海军炮火射击，均极猛烈，但我军无所畏惧。不过也做了些傻事，如八月十一日夜，我军向上海运输时，规定坐火车的在南翔下车，官兵却不肯下车，一定要火车开到闸北，他们怕留在南翔，不让去杀敌，上级告诉他们，闸北在日军炮兵射程内，而他们却说，怕炮火还来干什么？广西部队在苏州火车站下车，日本飞机来了，他们不肯疏散，说我们来打日本鬼子，还怕它的飞机！

上海全市市民，除汉奸外，都热烈支援这次战事。慰劳品不断送到前线去，学生抬了担架，驾了汽车，冒炮火到前线抬伤兵下来，大批战地难民，也由上海救济收容。上海租界中医院、舞厅和不少公共场所收容了伤兵，文化界人士也都出来慰劳。我好几次看到这些情况，不禁感动得热泪盈眶。

我在张治中将军身边

张文心[※]

八一三淞沪会战时，我淞沪一带驻军在张治中将军统率下，奋起抵抗，同仇敌忾，屡摧强寇。后因日军不断由日本国内调兵增援，战区日渐扩大，南京国民政府将淞沪战场划为第三战区，派冯玉祥将军为战区司令长官，张治中被任命为第九集团军总司令。第九集团军所指挥的部队有：第十一师、第六十四师、第六师、第五十六师、第六十一师、第六十七师、第八十七师、第八十八师、第三十六师、第九十八师、第八十四师、独立第二十旅、炮兵第十六团、教导总队第二团、上海保安总团和罗卓英的第十八军。兵分三路：中路指挥官宋希濂，左翼指挥官王敬久，右翼指挥官孙元良。冯玉祥受命后，约在八月二十日以后，带领随员数人进驻苏州留园，并曾到南翔附近张治中将军司令部视察。在苏州逗留仅三五日，还没有来得及组织战区司令部，又被调往津浦线担任第一战区司令长官。

八一三淞沪会战前夕，我正在苏州军校野营办事处。实际上这个军事机构就是以后组织和领导淞沪抗日的指挥部。我到陆大学习前，我和长兄张治中将军均较长时间服务于中央陆军军官学校。这个新成立的秘密抗日司令部中的成员，和尔后所指挥的国民党中央嫡系部队的将领们，大多是中央军校的先后同事、同学和学生，人事很熟。我出于国家兴亡，匹夫有责的爱国热情，和同胞兄弟以及同事、同学等等关系，怀着共赴

※　作者当时系第九集团军司令部参谋。

国难的意愿，追随家兄到这个抗日司令部来，做一个没有任何名义的义务参谋。在这期间，淞沪战事一触即发，形势非常紧张。我有时跟随家兄张治中到外面去视察，有时他询问我一些关于日本军人的性格和战略战术等问题，因为我曾在日本学习军事有年，并且在一·二八淞沪抗日战役中率领一个教导营与日军实际较量过，对敌情较熟悉。我很赞成家兄的主张：若和日军打起来，首先要集中足够的兵力，一鼓作气，拿下日军立足未稳的滩头阵地，使敌登陆企图无法得逞。否则，就要打被动仗。但他的这个主张和作战指挥思想，一再被国民党最高统帅部所阻挠，以致屡失战机，所指挥的部队虽经四十天的血战，付出了许多宝贵的鲜血和生命的代价，终于放弃淞沪。在血战四十天中，我有一个月时间一直在家兄的身边，在他的司令部里。现将我的见闻和张治中将军指挥这次战役的一些情况补述如下：

七月八日，中共通电全国号召全民族抗战。接着，中共代表周恩来、朱德、叶剑英、邓小平等抵南京，住在军委会办公厅姚琮副主任家。七月十七日，蒋介石在庐山发表谈话，第一次公开宣布对日作战。他说："和平已到绝望时期，牺牲已至最后关头，人不分男女，地不分南北，均应奋起抗战。"音乐家把它谱成歌曲，扩大宣传，蒋之地位骤然升高。

八月一日，张治中将军发布《告淞沪将士书》略谓：自甲午（一八九四年）以来，日本逞其淫威，肆无忌惮，占我国土，杀我同胞，九一八之血迹未干，一·二八之凶残复现，长城之役甫停，察绥之变旋作。近复恣意挑衅，侵我华北，举国愤慨，奔走呼号，我最高统帅认为牺牲已至最后关头，光荣神圣之抗战血幕，即将全面揭开，舍身报国之良机已至。雪四十余年之国耻，此其时矣。本司令官誓抱为国捐躯之赤忱，与我多年来同生死、共患难之全体袍泽，枕戈待旦，同仇敌忾，以鲜血捍卫国土，出奇制胜，痛歼虾夷，以完成千秋盛业。

同日又发表《告京沪区民众书》略谓：东南为人文荟萃之区，胸怀奇策，魂系孤忠者，史不绝书。孙武子以吴兵覆楚，阎应元以江阴抗清，即其显例。市井田畴，每多义士。今则文化昌明，必优胜于往昔，凡我亲爱同胞，无分男女，即以一技之长以助本军作战者，亦必重谢。而防奸捉谍，尤赖于父老与少年。智者尽其能，勇者竭其力，闻风而起，共纾国难，此其时矣。

张将军后来又发出通电，历数日军凶残事实，表示誓与阵地共存亡，以鲜血捍卫国土，痛歼日寇，以慰一·二八、榆关、长城、卢沟桥诸役先烈之忠魂，为四亿五千万炎黄华胄争生存，寸土必争，绝不退让。电文中有"梅花岭畔，黄土犹香（指史可法），西子湖边，铁奸可耻（指秦桧）!"情词激越，肝胆照人。这几种文告，被当时的一些学校翻印作语文补充教材，可见感人之深！不过，蒋此时仍有寄希望于外交，走停战协定老路的幻想。

在八一三战役的整个过程中，张治中将军指挥作战，日夜辛劳，总算是一个恪尽职责的军人。当淞沪形势紧张，他从苏州出发到上海前线的那一天，把他在一·二八率领第五军参加淞沪抗日战争时所写的遗嘱取了出来，交给友人，重申他为民族战争准备献身的决心。战争爆发以后，他一直在前线指挥，在叶家花园水塔上督战，有时还跑到战壕里视察，哪里吃紧，就到哪里。有一次，冯玉祥将军到南翔第九集团军总司令部视察，发现张治中总司令在弹火纷飞的战壕里督战，大吃一惊，当即对他说："你是这方面最高司令官，不能冒这样的险!"冯先生的忠告，他是感激的，但他觉得，不这样做就没有尽到自己的责任。一个月以来，他总是冒险犯难，奋不顾身，没有好好地吃过一餐正式的饭，也没有得到一夜好好的安眠，只看他眼睛是红的，喉咙是哑的。这在张将军本人，则认为应当如此，没有什么，不足挂齿。

但当时有一件事，我作为张将军的胞弟和他的抗日总部的义务参谋，我心中是不能平静的。事情的经过如下：八月二十三日深夜，那时总司令部已移到徐公桥，张治中司令刚吃了一点儿稀饭，在椅子上略靠了一下，他想到要去看刘和鼎和罗卓英两位军长，和他们商讨对该方面登陆之敌的作战方策，并指示机宜。他一想到军情的紧急大事，感情就按捺不住了，不顾身体的过度疲劳，立即动身，天还未明，赶到太仓，见到刘和鼎军长，商定好如何对付当面登陆之敌。然后冒着轰炸转往嘉定。这也是一段距离很长的路程，费尽心机才找到了罗卓英军长。而罗军长一见面却诧异地说："总司令怎么会跑到这里来呢?"张治中一听话中有因，便说："贵军既然划归我指挥，我应该来看看。"后来坐下一谈，才知道陈诚已不是军政部次长了，而是新任第十五集团军总司令。十五集团军成立，开到淞沪战场，担任左翼，增加抗战力量，张治中是欢迎的。但发表陈诚为第十五集团军总司令，连张治中将军都不知道；第十八军罗卓英部原归第九集团军指挥，为什么划归第十五集团军，连一个消息也没有。像这样各干各的，不能协调一致，战争是打不好的。而且张治中将军日夜不眠，奔驰战场，亲授机宜，解救了左翼危机，而人家冷眼旁观，还认为是多事，这究竟是什么缘故？真令人费解！

综上所述，八一三抗日战役，我全军将士经过四十天血战，未能歼灭敌军，保全金瓯，其原因一则为当时南京最高统帅部失机于先；二则三次电令停止进攻，给敌人以援军登陆、从容部署的机会，造成无可挽回的被动局面，统帅部应负全部责任，三则第十八军原归张治中将军指挥，后来划归陈诚指挥，不通知张治中，这是军事上的奇闻，统帅部也有责任。

九月十日夜，陈诚第十五集团军左翼被敌突破，退到杨行、月浦的新阵地，与敌对峙。张治中指挥的第九集团军左侧背因此暴露，大受威胁。在这种情况下，我估计这场战争将要起变化，又因要去陆军大学报到，继续学业，遂于九月十一日离开家兄，返回南京。

当我即将离开之际，张治中将军所指挥之第九集团军正面，战况沉寂，敌我双方均无多大接触。此后敌人利用诱降阴谋，部署战略包围，由杭州湾登陆，对上海阵地进行后方的迂回，上海便无法坚守了。

九月二十二日，张治中将军呈请辞去第九集团军总司令职，已被批准，并被调为大本营管理部部长。他为了避免与友军发生摩擦，认为离开这个职务是比较适宜的。

杨树浦、蕴藻浜战斗

陈颐鼎[※]

构筑锡澄、吴福线国防工事

第八十七师是一九三五年秋参加句容、溧阳地区大演习后，调到江阴驻防的。当时军事当局对形势分析，认为日本帝国主义自从一九三一年侵占我东北三省后，又在一九三三年侵占了热河省，整个华北岌岌可危，全国人民要求抗日救国，中日双方不免一战，不能不做某些抗战准备工作。

一九三五年十二月，为了迅速完成京沪杭三角洲地带战备，乃派第三十六师、第八十七师、第八十八师三个师和几个独立工兵团，先完成海盐、嘉兴、平望、无锡至江阴线永久性阵地工事构筑，再推进到乍浦、嘉善、苏州、常熟至长江边福山镇线，继续构筑工事。

第八十七师先承担锡（无锡）、澄（江阴）线构筑任务，于一九三六年九月完成。十月间推进到苏州、常熟地区承担吴（苏州）、福（常熟县福山镇）线部分构筑任务。这两线永久性工事设施，是根据地形特点，假想敌人的行动，从我军现有装备和可能投入兵力的实际情况出发构筑的，有轻重机枪掩体和观察哨、通信枢纽、指挥所等，全部为钢筋混凝土结构，射击孔、展望孔、出入口皆有钢板门窗，并有密封防毒设备，一旦战事发生，只需挖掘交通壕将掩蔽部连贯起来，即可形成整体防御，迎击来犯之敌。可惜在八一三抗战中，因指挥不当，两线国防阵地，丝

※　作者当时系第九集团军第八十七师第二六一旅第五二一团团长，后任该旅旅长。

毫没有起到阻止敌人前进的作用。

潜入上海市区，实施现地侦察

由于日中关系日趋紧张，难免一战，为了准确掌握日军部署情况，第八十七师呈准上级，安排连长以上军官，身着便装，分批潜入上海市区进行实地侦察，对日军所建地堡、街垒，按自右至左的顺序，统一编号，标志在五千分之一的地图上，每个据点的通道、射向、兵力、可能配置的武器，均另册登记，除呈报上级外，每个步兵团印发一本备用。战斗打响后，我方能把敌人重要据点围困起来，挺进至黄浦江岸，在很大程度上得力于事先准备比较充分。

奔赴淞沪战场，决心报仇雪耻

卢沟桥事变后，八月九日，日军在上海挑起虹桥机场事件，使局势更趋紧张。十一日，第八十七师奉命征用苏、澄地区三百多辆汽车，连夜装载部队奔赴上海，但规定未遭到敌方攻击前，不得先行开火。第二五九旅车运到新市区，在虬江码头地区待命；第二六一旅第五二二团到淞沪线张华浜火车站附近待命；我率第二六一旅第五二一团在蕴藻浜火车站、吴淞镇、炮台湾地区待命。

十二日，天将破晓，全师各部皆已到达指定地点。当时市面平静，男女工人照常上班，黄浦江上日本的巡逻炮艇，在汇山码头到吴淞口间不断来回逡巡，我们则按预先规定，迅速构筑工事，清扫射界，完成战前准备。当天下午师长王敬久来吴淞镇视察，我以一个步兵团兵力承担自蕴藻浜火车站到炮台湾数十华里正面防御，地境过宽，曾要求调整，接着陪王同去炮台湾视察。此时炮台湾的炮台，根据一九三二年中日淞沪停战协定，已被拆除，仅残留炮座痕迹。举目向吴淞口外望去，有日本战舰十余艘。我对王说，如炮台还在，不论火力如何，日舰绝不敢在我要塞前如此放肆。王也很有感慨地说："国家受人凌辱到如此地步，我们军人要承担主要责任。这次民族大决战，正是我辈军人报仇雪耻的时刻，为国家牺牲要从我们身上做起。"

受命加入突击队，进攻敌重要据点

十三日下午三点多钟，忽然听到江湾方向炮声大作，经询问乃知日海军陆战队向第八十八师八字桥阵地发动进攻，八一三淞沪战役爆发。

战斗打响后，逡巡在黄浦江中的日军舰艇即向沿江我军阵地猛烈炮击，吴淞镇是炮火集中攻击的目标。次日上午八点多钟飞来三架敌机狂轰滥炸，吴淞镇及同济大学成为一片火海，但未见敌军登陆。

十六日夜，第六十一师开到吴淞地区接我团防务，我团集中到师部新市区叶家花园附近，受命加入突击队，向北四川路敌心脏地区进攻。这支突击队由两个轻装步兵营、一个工兵爆破队、一个三七加农平射炮连和一个通信班组成。每人携带两日干粮，步兵连、营长皆配有步机枪一挺。我们向日军攻击，全凭战前熟悉路线，遇到敌火力封锁则穿墙破壁，或在房上架桥通过，力求隐蔽接近敌人主要据点，一举攻克。

十七日拂晓，突击队开始行动，当天打下敌人地堡约十个，敌人龟缩在较大据点内，连头都不敢露出，突击队之一部挺进到黄浦江岸。上级指挥这次突击非常慎重，规定每占领一处据点，必须及时上交门牌证实。十八日突击无收获，原因是我们武器太差，啃不动敌重点工事，特别是公大纱厂，围攻两天未奏效。十八日夜间，我团奉命撤出这一地区，转移到蕴藻浜车站西侧的黑桥宅、陆家桥宅至蕴藻浜一线设防。

黑桥宅、陆家桥宅战斗

二十三日拂晓，日军增援部队在长江口岸狮子林、川沙口和蕴藻浜附近的黄浦江沿岸登陆，其中一部向我团黑桥宅、陆家桥宅防地迫近。黑桥宅距敌登陆地点只有二千公尺左右，该处河面上的大木桥，为敌必经之处，在我火力控制之下。当日军以密集队形通过大木桥时，我们集中十多挺重机枪和其他武器向敌猛烈扫射，打得敌人纷纷滚下河去。我们在此阵地坚持了十三天，击退了敌人多次进攻。但该地区处在敌海陆空协同作战地带，敌人每发动一次进攻，必先进行十至二十分钟的炮火袭击，第一线的简易工事多被击塌，其战斗之激烈，官兵之奋勇，实属罕见，表现了我军同仇敌忾、顽强作战的精神。这次战斗使我方损失重大，营长以下各级干部非死即伤，战士伤亡近千人。后来，我们采取两线配置，每线相距约三百至四百公尺，第一线留置个别干部负责观察，余下人员全部在第二线阵地待命，听到视察人员哨音，即循交通壕返回第一线岗位投入战斗。经实践证明，确实减少了伤亡，有效地打击了敌人。

大场战斗

十月十一日，敌突破蕴藻浜我军阵地，大场方面吃紧，第八十七师奉命增援。此时，我已接任第二六一旅旅长。某日清晨，天气转凉，大雾弥漫，正当我部集结时，听到坦克轰轰声自北而来，不一会儿十多辆敌坦克驶到面前。敌人因大雾而视野不远，每辆坦克都打开炮塔，站立一人用手旗指挥行动，但未发现我军所在位置，我待坦克驶过后，立即令向凤武团到大场东占领阵地，阻止由江湾方面来的敌军，令唐德团长选择有利地形，准备迎击尾随坦克的敌步兵。当时浓雾未散，敌军步炮协同不灵，经过两个多小时激战，将敌击溃。

当晚，上级命江苏省孙天放保安团补充我军。按当时规定，凡属补充部队，原则上士兵全部接收，各级干部任听去留。孙团长是黄埔军校一期同学，要求保全原有建制，经协商任他为副旅长，所率部队以营为单位拨补给团。我将保安团集合在一片竹林内，向他们介绍情况，话音未落，即闻大场正东阵地被敌突破，情况紧急，我下令该团立即投入战斗，向敌军左侧背突击，该团官兵奋勇争先，几经肉搏，终于夺回阵地。事后点检该团，幸存官兵不到五百人，他们作战之英勇，牺牲之壮烈，给我留下了永不磨灭的印象。

北新泾之战

十月二十六日，日军占领大场。第八十七师撤到苏州河南岸，以北新泾为中心沿河据守，敌军曾多次强渡，均被击退。十一月初，敌军集中火炮和飞机沿河滥施轰炸，弹如雨下，企图掩护步兵强渡。我旅在北新泾外围占领阵地，阻止敌军深入，相持多日。旋因日军在金山卫登陆，陷松江，趋青浦，我大军侧背受到威胁，第八十七师奉命于十一月九日夜向昆山方向撤退。道路阻塞，秩序混乱，造成许多不必要的损失。

第八十七师自八月十三日开战到十一月九日撤出上海，整整三个月，无日不战，其间补充兵力四次，每次都是两三千人，共伤亡官兵一万六千多人。激战中，团、旅长不亲临第一线与部属共同作战，阵地就不易守住。我自己就曾两次投过手榴弹，开过轻重机枪，可见战况之激烈。那时我们的武器装备落后，但官兵士气旺盛，浴血奋战三个月，以巨大牺牲打破了日军速战速决的迷梦，写下了抗战史上可歌可泣的一页。

谢晋元与八百壮士

孙元良[※]

第八十八师孤军的由来

一九三七年八一三上海抗日之役，国军坚强抗战，日军屡攻不逞，相持三月余。十月二十六日，我大场阵地失陷，迫得国军于当夜从第一线转移到沪西。十一月十二日更向后总退却。

十月二十六日早晨，上海战区国军最高指挥官顾祝同先生打电话给我："委员长想要第八十八师留在闸北，死守上海。你的意见怎么样？"我略加思索，答："我不同意。为什么呢？如果我们死一人，敌人也死一人，甚至我们死十人，敌人死一人，我就愿意留在闸北，死守上海。最可虑的是，我们孤立在这里，于激战之后，干部伤亡了，联络隔绝了，在组织解体，粮弹不继，混乱而无指挥的状态下，被敌军任意屠杀，那才不值，更不光荣啊！第八十八师的士气固然很高，并且表现了坚守闸北两个多月的战绩，但我们也经过五次的补充啊！新兵虽然一样忠勇爱国，但训练时间较短，缺乏各自为战的技能。——这是实际情形，所以我不同意。"

最后终于奉命留下一个团，死守闸北。——这就是"八百壮士"的由来。

※ 作者当时系第九集团军第八十八师师长。

孤军光荣达成任务

在全军退却沪西前，我请第五二四团的团附谢晋元中校和该团第一营营长杨瑞符少校两位同志到"四行仓库"（大陆、金城、盐业、中南四银行联营的仓库）我的司令部里，我亲自交给他们"死守上海最后阵地"的命令。

我向他们说："你们最好把指挥所和核心部队布置在这里。这幢庞大的建筑物不只坚固易于防守，同时更易于掌握部队，我们的新兵实在太多啦。这里粮弹存储很多，为防自来水管被截断，饮水也有存储。有这样好的根据地，你们可以坚持下去，好好地打仗了。"他们很骄傲地接受了我的命令。后来果不负我所期，在抗战史上留一极壮烈的史迹。

坚守最后阵地三天后，晋元同志给我一封信：

元良师长钧鉴：

窃职以牺牲的决心，谨遵钧座意旨，奋斗到底。在未完全达成任务前，绝不轻率怠忽。成功成仁，计之熟矣。工事经三日夜加强，业经达到预定程度。任敌来攻，定不得逞。二十七日敌军再次来攻，结果，据瞭望哨兵报告，毙敌在八十人以上。昨（二十八）晨六时许，职亲手狙击，毙敌一名。河南岸同胞望见，咸拍掌欢呼。现职决心待任务完成，作壮烈牺牲！一切祈释钧念。职谢晋元上。二十九日午前十时。于四行仓库。

我的回信：

谢团附、杨营长、暨我诸忠勇同志：

余顷在沪西前线。余虽在沪西前线，余之心魂与诸同志同在闸北。

余奉命防御闸北轴心阵地，保我疆土。诸同志奋勇却敌，固守二月有半，倭敌终于未能越雷池一步，所以报国，幸不后人。近以一发之动，全线西移！本军亦奉令转移阵地，而以最后守卫闸北之责付托我忠勇之诸同志。

诸同志能服从命令，死守据点，誓与闸北共存亡！此种坚忍不拔、临危受命之精神，余与全军同志同致无上之敬意。

我中华民族自古多果敢赴难之士，岳家军屹然不动，戚公军剽悍却敌，以身许国，浩气长留天地间。我国民革命军赋此美德，重以最高统帅之教训，不吝牺牲，早抱成仁之决心。此次杀敌致果，实开震天动地之历史伟绩。我黄帝亿兆子孙，全世界千百万后世人，必以血诚读此史页。

诸同志孤守闸北已三日夜矣，敌之畏葸与我之勇敢已为举世所共见。沪上中外人士交口钦佩，民众奔走援助；咸负如可赎也，人百其身之愿。此诚中华民族之光荣，我中华民国之光荣，亦我国民革命军之光荣。

望继续奋斗，完成抗敌使命，流最后一滴血！我最高统帅于诸同志之壮烈牺牲，殊深嘉慰。余敬以转告。

十月二十九日，孙元良于沪西。

冒险献旗的四十一号女童子军

四十一号中国女童子军杨惠敏在十月二十八日中夜，冒着生命危险，冲过火线，向我四行仓库的英勇守军献送国旗。此一壮举和四十一的编号，立即由路透社传遍世界，在国际童子军史上写下辉煌的一页。

以下是杨惠敏女士的自述：

中华民国二十六年，抗战军兴，时局一天天的紧张。八月初，敌人的炮火已经迫近淞沪了。那时我在高中毕业不久，在美的糖果公司任职，此时已经停工。我像其他爱国青年一样，献身捍卫祖国的洪流，加入上海童子军战地服务团，对前后方军民展开广大而深入的服务工作。

经过三个多月的保卫战，上海最终失守了！我们童子军服务团有的随军队撤走，一部分随着难民撤进租界。我率领七个男女童军，在公共租界苏州河畔一个尼姑庵里为一千多难民服务。

这天（十月二十七日）夜里，沉寂的夜空忽然响起激烈的枪声，我悄悄地溜出尼姑庵去侦察。上海十月的夜是寒冷的，疏星几点，像往日一样还是那么懒洋洋地挂在天幕。远近的建筑物静静地罗列着。苏州河水默默地流着，没有半点声音。我听着自己胶鞋擦在柏油路面的单调脚步声。

沿着苏州河往西边的垃圾桥走，毫无目的地，我不知道枪声从哪里来，也不知道该往哪里走。走到垃圾桥，一排铁丝网挡住去路。我正在探望，想找一个空当钻过去，忽然"噗"的一声，星光下一把寒光闪闪的刺刀挡在我胸前。几个月来枪林弹雨的服务，我的胆子也磨大了；加上四周岑寂似水的夜空，使我的心情格外镇静，我一点也不害怕。我的眼光沿着刺刀往上移，朦胧星光下，隔铁丝网站着一个高大的英国兵。他用生硬的中国话问我："你是什么人？"我没有答他，只伸三个指头敬礼。他喊了一声，用英语说："Boy Scout。"

我告诉他，我要侦察枪声的来源。他见我说得轻松，态度又满不在乎，再加上我的装束是男童子军，说话却是娘娘腔，他找不出一句适当的中国话来问我，只好跟在我的后面走。我们过了垃圾桥，进入桥头的英国守兵碉堡，从枪眼中清楚看见仅隔开一条马路的四行仓库。

英国兵告诉我，四行仓库里的中国守军要死守，刚才的枪声正是与敌军在激战。我听得兴奋，心中升上一个念头——我要帮助我们勇敢的守军。

天已破晓，我只望见一座弹痕累累的四层楼大建筑物，看不见人。我又望见这大建筑物矗立在三方是太阳旗、一方是英国米字旗的中间，我心里产生一个迫切的祈求。为了鼓励上海市的人心，表现我中华民族的凛然正气，四行仓库的屋顶必须飘扬一面青天白日满地红的国旗。

回到住处，到了晚上，我脱下童子军制服，将一面大国旗紧紧地缠在身上，我再罩上制服。夜空是黝黑的，有英国兵走动的影子。马路对面的四行仓库像一个巨人，俯视着我。我观察了一下地形，若是溜过马路，势必要被左右的英国警戒兵发现，把我作为枪靶子。过了马路，四行仓库有重重铁丝网围着，只有沿着铁丝网工事爬到缺口处，再从窗子爬进去。终归是冒险的，我卧倒地上，爬过马路。我急跳的心刚稳定下来，忽然枪炮声大作。我以为我被敌人或是警戒兵发现了，忙伏在路旁的工事里不敢动。红绿的火舌在我头上飞舞。原来是敌人又向四行仓库进攻哩。不过敌人似乎不敢过分乱放枪炮，因为隔苏州河对岸英租界耸立一排大汽油坦克，一颗子弹飞错方向，全上海市民连日本人也不例外，都要遭受祸殃！

不久，枪炮声沉寂下去，我又开始慢慢爬，终于到了东侧的楼下。谢晋元团长、杨瑞符营长早有消息，知道我要来献旗，他们都在等候我。

我脱下外衣，将浸透了汗水的国旗呈献给他们，在朦胧的灯光下，这一群捍卫祖国的英雄都激动得流下泪来了！谢团长说："勇敢的同志，你给我们送来的岂仅仅是一面崇高的国旗，而是我们中华民族誓死不屈的坚毅精神！"

他立刻吩咐准备升旗。因为屋顶没有旗杆，临时用两根竹竿连接扎成旗杆。这时东方已现鱼肚白，曙色微茫中，平台上站了一二十个人，都庄重地举手向国旗敬礼。没有音乐，没有排场，只有一两声冷枪声，但那神圣而肃穆的气氛，单纯而悲壮的场面，却是感人至深的。我一辈子永远不会忘记。

谢团长带我参观各处、窗口和各种工事都就地利用仓库积存的整麻袋黄豆或麦子堆成，十分坚固。负伤的弟兄们躺在地上，有的在呻吟！我的热泪长流，我坚决要留下来替他们服务。但是谢团长硬把我送出门口，将我推出去。他喊："冲过马路，跳下河！"

我猛冲过去，跃下苏州河。头上枪声大作，我知道敌军发现了我，这时已是白天了。我平日练就的游泳技术救了我，我深潜水中，游至对河公共租界登岸。抬头一看，苏州河畔站满了人，纷纷向四行仓库屋顶迎着朝阳招展的美丽国旗招手欢呼！

最高统帅部下令孤军撤退

"八百壮士"在几天以后，奉到我统帅部的命令，于十一月一日拂晓，退入上海公共租界。

先是英国军同情他们，认为孤守无益，劝他们退入租界。孤军感谢这种好意，但告以遵守命令，乐于杀敌，不同意随便撤退。这使英国军大大佩服。临到奉命退却时，英军指挥官马勒提少将不顾日军的抗议，亲自站在他警戒线上的重机关枪阵地上，掩护我孤军通过新垃圾桥。这本不是他的责任，也不是我孤军所需要的。——由于我孤军的英勇，激发起英国军人的侠义心肠。

这一役，孤军坚守最后阵地，力战四日夜，击退敌军六次围攻。敌军横尸四行仓库附近二百余，伤者无算，并毁其战车两辆。我孤军仅伤亡三十七人，营长杨瑞符少校弹穿左胸，负重伤。

为什么一会儿要孤军死守，一会儿又要孤军撤退呢？晋元同志在一次谈话中有一段话说得很明白：

> 我等困守闸北四行仓库凡四日夜，击退敌军六次进攻。弹药的消耗不及十分之一，至于给养，虽坚守三年亦无绝粮之虞。
>
> 我政府为维护世界和平，达成抗战神圣的目的，复兴中华民族，为千秋万世基业计，虽牺牲千万人之生命，亦无所悔恨！似此四百余之我等孤军，实沧海之一粟耳，何惜牺牲！且我等已有充分之弹药与给养，准备重创敌人，作光荣的战死！"借租界的庇护以保生命"，我等绝未作此想。
>
> 我等之撤退，系因第三者要求维护中立地区（公共租界）之安全，请求我政府同意，而由我最高当局下令撤退者。

孤军退入上海公共租界后，在租界内所处的地位非常微妙。他们既不是俘虏，也不是要求庇护者。因此，他们以后的经历就十分复杂——我在这篇文内都将一一说到。现在先把晋元同志这一次谈话的全文且录如下。这篇富有历史性的谈话是他在上海胶州路（后改名晋元路）孤军营发表的，时间大概是一九三八年五六月间。

> 数月来，关怀我等的人士因为自我等撤离后，消息阻隔，所以传说纷纭。实则六个月来，我等被禁锢此间，始终未离公共租界一步。
>
> 前数日，因华东社之新闻一则，我等曾发表一公开信，该信登于五月十七日上海各报。
>
> 余今日所欲言者，为我等在此间的法律地位问题。按国际法，依据《海牙陆战条规》，交战国俘虏之处置应属于敌国政府之权内，而不属于捕获俘虏的个人或军队之权内，自不能将俘

虏作罪人看待。更有明文规定，应以人道待遇俘虏，保留其私权和宗教信仰。只要不越出秩序与风纪的范围，应有相当之自由。

此外，尚有因弹尽援绝，非逃避至中立国的领域不能生存者。第一次世界大战之际，瑞士国收容交战国之军人甚多，该国对此等军人概依《陆战中立规约》与《陆战法惯例条规》，优礼相待的前例办理。

但如我等之撤退，则情势特殊，稽诸古今，并无前例，更绝不能视同俘虏。

我等困守闸北四行仓库凡四日夜，击退敌军六次进攻。弹药的消耗不及十分之一，至于给养，虽坚守三年亦无绝粮之虞。事实如此，不能武断加以"溃退租界，借此庇护"的侮辱言词，其理甚明。

我政府为维护世界和平，达到抗战神圣的目的，复兴中华民族，为千秋万世基业计，虽牺牲千万人之生命，亦无所悔恨！似此四百余之我等孤军，实沧海之一粟耳，何惜牺牲！且我等已有充分之弹药与给养，准备重创敌人，作光荣的战死！"借租界的庇护以保生命"，我等绝未作此想。

我等之撤退，系因第三者要求维护中立地区（公共租界）之安全，请求我政府同意，而由我最高当局下令撤退者。

上海公共租界既得谓之为中立地区，则应履行其中立者的权利与义务，此为不易之论。倘有漠视一方的行为，何能维持中立者自身之中立与安全乎？况中日两国迄今尚未宣战，日人敢以中国四万万五千万人为敌乎！

或曰："上海公共租界当局恐释放我等，将遭日人之反对，因此，处境维艰耳！"余以为日人既自诩崇尚武士道，当不出此反对下策。倘日人欲效稚儿，作意气的反对，直不啻与全世界爱好和平、主张正义之人类为敌！况有上海战事初起时，日军被我军击溃，其一部二百余人逃入公共租界（此为真正的"溃退租界，借保生命"），旋即经租界当局释放，并将缴获之武器一并送还之前例乎？先哲有言："己所不欲，勿施于人。"若以自国溃军被释为是，而于他人则以为非，是诚自居劣等矣。

余为一军人，但余不信武力为万能。历史实例，可为前鉴。

若侈言武力，此时倘有人以十万兵临孤军，亦非我等所惧！

余向全世界爱好和平人士呼吁，请主持公理与正义，唤醒上海公共租界当局，注意其自身的中立态度，实践其诺言，使我等自由。更有望于当日呼吁我政府下令撤退孤军之友邦人士，为正义故而始终赞助我等，则不独我等之幸，实全世界人类正义之幸也。

我国政府循上海中立人士的呼吁，为维护上海公共租界的安全，正式下令撤退孤军。孤军服从命令，全副武装整齐地退入公共租界。他们既不是被俘虏，也不是自动要求庇护，可说是公共租界邀请的客人。这是当日的事实。

更有事实足以证明孤军并非俘虏，不应长期被羁留，就是那时公共租界当局因为孤军不是俘虏，不肯供给伙食。临时借垫的少数款项，后来都向我政府索回了。孤军在最初两个月全靠上海爱国团体（刘鸿生等主持）供应给养，以后则由我政府按照国军待遇，源源接济，一直到太平洋战争发生，公共租界沦入日伪手中才停止。

上海公共租界当局对于真正溃逃租界、借保生命的日军完全放还，武器也一并送还，而对我孤军则不能作同样的处置！虽由环境使然，出于无奈；然而有强权、无公理丑恶怯懦面目又在这般人身上再度显露一次啊！

孤军为国旗而流血

孤军羁旅上海公共租界四整年又一个月零二十七天（一九三七年十一月一日至一九四一年十二月十八日）。"此种长期奋斗，实较之前线官兵在炮火炸弹之下，浴血作战，慷慨牺牲，尤为艰苦卓绝，难能而可贵。"他们的生活是艰苦卓绝的，同时也是光辉灿烂的。晋元同志从一九三八年元旦起，直到他遇害前两天（一九四一年四月二十二日）止，连续写了三年的日记。从他的日记中可以看到孤军在上海晋元路孤军营中出操、上课、工作、游戏，以及和上海租界内学生、工人、市民同胞等交往各种情形⋯⋯

国军撤退后的上海，孤军营成为上海同胞唯一振奋和关切的对象。孤军的荣辱丕泰，上海同胞都视为自己所身受的一样。有一段时期，孤军营未被限制普通人的出入，上海同胞可以随便和孤军接谈，所以晋元路上，每天人来人往，络绎不绝。好像信徒们拥向圣地。

一九三八年八月，孤军为纪念八一一（一九三七年八月十一日第八十八师自无锡出师向上海抗日），向公共租界万国商团团长亨培交涉，悬旗三天。八月九日，孤军营内竖起旗杆。亨培来干涉，先是不许悬旗，后要求将旗杆截短，俾与营内大礼堂屋顶相齐，避免日军看见，引起麻烦，使工部局为难。翌日，孤军八一一、八一三两大纪念日将临，而悬旗问题尚未决定，不得已将旗杆砍去数尺，重新竖立起来。

十一日晨六时，举行升旗典礼，国旗飘扬于孤军营内。上海市同胞望见，无不感奋流泪！

四小时后，工部局派英格兰兵三百名，包围孤军营房，派意大利兵四百名，散布晋元路一带警戒；又派白俄一队向孤军营冲入！幸有万国商团中国团员吴启荣事先发觉，来告。晋元同志即令第一连负责警戒瞭望塔，第二连分散于大操场。下令后不到五分钟，白俄队即冲进营房，用机关枪向手无寸铁的孤军扫射。当有刘尚方、尤长青、吴祖德、王文义四同志殉难于国旗下，另负伤官兵十一人。

白俄队行凶后退出。同日晚十时又来了一队白俄，强将我全部孤军挟入救护车多辆，驶往外滩中央银行幽禁，晋元同志及全体官兵对此绝食抗议。

此事引起上海同胞的愤怒！一致罢市三天，声援孤军，要求将孤军送回晋元路原营地。工部局不得已照办。悬旗事件暂告一段落。但经此事件后，孤军营内的国旗被收缴，此后只能举行"精神升旗"了！

何玉湘烈士被害

一九四〇年九一八，孤军营又发生了何玉湘中士被白俄开枪杀死，高广云上等兵被击伤的血案！抗战胜利后，一九四六年，凶手米奇亚可夫经上海法院审讯，判处徒刑十五年。当时上海新闻报登载审讯经过颇详，内容如下：

　　一九四〇年，上海万国商团白俄雇佣兵米奇亚可夫枪杀四行孤军何玉湘中士一案，自本（十）月十二日初审后，以该案证人未能到齐，故改于昨日（十月二十二日）下午再审。昨日到案证人有前四行孤军中士班长石洪谟，及在警察局任警官之前万国商团白俄队长伊凡诺夫。

推事吴荣林、书记谢寅生升座后，首传被告米奇亚可夫讯问。据米供：二十九年（一九四〇年）九月十八日那天，担任守卫孤军营的白俄士兵由七岗增至十三岗。当时被告担任守卫第一岗。因那天形势紧张，迫不得已乃开放一枪。同时，在被告开枪后三十秒，第七岗之拉希开维支亦开放一枪。被告虽开枪，但不能确定何玉湘即为彼所伤。

次由证人伊凡诺夫做证。伊称，当时并未在场，但从报告书上得知米曾开枪。于米开枪后三十秒，第七岗亦曾开枪。唯记录上并未载有开枪致何玉湘死命一文。又因奉上司令，无论何人不得入孤军营，故亦无从查得开枪后所发生情事。彼当将每日记事簿一册呈交庭上，以备参考。

伊发言完毕，由证人石洪谟发言，石称，年二十八岁，现服务于中央干训团，原在孤军营唐棣连长部下任中士班长。现唐连长因公赴苏州，故由本人代连长做证。出事那天，因奉谢团长命令，察看营外马路上是否有事发生。本人奉命后，当即驰往出事地点，而情逢其会，故知之甚详。当时因欲察看马路上是否有事情发生，故与何玉湘并肩站在一凳上，向外观看。当时孤军与民众等因营门无故被封锁，与白俄守兵发生冲突，米乃向营内开放一枪。记得当时米曾瞄准二次，至第三次瞄准才开枪。所放枪弹先中何头部，再中另一士兵高广云之腿。因高适在洗浴室内，而该室地位颇高，故弹中腿部。

石讲述完毕，被告律师刘剑刚乃起立为被告辩护。"当时环境恶劣，日人屡次要求接管孤军，租界当局则竭力避免。因之派白俄队戒备，名为看守，实则暗中保护。九月十四日为升旗一事已有不幸事件发生，盖当时租界不准孤军升旗，而孤军则因情绪热烈，故未得着管理当局允许，仍将国旗升上，因此遭管理当局用自来水、催泪弹将士兵冲散后，将旗降下。此事发生后，白俄警士等奉令不得入营。九一八那天，马路上已有民众数百人与营内士兵互相摇手呼应。那时米年纪不过二十岁，因年幼无法应付当时紧张情形，故而开枪。事后本人亦曾向白俄队长伊凡诺夫询问，何以不多派人协助米等？伊答以无法。

米之上司亦应负担相当责任。本人有三点为被告辩护：（一）被告承认开枪，但未承认杀人，亦未能证明彼杀人。（二）何玉湘致死之枪弹，未能证明即为被告所开放者。又因环境不许可入内调查，故无法证明子弹为谁所发。盖当时第七岗亦曾开放一枪。（三）当时民众包围被告，营内孤军又发动呼应，有缴械形势。因当时守卫孤军营之警士有法令一条，即于形势险恶，可以无须长官允许开枪。白俄警士入伍之初，乃依照英国军队规定规律，彼等未受良好教育，对法律一项不明了。又当时租界之法令，到现在看来，又大不相同。故请庭上判被告较轻之罪或无罪。"

刘律师辩护完毕后，庭谕：本案定二十八日下午二时宣判，被告还押。

一九四六年十月二十八日，上海法院判凶手米奇亚可夫有期徒刑十五年。

谢晋元烈士殉国

一九四一年四月二十四日，晨光熹微的五时许，孤军营官兵循例在操场集合，列队早操。点名时，发觉士兵郝鼎诚等四名迟到五分钟。晋元同志治军素严，当众予以训斥。不料郝等早受敌伪方面诱骗，趁机下手。在全体跑步时，乘晋元同志不备，用短刀向他头腰两处猛刺，晋元同志伤重立殒！团附上官志标中校见状趋前援救，也受重伤。凶手当场被附近官兵捕获，移解上海公共租界当局法办。

晋元同志的死讯传出，上海同胞哀痛至极！任何危险也阻挡不住爱国同胞在马路上汇成的大洪流。他们拥进孤军营向他致敬，瞻视他的遗体，三天内共达二十五万人，人人显露出悲愤的面色。

蒋介石于一九四一年四月二十八日发出通电："谢晋元同志之成仁，为我中华民国军人垂一光荣之纪念，亦为我抗战史上留一极悲壮之史迹，回溯该团长率领八百孤军，坚守闸北，誓死尽职，守护我国旗与最后阵地而绝不撤退，其忠勇无畏之精神，已获举世之称颂。而其留驻孤军营中，为时三载以上；历受艰难，尚能坚毅不移，始终一致，保持我国民革命军人独立自强之人格。此种长期奋斗，实较之前线官兵在炮火炸弹之下，浴血作战，慷慨牺牲，尤为艰苦卓绝，难能而可贵。此次被刺殒命，显为敌伪方面久已蓄意，收买暴徒，下此毒手！而我孤军营之忠勇官兵赤手擒奸，固绝不损其全体之荣誉。谢团长不幸殒命，然其精神实永留人间而不朽。谢团长不仅表现我军人坚贞壮烈之气概，亦为我民族不屈不挠正气之代表。除已优予抚恤外，甚望我全体官兵视为模范，共同景仰。以期无负先烈之英灵，而发扬我民族正气之光辉也。"

日本型的野蛮残暴行为

一九四一年十二月八日，日本突袭美国珍珠港，太平洋战争爆发。上海由此沦为真正的孤岛，而孤军堕入了更黑暗的地狱。

十二月十日，伪上海市长陈公博致函孤军营代团长雷雄同志，要孤军全体参加"和平运动"。雷同志严词拒绝。

十二月二十八日，日军数百突入孤军营，将手无寸铁的孤军全部押到宝山月浦飞机场拘禁。

一九四二年二月九日，敌人又将他们从宝山押到新龙华游民习艺所，强迫他们挖壕沟，做苦工。因为孤军反抗，敌军残酷地镇压，把他们押去南京，关在珠江路老虎桥原第一监狱的俘虏收容所里。

处在这么恶劣的情况下，孤军仍表现出坚强的团结力和严肃的纪律，每天抽空由官长率领跑步和体操。这种强硬不屈的精神激怒了敌人，使敌人痛恨。于是敌人第一步将孤军的官长和士兵分开，第二步将士兵五十人押去光华门外，六十人押去孝陵卫，一百人押去杭州；另押解裕溪口和南洋群岛各五十人。其余仍关在城内原处，将官兵杂在一起，强迫他们做不堪忍受的无休止的苦工！

这种日本帝国主义对于占领地的俘虏和一般平民所施的残暴不法行为，后来经盟军远东军事法庭肯定。盟军在审判德国纳粹战犯时，也曾特别提到"在战争中采取日本形式的野蛮残暴行为，蹂躏了国际法的原则和人道主义的精神"。

孤军的最后奋斗

日本蔑视国际公理，残忍狠毒的手段，压制不住孤军反抗强暴、热爱祖国的精神。十一月六日，光华门外的孤军趁着和孝陵卫的孤军对调的时候，大部分逃走。他们先到小茅山藏了几天，有的就留在本地参加游击部队，有的绕道浙江、江西、湖南、贵州，回到抗战首都重庆——
这是回到重庆的九个孤军同志施彪、陈裕松、段海青、陈祖谟、徐文卿、
万国卿、张永祥、黎时德、肖益生的最后的冒险经历，也就是大部分孤
军的同样的冒险经历。

日本战败投降，抗战胜利后，孤军除了早回到了重庆的以外，从全
国各地和南洋回到上海的，计有一百余人。受敌人折磨，赍志死去的当
然不在少数了！

被日军押至新几内亚做苦工的孤军三十六人，经澳大利亚政府派军
舰送还，于一九四六年八月二十四日到达上海。他们的姓名是唐棪、陈
日升、冷光前、王长林、吴萃其、童字标、邹莫、汤聘莘、刘一陵、严
占标、陶杏春、伍杰、杨德余、刘辉坤、许贵卿、赵庆全（以上十六人
都是官长）、李自飞、赵春山、傅梅山、傅冠芷、石洪华、谢学梅、徐毓
芳、周正明、邹斌、陈翰钦、杨柏章、赵显良、张永善、徐玉开、魏成、
何英书、杨振兴、任全福、雷鑫海、钱水生（以上二十人大部分是上士
中士阶级）。——这三十六人都是孤军干部，被日本人送到最远最坏的地
方做苦工！

我们读古今中外的战史，实在还没有发现过像我四行孤军这样壮烈
的史迹。他们身虽辱而志不屈，使我们想象到苏武在北海冰天雪地中持
汉节牧羊的情景。然苏武终于由敌国匈奴送还汉朝，而我们残留的万劫
未死的孤军却由于日本败退，才能重新享受到光复后祖国的自由。

淞沪会战纪要

张柏亭[※]

枕戈待旦

　　四十五年前的事了，日本军阀自九一八侵占我东北以来，得寸进尺，贪得无厌，到民国二十六年七七卢沟桥事变，我们实在已经忍无可忍，真正到了"和平绝望，牺牲最后"的关头了。于是中国军民展开抗日圣战，并为争取主动，造成有利战略形势，于八月十三日先机进军上海，点燃近代史上有名的"淞沪战役"。

　　上海为我国经济中心，亦为首都门户，在倭敌侵略的蓝图中，固早有强袭上海，扼制长江口，以威胁我南京首都的企图，我统帅部知彼知己，在京沪地区亦早做必要的作战准备。国军精锐的八十七师、八十八师、三十六师、教导总队为蒋介石亲训部队，聘有德国顾问协助训练，驻戍于京沪线各要点，孝陵卫、无锡、苏州、常熟一带；沪杭路上则以嘉兴为中心，亦驻有第五十七师阮肇昌部。

　　早于华北情势紧张后，统帅部就已经用"军校野营办事处"名义，在苏州狮子林设置指挥部，经常召集各部队长及幕僚，研讨策划对淞沪方面作战准备的一切事宜，各部队官兵斗志昂扬，士气振奋，枕戈待旦，准备随时出动杀敌。

　　※　作者当时系第九集团军第八十八师参谋长。

地形侦察

民国二十一年"一·二八抗日战役"之后，中日淞沪停战协定规定，国军在京沪线的驻戍位置，不能超越昆山（安亭至浒浦口线）以东地区，其后上海警备司令部，虽以维持治安为理由，成立一个保安总团（吉章简将军为总团长），辖有两个团，相当于一个步兵旅的兵力，但其装备训练不足，没有多大作战能力。由于局势日益恶化，驻节苏州而实际负责策划战备的副长官顾祝同将军（长官由蒋介石自兼）为争取先机，命驻守无锡之八十八师（师长孙元良将军）以一个团——吴求剑将军率领的五二三团，化装为保安队分批潜往上海，利用地方关系掩护，接替防务，在闸北宝山路、龙华、徐家汇、虹桥、北新泾、真如一带，秘密构筑必要工事。时任上海各界抗敌后援会主席团委员兼募捐委员会主任的杜月笙利用其地方关系，配合国军预定的作战计划，在闸北一带要点，租赁民房，在室内秘建钢筋水泥掩体，平时不露痕迹，使用时打开枪口。

同时，野营办事处分批集合各部队营长以上干部，前往上海侦察地形，认识尔后的攻击目标。我是第二批，参加八十七师旅长刘安祺将军率领的那一组，主要侦察范围为闸北地区宝山路、八字桥、江湾路一带，特别对北四川路底、天通庵附近日本海军陆战队司令部四周，详密反复侦察，和我同行的有炮兵营营长王洁中校与谢晋元中校等人。我早年曾在江湾路法科大学读书，住在横浜桥附近余庆坊的亭子间里，每天挟了书包往返好几次，真可说是熟门熟路，谢晋元中校则于北伐时期龙潭作战后，担任二十一师连长时，驻防闸北甚久，也是识途老马，其余的同行人员，则都光头西装，行动有点土里土气，多少引起了日军怀疑，在公园靶子场附近，发现了一批流氓型的大汉，在我们后面指手画脚，跟踪而来，幸而我们发觉得早，我带着转几个弯，在北四川路朋友家躲避风头，不然的话可能会发生麻烦，以致构成纠纷。

孙将军当机立断

伟大的日子终于来到了，我们在八月十一日接到命令，向上海出动，由铁道输送真如集结待命，真如离上海北车站约有十余公里，市郊一片旷野，师长孙元良将军随第一列车先行，在真如得到的情况是：原驻上海及由武汉撤沪的日海军陆战队五六千人，并动员居留上海的日侨在乡军人共约万余人，也已经在虹口区集结完毕，仓促开始行动；另有敌舰二十余艘组成的船团，掩护运输舰五艘，正向上海急驶。

孙元良将军是一·二八抗日名将，以庙行一战成名，他熟谙淞沪地区形势。上海南瞰黄浦而下，从闸北东向建筑物亦愈益坚固高耸，在此情况之下，如果遵照上级命令在真如待命，则前方作战要点尽将委于敌手，先机尽失，尔后要采取攻势，则成为攻坚、仰攻，若要采取防御，则真如附近一片平原，无险可扼。于是，孙将军当机立断，决心指挥先头到达的二六二旅，以疾风迅雷之势，向闸北地区推进，占领北火车站—宝山路—八字桥—江湾路之线。这一英明的决断，对其后整个淞沪战局的发展，可说具有决定性的影响，万一稍有迟疑逡巡，则好机转眼即逝，闸北轴心阵地，将无法形成，而其后淞沪战场的形势，要完全改观了。

淞沪战役的引火点——八字桥

八字桥是淞沪战役的引火点，民国二十一年一·二八沪战的战火，从八字桥燃起；最为巧合的，五年后八一三战役的战火，仍然由八字桥燃起。

"八字桥"因两次沪战而闻名于世，事实上所谓"桥"，只是宝山路与日海军司令部间，街巷大水沟上架设的通道而已。这个地点在作战上极为重要，敌得之可楔入我阵地，阻断我南北联系，使我有骨鲠在喉之感；我得之进则可作为攻击之据点，守则构成全阵地体系之核心，是以"八字桥"在闸北地区，成为敌我必争的要点。

我二六二旅在旅长彭巩英将军指挥之下，推进至北火车站附近后，以五二四团在右，五二三团在左，迅速展开占领阵地，利用杜月笙构筑的家屋内工事，打开枪口清扫射界，构成坚固的街市战阵地。这时敌军也正由虹口地区，沿吴淞路北四川路行动中。我五二三团团长吴求剑将军，曾参加一·二八战役，熟知上海地形，率领易瑾少校之第一营向八字桥搜索前进，先头进抵八字桥西方时，敌人的前哨部队也正好到达，双方针锋相对，立即发生冲突，由易瑾营射出了淞沪抗日战役的第一枪，时为八月十三日午后三时稍过。敌我都没有占领八字桥，八字桥通过战役全期，成为中间地带，激烈的战斗在八字桥周边进行。

攻击敌海军司令部

敌军以虹口区为根据地，背靠黄浦江，其阵地以汇山码头为起点，沿吴淞路、北四川路，以迄江湾路虹口公园对过的日海军陆战队司令部，形同一条长蛇，以海军司令部为首，而以汇山码头为尾；我军在作战部署上，亦以打击其指挥中枢的海军司令部为优先目标。

我二六四旅于十三日下午到达，为争取先机，决心不待敌海上增援部队来到，于翌（十四）日展开攻击。由二六四旅为主攻部队，超越二六二旅，集中力量攻击敌海军司令部。

十四日拂晓开始行动，勇敢的黄梅兴将军率五二七团、五二八团，超二六二旅向江湾路推进；二六二旅则以北车站为中心，在右翼方面向当面之敌牵制拘束，孙元良师长为掌握战场状况，在第一线设定两个指挥联络哨，由副师长冯圣法将军为右联络哨，位置于北站大楼；笔者为左联络哨，位置于水电厂屋顶。水电厂在闸北水电路，距离敌海军司令部只有两公里左右，在昨（十三）日的战斗中，已被机枪弹与迫击炮弹破坏得千疮百孔。从屋顶展望，江湾路一带尽在眼底，可以清楚地看见敌军公园周边、持志大学、六三公园一带活动。我攻击部队由爱国女校方面，自左翼旋回压迫敌军，逐次前进，敌军节节后退，利用特制的钢板防盾沿江湾路顽抗。晌午时分，我英勇的攻击部队前仆后继，已经接近敌海军司令部附近，敌兵遗尸遍地，一部分退入其司令部，其余狼狈沿北四川路南窜，后据外国记者报道，有遁入公共租界避难企图，租界内的英军及万国商团等曾在苏州河岸严密戒备。正在此紧要关头，不幸黄梅兴将军立于阵头指挥，在爱国女校附近被敌迫击炮弹击中，当场壮烈殉国，同时成仁的，尚有旅部参谋主任邓洗中校及通信排官兵三十余人，时为下午三时许。

黄梅兴将军为淞沪战役中我高级将领阵亡的第一人。由于黄将军的阵亡，指挥顿失重心，攻击不得不告中止。第八十八师于沪战开始后，扩编为第七十二军。当晚第二师钟松独立旅到达战场，归入军序列，在观音堂司令部匆匆与钟旅长及邓钟梅副旅长见面后，不稍停留立即增援第一线，接替二六四旅防务。这一天的战斗中，我二六四旅伤亡黄梅兴将军以下千余人，仅五二七团即有连长七人阵亡，战况之惨烈，可以想见！

突击"出云"舰

作战开始后，黄浦江内敌舰云集，多达二十余艘，以密集舰炮射击，协同其地面兵力战斗。我彭孟缉上校指挥的炮兵第十团，虽亦在彭浦一带放列，但火力不足与敌舰炮抗衡。

世人咸知谢晋元将军为一员勇将，殊不知谢将军智谋深远，更是一位具有高度修养的参谋人才，沪战初期他原任二六二旅参谋主任，和笔者保持业务上紧密联系。

江南初秋，气候仍然燠热，俗称为秋老虎。八月下旬某晚，我不能入睡，正倚窗遥望战场夜景。敌我曳光弹交互射击，有如流星；正好我空军临空夜袭，敌阵地高射机枪开始射击，火花喷放胜似庆典焰火，十分壮观。

我正在出神，背后有人招呼，是谢晋元中校来访。

——中民兄还没休息！

——有点事来商讨，……浦江内敌舰云集，舰炮射击构成我们莫大困扰，必须有个应付方法。

——中民兄有好主意吗？

——今天和王兆槐兄研究，停靠在汇山码头的"出云"舰为敌方旗舰，为其指挥中心，敌酋长谷川清就驻在上面，擒贼先擒王，打蛇先打首，我们先把"出云"舰摧毁，定能获致重大效果。

我深以为然，于是谈到摧毁"出云"舰的技术问题，谢同志有其具体的构想，并谓如果决定进行，王兆槐同志可以为我们协力。兆槐兄时为淞沪警备司令部稽查处长，我也深知其果断干练。于是立将谢同志的建议转报军长，认为可行，并即指派谢晋元同志策划进行。

数日后，谢同志在王兆槐兄的协同下，经过周密计划，完成了一切准备，当时黄浦江尚未封锁，民船可以通行，准备了一艘快速的小火轮，携带特种爆炸物，由南市十六铺附近出发，预期驶近"出云"舰三四百公尺处施放。可惜实施时，执行人员有欠沉着，未达预定距离过早发射，以致未能击中目标，仅炸毁汇山码头一部分设备，我三名技术人员则遭敌火射击，不及逃离现场，做了殉国的无名英雄。

当时汇山码头发生大火，报章腾载，大快人心，谢同志的计划虽未能达成，但已震撼敌军，获致精神效果。其后敌酋不敢再在该舰驻节，而黄浦江内敌舰，也远向杨树浦以东江面移动，舰炮射击一时陷于沉寂。今王兆槐兄同在台湾，当犹能忆及一二也。

伟大的铁拳计划——刘宏深少校殉国

"铁拳计划"是由德国顾问设计，而由笔者完成参谋作业。抗战前中德邦交友好，第一次大战间德国的最后一任参谋总长色克特（Hans Von Seeckt，1866—1936）上将，受聘于我国军事总顾问，率顾问数十人，来我国协助军事建设，在各教育机关及京畿附近部队，如教导总队、八十七师、八十八师、三十六师等单位，指导教育训练，一切动作完全采取德式。

战争爆发后，因受政治影响（德、意、日结为轴心），色克特被召返国。行前向蒋介石辞行时，表示愿留下少数德国顾问（日久忘其名），作为在我国服务的最后效力。蒋介石接受其好意，派一位德国顾问来到八十八师，淞沪战役发生后，军长命我与该顾问共同策划，准备依德国闪电战的方式，发动一次突击作战。

当时德军正在欧洲战场采行闪电战术，德顾问就当时上海战场形势，认为日军阵地由汇山码头经吴淞路、北四川路，以迄江湾路，蜿蜒有如一条长蛇，宜在其腰部选择一个要点，集中成猛火力发动突击，将其拦腰斩断，首尾不能相顾，尔后直向其心脏部进出，则敌抵抗组织自然归于瓦解。

研究结果，我们选定虬江路为突击点，遵从德顾问意见，选拔精壮勇敢的战士五百人为突击队，携带轻便锐利的近战武器，以优秀营长刘宏深少校为指挥官；同时集中全师炮火，由炮兵营长王洁中校指挥，在附近放列担任掩护，另在突击位置配置多数自动火器，直接支援。预定拂晓开始行动，先以炮火猛烈轰击目标地区，再由自动火器支援发起突击。该计划定名为"铁拳计划"。由于突击地区在二六二旅阵地正面，一切细部参谋作业指定由谢晋元中校负责完成，并由其指导实施。

当夜完成一切部署，翌日按照计划行动。炮兵于拂晓密集射击，虬江路敌阵地附近一片火海，烈焰冲天，所有工事与建筑物尽行摧毁。紧接着刘宏深少校身先士卒，率领突击队适时冲进，毙伤敌兵无算，横尸街巷。不幸刘宏深同志深入敌阵，亦中弹阵亡，虽已予敌重创，终告功败垂成，未能达到预期目的。

刘少校军校五期卒业，湖南醴陵人，品学俱优，青年有为，殉国时年仅二十八岁，新婚甫三月，缅怀英烈，惆怅无已！

闸北轴心阵地

淞沪战场我军战斗序列，最初区分于左右两翼，黄浦江以东的浦东地区为右翼军，中隔市区（南市及英法租界）；自苏州河以北为左翼军。右翼军司令官张发奎将军，左翼军司令官初为张治中，旋因指挥不当撤换，由朱绍良将军接替。左右两翼军的作战负担并不平衡，实际上左翼方面是主战场，右翼方面只是沿黄浦江岸警戒监视而已。

左翼军的初期区分，以八十七师、八十八师、三十六师为基干分为中、左、右三地区，同时八十七师升格扩编为七十一军，八十八师为七十二军，三十六师为七十八军。以八十八师为主体的七十二军，位置于左翼，紧靠苏州河北岸，至江湾路之间为作战地域。

战役初期，我军居于主动地位，采取攻势行动，对虹口地区之敌，构成包围态势。自从八一三由五二三团易瑾营在八字桥射出第一枪后，十四日攻击敌海军司令部，同在那一天，我空军在杭州上空，击灭来犯的敌木更津航空队。十五、十六日续由我八十七师、三十六师，由江湾路敌阵北翼，向其侧背迂回攻击，敌军退至汇山码头附近，依据坚固建筑物顽抗，纵火阻止我前进，因我军缺乏攻坚武器，未能克奏全功。这是我军攻势的最盛时期。

到八月二十二日，敌酋松井石根率第三、第二十一师团，及第十六、第十三师团各一部，在吴淞附近登陆，向蕴藻浜、吴淞镇、狮子林一带推进；同时我增援部队，也陆续到达战场，战区渐形扩大。于是原来的对敌包围态势，渐渐改变为敌我东西对峙的局面；更由于敌我增援部队的源源到达，战线不断向北翼延伸，直达扬子江岸。

我军改取战略持久的方针后，闸北地区的八十八师，成为全战线旋回的轴心，依托苏州河岸，努力加强工事，构成街市战纵深阵地。并由工兵营营长蔡仁杰少校主持，集合志愿服务的土木技术工人，组成工程队，设计一种分解式的钢筋水泥掩体，先在后方做好，然后利用夜暗车运第一线，在各要点装置接合，使闸北阵地很快构成为钢铁般的金城汤池。蔡仁杰少校不眠不休，厥功至伟。

在八月下旬，敌人曾多次攻击我闸北阵地，均遭我守军击退，迭予重创，敌在广播中公然称八十八师为"闸北可恨之敌"。

自此，敌在闸北正面，直到我军转进为止，不敢再作任何蠢动，转移目标于我左翼方面，对我江湾以北的友军阵地，加强压迫，战线逐次后移至江湾—顾家宅—刘行—罗店之线；至十月下旬，更后移至小顾宅—大场—嘉定—走马塘—新泾桥—康家桥之线。但我闸北阵地，始终保持轴心地位，屹立不动，也没有换过防，从八一三直到十月二十六日向沪西转移，血战两月又半，敌军未能越雷池一步。

十月二十五日，大场第十八师友军阵地被敌击破，我左侧背受到威胁，才奉命转移到沪西阵地。敌军吃足了八十八师的苦头，在我离开闸北后的第二天，还不敢放胆前进，唯恐我尚有伏击部队，纵火焚烧，大火从北火车站一直烧到恒通路恒丰桥一带，蔓延数里，一片火海，真是可恨又可耻。

指挥位置的秘匿

沪战开始后，全上海各界市民，充分表现了爱国热忱，无论男女老幼都与前线战士一条心，大家同仇敌忾，打成一片。地方人士组织"抗敌后援会"，青年学生与工人组成"抗日救国青年团"，号召"有钱出钱，有力出力"，供应车辆、食物、日用品以至各种作业工具，协力后方工作。很多青年志愿从军，直接上第一线参加战斗，军民打成一片，民心士气高涨到了极度，实开我国"总体作战"之先河。

但上海五方杂处，居民良莠不齐，不免有极少数的地痞流氓，受日本人收买利用，混杂在都市的各个角落，做通风报信的工作。战事突发时，闸北地区仍是热闹的市街，这些小汉奸混杂活动，捣乱治安，刺探军情，我们送公事的传令兵，常遭暗算失踪，或被抢走公文，真是防不胜防。

中山大道原为一·二八沪战后依军事的着眼而修筑，由沪西贯穿到北火车站，成为闸北战场的大动脉。作战初期，我们选定中山大道三十一号桥附近的观音堂，作为司令部位置，一时成为记者群众热心地方人士探访慰劳的目标。机警的孙元良将军立即有所预感，当十四日黄昏和钟松旅长见面后，迅即离开侦察新位置，决定第二天移往苏州河边的福新面粉厂。正好在我们离开期内，敌舰炮对准观音堂射击，中殿佛像打得粉碎，我的床铺炸得无影无踪，残壁上插了好几枚不发弹，不禁捏一把汗。

其后，我们司令部像捉迷藏似的移动，敌炮总是如影随形。最后移到苏州河畔的四行仓库，但对外始终仍以观音堂为联络位置。为了战场后方安全，不得不劝导闸北居民迁往安全地带，市民们毫无怨言，扶老携幼越过苏州河，避入公共租界。

四行仓库是金城、盐业、中南、大陆等四个银行的堆栈，位于苏州河北岸北西藏路西侧，门前沿河是光复路，左前方即为新垃圾桥。苏州河是一条上海通往后方的内河动脉，一般物资经由苏州河运往内地，同时内地的土产与农作物，也经由苏州河运到上海。河幅虽在百余公尺，但河床甚浅，水道淤塞，污乱不堪，涨潮时舟楫通行无阻，退潮时只剩狭隘的泥浆水道，船行要用竹篙撑持。直到闸北放弃，我们司令部位置再没有移动，最后作为最后阵地，授命八百壮士夺守，写下历史最光荣的一页。

淞沪战场的最后阵地

平心检讨淞沪作战，敌我双方都犯了逐次使用兵力的毛病。我们虽是在自己的国土作战，但内地交通梗阻，后方部队赴战，欲速不达；敌方海上运输便捷，动员准备良好，但抱轻敌观念，最初高唱速战速决，以为三个月就可以制伏中国，等到不得已时派兵增援，再增援，总不肯彻底投入兵力，而期极力节约力量，备为应付其他方面之用。

白卯口登陆的敌第三师团，向我左侧背扑击，于十月二十五日突破我大场阵地后，统帅部决心调整态势。二十六日早晨，顾祝同副长官（蒋介石自兼长官）电话征询孙师长意见，有意把八十八师留置在闸北地区，分散据守村落据点，并相机展开游击。孙师长就战场实际状况，具陈所见，认为徒作无谓牺牲，难收实际效果，但如上级已做决定，自当奋力以赴，恪尽革命军人天职。因在电话中不能详述，派我去面报种切。

当时大场方面友军的情况，尚在继续恶化，失去了联络的溃兵与伤兵，纷纷由小南翔方面退下来，秩序非常混乱，敌机不断在上空盘旋，发现目标立即低飞射击。我沿中山大道乘车前进，遭受多次袭击，走走停停，沿途一片凄凉景况。在沪西中山大道五十一号桥附近下车，循小河边西行，约三里处走过一座小桥，在竹林中茅屋内找到了副长官，副长官正在观看壁上张挂的地图，我敬了个礼。

我：报告副长官，我是八十八师参谋长，孙师长派我来当面请示。

顾将军点点头，招手要我近前，先叫我就图上指告闸北战场目前一般情况，以及各部队配备情形。我顺便报告了来时沿途所见，建议指挥所应该立即移动位置。遂即谈到正题。

顾：大场情况变化后，闸北阵地侧背完全暴露，必须调整态势。但国际联盟十一月初要在日内瓦开会，会中接受我国控诉，将讨论如何制止日军侵略行为，所以，委员长有意要贵师留在闸北作战，把一连一排一班分散，守备市区坚固建筑物及郊区大小村落，寸土必争，要敌人付出血的代价；并相机游击，尽量争取时间，唤起友邦同情。

我：统帅的决定，当然绝对服从，不过就任务执行的效果，有些意见孙师长要我来面报。

顾：你尽管说！

我：闸北除市街外，市郊一片平坦，毫无隐蔽，地形上不具备游击战的条件；至于分守据点，事实上也有困难，因为本师已经先后补充了六次，目前老兵只有十分之二三，这情形正如一杯茶，初沏时味道很浓，经过六次冲开水，冲一次淡一次，越冲越淡。新兵未经过战阵，有些新兵甚至连枪都未放过，目前全靠干部和几成老兵，在阵地上支撑，对新兵且战且训，渐渐在实践中锻炼其战技。在各级干部层层节制的掌握，以及老战士带头之下，尚可保持战斗体系，一旦分散配置，则维系力顿告消失，期望发挥各自为战的效果，恐怕难之又难。

副长官沉默了一会儿，点点头。

顾：那么，你们准备怎样来实践委员长的意旨呢？

我：部下的想法，委员长训示的是政略目的，是要强调日本军阀的侵略行为，上海是一个国际都市，中外视听所集，要在国联开会时，把淞沪战场的现实景况，带到会场去。既然如此，似乎不必要硬性的规定兵力，也不必要拘泥何种方式，尽可授权担当部队，斟酌战场实际状况，来做适切的措置。

顾：你具体地说说看，究宜采取何种方式？留置多少兵力？

我：依部下看，留置闸北守备最后阵地的部队，兵力多是牺牲，兵力少也是牺牲；同时，守多数据点是守，择要守一两个据点也是守，意义完全相同。最好授权部队，以达成此项目的为主，自行适当处理。

顾：孙师长电话中，也曾提到这些，但没有说明究竟留置多少兵力和守备何种据点？

我：部下认为选拔一支精锐部队，至多一团左右兵力，来固守一两个据点，也就够了。

顾：时间已经不多了，你赶快回去告诉孙师长，就照这样办，今晚要部署完毕，一切我会报告委员长。

顾将军为蒋介石的得力助手，从容大度，指挥若定，面带笑容和我握了手，我敬个礼离开指挥所，仍循原路驱车回闸北，但情形更为混乱了。中山路苏州桥附近，已被前方退回来的辎重车辆阻塞，一位八十七师的排长认识我，他左臂负伤，右手抱着一挺轻机枪，走上来向我不断摇手，告诉我前面已经无法通行，××部队顶不住了，敌军正由数辆战车前导，向我追蹑而来。

时机十分紧迫，我急于要返部报告请示结果，不得已只好绕道漕河泾，穿过租界到苏州河畔，雇舢板回到四行仓库，时间已快下午五时三十分了。

孙师长正在室内来回踱步，这是他一贯的习惯，每逢有事时踱步沉思，等到有决定时立即坐下来写手令，或招必要人员有所交代。他不待我开口，先就告诉我，顾将军已有电话指示，以一团兵力留守闸北最后阵地。决定就以四行仓库为固守据点，但经斟酌实际情形，一团兵力未免失之过多，在给养、卫生、休憩诸方面，反而会感觉不便；因此孙将军以达成上级意图为目的，权宜变更为一个加强营，以第五二四团第一营为基干，配属必要特种部队，由中校团附谢晋元，少校团附上官志标，少校营长杨瑞符率领，担当此艰巨任务。

八百壮士临危受命

谢晋元团附以下官兵八百人，临危受命，决心死守此最后阵地，为淞沪战场留一片干净土，他们豪气干云，誓言要流尽最后一滴血，射完最后一粒子弹，与四行仓库共存亡，其后世称"八百壮士"成为历史壮烈事迹，业已由中影公司摄成战争巨片，以资表彰。

按当时军队编制，团不设副团长，有中少校团附各一人，中校团附即相当于副团长。五二四团团长为韩宪元上校，广东文昌人，军校三期卒业，战功卓著，后于南京防卫战时，在雨花台壮烈殉国。原中校团附黄永淮，勇敢善战，于巡视第一线时负伤入院，故以旅部参谋主任谢晋元中校调任；黄永淮后于中原会战守备新郑时，担任副师长，城陷负伤昏迷，在车运途中苏醒，抢夺日押车夫士兵刺刀，刺伤日本多人后被杀，其事湮没不传，在此顺笔一提。

谢晋元团附为广东蕉岭人，黄埔军校四期毕业，时年三十三岁，体格魁伟英俊，为人诚挚刚直，沉默寡言，有守有为；上官志标团附，福建上杭人，在中学时代受革命思潮熏陶，投笔从戎，从基层工作干起，军校军训班毕业，平实朴质，勇敢善战，连长任内多次负伤不退，时年二十九岁；营长杨瑞符少校，黄埔军校六期毕业，天津人，时年三十岁，性格豪放，坦率热情，为师内有名勇将，每战身先士卒，负伤多次。第一连长陶杏春，第二连长邓英，第三连长唐棣，机枪连长雷雄，以及各排长，都是优秀的青年军官。

八百位豪气干云的壮士，于十月二十六日午夜，完成掩护任务后，迅即进入四行仓库，就原有四周防御工事，整理加强，并在四行内部着手部署，构筑强固工事，连夜完成初步作业，尔后逐次加强。有关四行战斗经过，上官志标团附手记之《四行仓库坚守记》，叙述详确，这里不多赘述。

撤离四行经纬

"八百壮士"奋守四行仓库，惊天动地，气壮山河，不但振起全国民心，更因为上海是国际都市，在沪外邦人士均身历目睹，透过外国记者们的报道，一时轰动全世界。

友邦人士对"八百壮士"，一致寄予无限的崇敬与同情，各国使节团曾透过外交关系，正式提出照会，要求我政府基于人道立场，下令孤军撤离；同时很多外籍妇女代表，也向蒋夫人作同样的要求。

其时，八十八师转移到沪西后，在苏州河南岸，据守丰田沙厂—新泾—周家桥之线，继续与敌军隔河对战；我奉派在法租界某地，负责与孤军联络。八百壮士连日苦战，但精神愈奋，斗志弥坚，打到第四天亦即十月三十一日，统帅部认为已达预定目的，应各方之请命令孤军撤离。

四行仓库四周东、北、西三面环敌，唯一可以撤离的路线，只有越苏州河通过租界，到沪西归队；但是在战斗进行中，如何脱离？以及如何通过租界？一连串细节，都需商榷。

当时，市长吴铁城先生因有新职务已去南京，由秘书长俞鸿钧代行，同时俞先生还兼上海外交特派员职务。我先去找俞先生，又去找警备司令部杨虎将军，我与杨为士官先后同学，一向相熟，杨意公共租界外国驻军由英军司令斯马莱特（Gen. Smoolet）统一指挥，四行对河的守卫也由英军担任，此事先须与斯马莱特交换意见，相约在下午二时到杨私邸会谈。

法租界环龙路杨寓，是一座豪华的幽静花园洋房。

参加会谈的，有斯马莱特将军、俞鸿钧先生、冯圣法副师长与我，杨的英文秘书孙履平担任传译，都准时到达，先由杨为各人介绍，斯马莱特是一位中等身材的中年人，具有英国人特征，留着小胡子，潇洒中带点幽默，模样儿极似前美军顾问团团长蔡斯将军，他与冯副师长与我握手后，说了句生硬的上海话："八十八师呱呱叫，顶好！"

话题由杨打开："最高统帅已有命令，接纳友邦人士善意，命令四行孤军立即撤离，但其如何行动，涉及租界关系，特须得到英军的合作协助，特请各位来商谈一切。"

俞先生插一句："斯马莱特将军知道此事吗？"

斯马莱特点点头，望着冯副师长与我，微笑说："我的部队与贵师官兵，数月来隔河相望，我们已经是好朋友，四行守军撤离时，我当全力支持负责掩护，但不知你们要我怎么做？"

我说："目前日军正在四行周边，向我孤军围攻，撤离的唯一路线，只有越过苏州河经由租界到沪西归队，首先要通过贵军警戒线，行动程序必须密切协定；再则，日军在国庆路方向，设有机枪阵地并有探照灯，封锁着四行后门的北西藏路，行动时须得贵军掩护，方能顺利通过；还有，通过租界时，须有相当交通工具，应请准备提供！"

冯副师长又强调："孤军撤离绝不是战败退却，或者逃跑遁走，而是应友邦人士的请求奉命撤离，此点须请斯马莱特将军特别了解！"

斯马莱特站起来，走到杨身边拍拍肩膀："你们放心！杨司令是我多年的好朋友，你们信不过我，应该相信杨司令。"

于是，又商谈了些撤离的程序以及有关细节，诸如彼此的联络方法，对日军机枪阵地及探照灯的制压等问题。杨又叮嘱俞鸿钧，有关外交事项的一切，由他负起完全责任，俞表示可顺利解决。

我回到法租界某地的联络位置后，先挂电话报告孙师长，说明协调会谈的详细经过。到黄昏九时许——约定时间，和仓库内的谢晋元团附通电话，告诉他来了命令，准备今晚撤离，谢同志似乎极感惊异，也非常激动，声言："全体壮士早已立下遗嘱，相誓与四行最后阵地共存亡，但求死得有意义！但求死得其所！请参谋长报告师长，转请委员长成全我们!"

我与冯副师长轮番开导,谢团附与上官团附及杨营长也交替接话,态度十分坚决,在电话中隐约可以体味到,激动得"声泪俱下"的情状。

最后,我以坚定的语气告诉谢团附:"你们成仁取义的决心,固然十分钦佩,但这是最高统帅的命令,我是命令的传达者,军人应以服从为天职,打日本鬼子的机会非此一时,今后可能还有比奋守四行仓库更重要的使命,待你们去担当!如果你们违抗命令,那你们的勇敢与牺牲,成为匹夫之勇而无意义了!"

谢晋元团附终于顾全大体,接受命令,于是我将和英军协定的事项告诉他,今晚午夜后开始行动,由英军制压鬼子探照灯与机关枪,探照灯击毁后迅速冲过北西藏路,由新垃圾桥进入租界,车运沪西归队。

一切都照预定进行,斯马莱特将军亲自在新垃圾桥旁指挥,午夜当日军探照灯照耀如同白昼时,英军由桥头碉堡中,使用小钢炮连续猛射,一举将其击毁,但其机关枪实施标定射击,孤军冲过北西藏路时,仍有多人受伤,杨瑞符营长左腿也被击中。

八百壮士羁留孤军营

我在三十一日晚间,传达撤离命令后,当夜回到沪西,向孙师长报告处理经过,翌日凌晨率一部分事务人员,到漕河泾法租界边界附近,准备孤军到达后,为他们处理一切问题。

想不到,事情发生了变化,八百壮士通过新垃圾桥后,租界当局要收缴武器,车运胶州路羁留,全体孤军情绪激昂,声言武器为军人第二生命,不能离手,他们宁愿重返四行仓库,继续固守到底,僵持了数小时,情形极为紧张,我在漕河泾久待孤军不至,心知发生了麻烦,驱车赶到新垃圾桥,看见那种情形,劝阻谢晋元同志暂时忍耐,其中必有原因;同时租界在场人员,也力言这是租界的规定,只是替孤军代为保管武器,当点明数量出具收据,绝非缴械可比,情势才告平息,遂即登车送往预定的地点。

我立即去找杨虎司令,杨打电话给斯马莱特责其背信,才知道不是英军作梗,而是日方向工部局提出了严重抗议,威胁租界当局,如果准许孤军通过,则日军也将开进租界,追击孤军,使租界当局不得不苟且应付。

我又赶去找俞鸿钧先生，那时年轻气浮，一见面就气冲冲问他："昨天协议时，俞先生也在场，说好有关外交事项由你负责，你办的是什么外交？"

俞先生态度谦恭，丝毫没有见怪："这是临时发生的情况，我已报告政府，即循外交途径交涉，请转告贵师长暂时要忍耐，不可节外生枝！"

为了租界当局轻诺食言，受日方威胁羁留我八百壮士，政府确曾责成上海特派员公署，提出严重抗议，但租界当局慑于日方蛮横，不敢释放孤军归队；但另一方面，日方要求引渡孤军，工部局同样也予拒绝，就这样"八百壮士"羁留在孤军营，经过四年多岁月，他们在谢晋元将军领导下，自强不息，虽然解除了有形武装，但却加强了精神武装；不亢不卑，不屈不挠，虽然离开了现实战场，但却建立了心理战场。孤军营在上海成为孤岛的孤岛，成为敌后的精神堡垒，成为沦陷区同胞心目中希望的灯塔。无数可歌可泣的故事，可从谢晋元将军的日记中看到。

就在孤军撤离四行仓库的这一天，蒋介石明令八百壮士各晋一级，谢晋元团附真除上校团长，颁授青天白日勋章，上官志标晋升为中校团附，机枪连雷雄连长递升为营长，原营长杨瑞符少校，撤离时负伤住院，已直接归队，另有任用。八百壮士感激之余，益自奋励。

其后，谢晋元团长不幸于三十年四月二十四日遇害后，中枢悼念忠烈，明令追赠为陆军少将。蒋委员长通电全国官兵效法忠贞，一代完人，永垂青史。

奉命西撤守卫首都

八十八师于十月二十六日转移沪西后，由后方赶到的税警团孙立人部加入序列，在丰田纱厂—北新泾—周家桥之线，沿苏州河南岸占领阵地，继续与敌军奋战，隔河相持。沪西市郊一片旷野，既没有地形可利用，也没有建筑物可依托，唯一的障碍只有苏州河，但河幅仅约百公尺，愈西向愈狭窄，到周家桥附近只有三四十公尺，障碍程度有限，而且工事构筑时间甚短，作战极为艰苦。白昼敌机不断盘旋，地面活动困难，所幸官兵用命隔河战斗，仍能阻敌渡犯。

支持到十一月十二日，已经达成掩护友军转进的任务；同时敌第十军于十一月五日在杭州湾登陆，已推进到松江附近，侧背感受威胁。于是奉命向西转进，旋又奉命急驶南京，参加首都防卫战。

　　淞沪战役自八月十三日，我八十八师五二三团易瑾营，在八字桥放出第一枪，其后增援部队陆续到达战场，国军精锐尽出，总兵力达八十五个师，战线向北延伸，直抵扬子江岸。八十八师闸北阵地成为全战线轴心，始终屹立不动，未使敌人越雷池一步，血战三阅月，复奉命以八百壮士奋守四行最后阵地，壮烈事迹震惊全世界；转移沪西阵地后，又激战兼旬阻敌前进，掩护我各部友军转进；西进途中，又在青阳港扼守铁公路桥三日，迟滞敌军追蹑。可谓有始有终，尽了捍卫国家的任务，柏亭身与其役，实感无限荣幸！唯事隔四十五载，已记忆不全，仓促书此，聊以志念！

　　　　　　　　　　（节选自台湾《传记文学》第四十一卷第二期）

孤军奋斗四日记

杨瑞符[※]

十月二十六日　晴　星期二

敌寇无法得逞

两月半以来，敌寇虽然以三十万陆军，半数以上海军，三分之一空军，向我猛烈进攻，敌寇虽然在上海易主将二次，卜总攻四次，调拨兵五次，向我长期进攻，可是从八一三起，首先开入闸北扼守天通庵阵地的本营，七十五天来，在层峰的领导之下，始终坚守，未稍退却，竟使敌寇无法得逞。

大场被敌冲破

十月二十六日，是大场被冲破的一天。晚十时，团部传令兵××跑到我营部报告："团长有事请营长到团部去一趟。"我马上带传令兵一名，跑到北站大楼团部。团长就把地图和师部命令一面给我和第二营长看，一面告诉我们："大场已失守，我们部队今晚有转移新阵地的消息，各营可马上命令各连准备妥当，在原阵地待命，工作器具弹药等，一概不准遗失。"

我奉命后，即于十时三十分回到营部，用笔记命令，传达各连，遵照团长命令办理。这时我独自一人在房中只听得敌人炮火比往天格外猛烈。自己一想到要撤退的消息，好像失了一种宝贵东西一样，形容不出地苦痛着。我于是打电话给团长说："报告团长，我们自从八一三抗战以

※　作者当时系第九集团军第八十八师第二六二旅第五二四团第一营营长。

来，到现在已两个多月了，敌人虽然曾以大量炮火作四次总攻，结果敌人不但未得一逞，反而给敌人以很大的打击，今天我军虽有伤亡，可是还有许多巩固工事和实力，难道就这样白白地把我们的大场丢掉吗?"团长说："因为大场影响，为了战略上的关系，不得不转移阵地。"这时我也无话可讲，只好说："好吧!"

奉命孤守闸北

十一点钟后，团长来电话叫我马上到团部去，可是外面的大炮声机枪声更加紧张。我当即率传令兵二人往团部去，不料一出门从正面飞来炮弹二枚，幸而我敏捷卧倒只受着尘土的袭击，弥天烟火把我完全笼罩着，我窒息了……但是我鼓着勇气，冒着弹片冲到团部。我见到团长敬礼毕，两目注视团长很久，可是团长一言不发，观其神色，似有欲言而难言的苦衷。我等了二十多分钟，团长还是一言不发。正当我莫名其妙焦急万分的时候，忽然师部请团长接电话，同时谢团附也从师部跑回来了，样子很紧张，我心中更加奇怪了。谢团附走到我的面前，给我一张小纸条，这原来是师长要我营死守闸北的命令。谢团附说："你赶快下命令集合部队，我先到四行仓库去。"我想，我忝为军人，誓以完成任务不辱使命为天职，撤退，不成功，便成仁，此其时也。这时整个大部队已开始撤退，而团长表示非常难过，我便很激昂地报告团长说："请团长放心，我誓以最后一滴血，为中华民族争人格……"话未完，团长很迅速地走拢来握着我的手说："好! 你在这地和敌人作最后一拼吧!"这时紧张的空气，弥漫着整个房子，我当即与团长挥泪握别。

十月二十七日　阴　星期三

集合困难万分

这正是二十七日晨零时二十分钟的时候，大部队已纷纷撤退了。我这时首先感觉到着急的是集合的困难，第一各连散布在火线上，时间太急迫；第二恐怕有些部队莫名其妙地随着本团各营走了；第三我只有两个传令兵不够分头传；第四我的官兵完全是第三次由保安团补充来的；第五敌人炮火如此猛烈，情况太紧迫。在这里我祝愿先总理默佑我，使我在这万难的、紧张的情势中，能够将全营队伍很顺利的集合起来，完成我为闸北流最后一滴血的神圣使命! 想至此，我马上派一传令兵去传机关枪连和营部到蒙古路集合。并令传令兵于命令传到后，再带传令兵数名到北站来找我。另派一传令兵到一、二、三连通知在北站集合（全用笔记命令），我一人到北站等候，约二十分钟后，派往机枪连和营部去的传令兵已回到北站，并带来传令兵两名，随着第一连的一、二排亦到。当命掩蔽休息待命，免遭无谓牺牲。可是又等了二十分钟后，二、三连仍未到，而北站附近敌人炮火更加猛烈。遂急令第一连之一、二排，先到蒙古路与机枪连集合待命。又等了一会儿，而二、三连和第一连的第三排仍未到，遂又派传令兵二名分头去找。约十分钟后，我一面焦灼，一面又关心机关枪连和第一连之一、二排发生意外，我于是留传令兵一人，在北站等候二、三连和第一连之第三排来到时，即率其到蒙古路旱桥附近集合。可是当我到蒙古路后，只见到第一连之一、二排却未见到机枪连了。这时我心中焦乱如麻，传令兵又没有一个，真不知如何是好！只得以忍耐、镇静的态度处之。随即由第一连派传令兵追机关枪连去。我当时告诉传令兵说："你如果追上了机关枪连，就说营长有命令速往四行仓库集合，我们第一营是沿着苏州河右翼撤退的。"同时我又恐怕谢团附在四行仓库等的着急，因命第一连之一、二排先往四行仓库找谢团附集合，留我一人在蒙古路等候。约一刻钟，第二连到了，可是在广东街之第三连和第一连之第三排还未到，我心中是非常地担心他们已随着大部队撤走了。

终于不见第三连来，便派一班警戒部队在此地等候第三连一同到四行仓库来。我带着第二连到四行仓库去时，见谢团附在指挥第一连征集炊事器具及食料、木柴。我很镇静地问谢团附："机关枪连和第三连来了吗？"谢团附答没有到。这真叫我难受极了！随即加派传令兵二人赶快追寻。同时命第二连派一部分参加征发水缸、炊爨器具，并担任四行仓库外围之警戒。

完全到达四行

大约是上午九点的时候，机枪连、第三连和第一连之第三排才先后到达四行仓库。我责问他们为何这时候才来！回答："因为事先不知本营有新任务，又很久找不到营长的位置，所以随本团二、三营的队伍撤走。幸而在路上遇着团部的人，才知道本营留守四行仓库。又幸而碰着传令兵，所以才很顺利地回到四行仓库来。"此时我营除大行李外，其余一律到齐了，我真是感到分外的愉快和兴奋！

迅速布置阵地

我和谢团附商定：先派一位资深军官而最得力的勇敢排长尹求成率兵两班，到旱桥警戒，我随即集合各连去侦察地形。谢团附继续征发一切应用物品。地形侦察完毕后，我命第一连占领右翼西藏路阵地，第三连占领左翼阵地（交通银行那边）命第二连在中央，担任四行仓库外围之守备。机关枪连除以两挺布置在四行仓库楼顶上担任防空外，其余分配一、三两连的重要位置，完成全营火网之编成。

征发工事材料

四行仓库的门太大了，假使没有大量麻包堵塞起来，那长期守备还是很困难的。因命各连长将大厦铁门打开，当见内面堆着满屋的大豆、小麦和羊皮等，我见了很兴奋地说："不怕敌人了，赶快利用这些材料构筑工事吧！"

运用非常战术

现在是二十七日的拂晓了，因为工事还未完成，深恐敌人逼近，站脚不住，我便一面命通信兵将大厦的电灯全部破坏，以便我军隐蔽，同时为了阻止敌人前进我军赶筑工事起见，又派兵将四行仓库周围的房屋焚烧起来。一切布置完毕了，天也亮了，垃圾桥上的民众像潮水一样的向闸北涌，可是看到闸北的大火时，他们又莫名其妙地停止前进了。

开始与敌血战

七时半，旱桥之警戒部队报告敌兵已在北站以东地带向我用威力搜索前进，有进犯北站大楼之模样。我当命该排长倾全力抵抗，无命令不得撤退！午前八时一刻，我警戒部队报告敌人已确实占领北站大楼，并插上太阳旗子了。而敌人飞机又到处侦察轰炸，我便命那两班人开始向敌人射击抵抗。约两小时后，撤回本阵地。此时四行仓库西北两面的火势逼近了我们的门口，诚恐燃烧了自己房屋，又急命设法将其熄灭。

午后一时许，敌人已逼近四行仓库了。最初在西面的交通银行那边发现一部分气势汹汹手持太阳旗的敌人，当然被我外围的阵地守兵予以迎头痛击，立即枪毙四五人，余均逃匿。

利用失效工事

在苏州河北路，有我国防工事（原来对付租界敌人设的），可是工事的枪眼是向着我方开的，无法利用。然而想到敌人是一定会来利用的，便埋伏手榴弹多枚，还加上一颗迫击炮弹在这国防工事内。果如我所料，没有好久，四五个鬼子钻进去了，我守备兵将手榴弹绳索一拉，轰然几声，给敌人以很大牺牲。午后二时半，敌人又整队冲来了，人数约四五十名，我警戒部队与之血战后，便放弃外围阵地，安然撤回四行仓库，此役我约有伤亡。

我当命第三连赶筑工事，以免敌人冲入，不料敌增加部队向我门口猛冲。我于是一面派兵抵抗，一面赶筑工事，敌人猛攻虽无片刻间断，所幸我抵抗之弟兄，更番苦战，勇猛可嘉，我们趴在地上，一面擦擦脸上、眼上的灰，一面又向敌人还击。这时我亲自督率第三连与敌人血战。午后三时，该连长石美豪面部被弹穿，血淋满面，他仍然用手巾敷着，不离阵地，不久该连长腿部又被机枪弹洞穿了，不得已我当令其离开阵地休息，但敌攻势仍猛，忽然想起了楼上可以投手榴弹，即命尹排长率士兵十名至楼顶，向下投弹。此时敌兵蝟集西南墙根下有七八十名之多，当即投迫击炮弹两枚，手榴弹数枚，敌被炸死七名，伤二三十名，其余完全逃跑了，我军始将危困解除。

敌终不敢轻进

隔河民众见敌人退走，莫不欢欣鼓舞，我便命除派出必要警戒外，其余完全构筑工事。本部自昨夜至今天下午傍晚止，尚未吃过饭，因准各连自行设法给养。敌人自此次败退后，知我有备，也不敢轻进了，只得向我取包围形势。

晚九时，四行仓库周围火光蔽天，烟火弥漫，我遂严令各连官兵须彻夜赶筑工事，加紧戒备，不准任何人睡觉。

十月二十八日　阴　星期四

不成功，便成仁

晨一时许，敌寇枪声渐稀，这是我深夜静思的时候了。我想：这次假如我成了功，我不愧为一个国家的革命军人，不愧为先总理的信徒，不愧为蒋校长的学生。这次假如我成了仁，那么关于我家的善后，早经最高领袖替我准备妥了。我父亲兄弟一辈子是不会受苦难的。而我个人呢？我相信我成了仁以后，只要中华民族的历史不断绝，我一定会在历史上留下一个光荣的名字；同时恐怕还有无数的中华后裔替我立祠焚香了。这真是我"不成功，便成仁"的唯一时机。残暴的敌寇啊！你来吧！我要利用你来完成我杨瑞符的人生观了。不顾一切地拼吧！死算什么？人活百岁，总是一死。

晨七时许，敌寇大量飞机，一队一队的盘旋在四行仓库的上空，威胁侦察，企图投弹，但我大厦楼顶之高射机关枪阵地，业已构筑完成，敌机不敢低飞，无法肆虐。同时经过昨夜通宵的构筑工事，我仓库门及各主要阵地，已有相当的巩固。四行仓库和大陆银行之间的墙壁，也经我们凿穿了一个洞，可以互相交通。这时假使敌寇再向我进攻时，我可以很有把握的靠着这些巩固的工事，发扬我之威力了。

宣布本营使命

上午八时许，我召集全营的官长和班长讲话，大意是："本营这次奉命死守闸北的任务，因为前天、昨天没有时间还未向大家宣布，现在我不说大家也明了我们的任务了。大家务必领导全体弟兄，抱必死的决心，与闸北共存亡，才不辜负长官的重托。"各官长和各班长听了，都很兴奋激昂，誓与倭寇周旋到底。

火海中的孤军

上午十时许，我亲自到各连慰问受伤的弟兄。以后我和谢团附到大厦楼顶去视察敌情，只见闸北大火浓烟，高冲云霄，遮蔽天日，整个闸北被烟火笼罩了。这时四行仓库所处的地位，好像是在一个火海中孤立着。

不愧一等射手

敌寇的机炮，又不断地向四行仓库射击了，我和谢团附看见苏州河北路上有几个敌寇在那里走来走去。这时谢团附从楼顶上瞭望哨的手中拿了一支枪，向这几个敌寇射击，轰然一声，一寇兵应声倒地。我高兴地说："谢团附的射击技能果然不错，真不愧为一等射手。"这时我兴奋极了，不觉得敌寇的炮火厉害，不觉得我们在敌寇的包围中，更不觉得什么是死。

运气渐入佳境

谢团附对我说："你两天两夜没有睡觉了，可是你今天的脸色，怎么比前两天好多了呢？"我说："是的，因为现在是我们最走鸿运的时候了。成功成仁，在此一举，这是千载难逢的时机啊！"我看见北苏州河路上有敌寇遗弃的步枪四五支，我当时对楼顶上之步哨下一特别守则："一、要仔细观察敌情；二、不准敌寇将那几支步枪拿去，这两点在交班时务必交代下去。"我同谢团附下楼后，谢团附回营部，我一人到各连去监督工作。我看到士兵都穿着短衣，好像由土里爬出来一样，虽然满身流汗，可是他们的勇气和精神，仍然很好。虽然大家是两天两夜没有睡觉，没有好好吃一顿。我看到这种刻苦耐劳的精神时，更觉得长期抵抗是有把握的。

二次与敌血战

午后三时天气阴暗，细雨蒙蒙，四行周围火焰渐熄。我看见敌寇在四行仓库的西北面，很隐蔽地运动着四五门平射炮，向我们放列，我当令机关枪向敌射击阻止，而敌寇在交通银行屋顶之机枪也马上向我还击，至此我们又和敌寇开始第二次血战了。敌火之猛烈，较二十七日堵门攻打尤甚。仓库各楼中，枪弹横飞，烟焰蔽目，我命令各连一律停止工作，参加战斗，我与谢团附分头指挥。谢团附担任大厦东面的指挥，我在西面第三连阵地指挥作战，与敌相持。下午五时许，敌寇弹药消耗甚多，我略有伤亡。时天色已晚，敌见不逞，狼狈而去。我又命各连除留必要的警戒外，一律仍然加紧工作。

处置饮水问题

经过这次混战后，奇怪的是四行仓库的自来水管不出水了，这是很严重的问题。我迅即回到营部派人仔细检查各连所出之水，勉可维持现状。乃急命各连自行派兵看守饮水，不准洗脸洗脚。所有污水小便，亦须妥为保存，以备消防之用。

介绍谢团附

晚八时，我分批召集各连士兵讲话，因为谢团附到差不久，所有士兵还不认识他，所以我首先对各连士兵介绍说："这位就是本团团附谢晋元。"并由我发口令向谢团附敬礼，由谢团附训话毕，我又继续讲话："本营此次留守闸北，限于时间，未得预先明白告诉大家，现在各位已经完全明白了，望各位爱国的男儿都抱定必死的决心，与谢团附和本营长死在一块儿吧！大家可以很简单的写遗书一封，通知家中。写好后，收集起来，等待将来设法送到邮局去，以表示大家牺牲的决心。"随又规定今晚仍然不准睡觉，务必在今夜完成一、二、三楼的工事。对于警戒，更要小心，当即解散，分头工作。

内外消息灵通

四行仓库的孤军抗战新闻，已轰动了整个大上海。晚九时许，有人在外面通消息说："仓库某处有电话机，希望你们利用以便同外面通消息。"我即命通信兵侦察，果然发现了，随即接通，从此可与外面通消息了。

备承慰劳鼓励

随后外面送来的食品和报纸，络绎不绝。各方信札和新闻记者，也陆续来了。我见了这种热烈情景，读了这些报纸、信札以后，我更加感慨流涕，自觉无以报国家。我看完以后，便传与各连，各官兵看了也更加感动了。

记者要求签字

晚十一时许，有一个新闻记者要见我和谢团附，这时我因事繁，当派机枪连雷连长代见。一会儿，雷连长来报告："记者说团附、营长既不能见面，要求给他写几个字。"我于是在百忙中，拿起他的笔记本写下"剩一兵一卒誓为中华民族争人格"。

八百人数来源

我们的伤兵，因为医药困难，所以在电话通了之后，就请外面向美驻军交涉，请代设法在本晚将伤兵运出去，果然有传令兵来报告，负伤士兵可以出去了。我当嘱咐出外就医的士兵说：你们出去，有人问四行仓库究竟有多少人，你们就说有八百人，绝不可说只有一营人，以免敌人知道我们的人数少而更加凶横，后来哄传全世界的八百孤军的数目，就是这样来的。我团五二四的团长本来是韩宪元，而今天一般人误称为谢团长，也就是在这八百的数目字而推测出来的。

当外面的人来运我受伤的士兵时，我事先因故未到的第一连上官连长，营部汤医官和机枪连杨排长，此次也冒极大的危险，抱牺牲的决心，而赶到四行仓库了。我极钦佩该员等人格之高尚和伟大的精神，当令各回原部服务。

童军献送国旗

夜十二点钟了，献送国旗之女童军杨惠敏小姐来，当派员很敬重的将国旗接过来，可是没有旗杆，又派传令班长和营部见习官，设法找旗杆索子，准备天亮升旗。

军民一致合作

雷连长报告说："外面送来的慰劳品，都运进来了，请示营长如何分配？"我当到房中看见堆着许多水果、面包、香烟。为了避免各连领发食品影响工作起见，我当派机枪连一班，将所有物品平均分配以后，分送出去。本来我们的士兵有几天没有吃好的东西了，他们得到这样多的物品，自然是说不出来的高兴和兴奋。"军事的力量要和民众的力量配合起来，才能得到胜利"的真理，我现在更加深切地体会到了。

十月二十九日　星期五

绝对不准睡觉

晨三时许，我在黑夜中到各连视察工作情形，有的士兵还是精神奋发，彻夜在阵地上工作；有的士兵，确已疲倦不堪，睡在地上，如死人一般。我当时很严厉的警告睡觉的士兵说："大家有三夜没有睡觉，弄得精神疲倦，那是事实，但是我们不拼命地将工事完成，敌寇就会马上要我们的命，试问大家要睡觉还是要命？以后我假若看见不服从命令而睡觉的人，我绝对地严加惩罚。"因此这一夜的官兵，都未曾睡觉。

举行升旗典礼

晨六时许，我派见习官率传令兵、号兵数人，将昨晚杨惠敏小姐所献送的国旗，在敬礼的号音中，高升在四行仓库的顶上。

我青天白日满地红的国旗，飘舞在闸北的上空，顿使四行周围的许多太阳旗，黯然无色！我说："庄严灿烂的国旗啊！闸北有了你，闸北的领土、主权，还是属于中华民国的。我誓在你的鼓舞之下，使你这光荣的国徽，永远的飘扬在废墟的闸北上空。"

中华民族万岁

是日，隔河的中外人士，被我庄严灿烂的中国旗所感动，有脱帽挥泪致敬的，有高呼中华民族万岁的，此情此景，更加使我们感到使命的重大。因此我屋顶上的士兵，也向隔河的群众高呼"中华民族万岁！万岁！万万岁！"以慰国人。

敌寇恼羞成怒

晨七时许，敌寇见我大厦楼顶高悬青天白日满地红的国旗，越加恼羞成怒，便在交通银行的窗口不断地向我猛烈射击，我士兵沉着应战，毫不畏惧。敌寇飞机也特别加多，终日在空中盘旋，企图轰炸。我屋顶之防空部队，严加防范，稍见低飞，即用高射机关枪瞄准射击。因此敌机被我先后击退者达四五次，终未肆虐。

午十二时许，敌坦克车四五辆，沿苏州河北路国庆路及四行仓库以北地带，各主要交通路口，往来逡巡，向我威胁，并企图掩护其步兵施行围攻。各连一面赶筑工事，一面用机枪扫射，阻止其运动。因此敌寇之平射炮机关枪也一致向我还击了。

决定向我总攻

这时在四行周围之敌寇数百人，严密包围四行仓库，观其凶狠之势，意欲借其火力掩护，准备向我进攻。外面民众，见此情形，也替我们担忧，屡以电话通知我们说："大队敌人，准备今日午后二时，向四行仓库总攻，希望你们多加注意。"同时英驻军也来劝告我们说："敌人将开始向你们总攻了，希望你们赶快离开此地，保存实力。"当时我军杀敌心切，不为所动，婉词谢绝。

下午二时，敌寇总攻击开始了，可是这种密集的枪炮声和枪炮弹，在我们是司空见惯，毫不觉得有什么异样。凭着我们的天然堡垒和我们日夜所赶筑的工事，据坚抵抗，相机应付，对峙约一小时之久，敌之攻击毫无进展，且屡受重创，大有束手无策之叹。

海军进攻不逞

下午三时半，敌寇见我抗战精神不可轻侮，自觉进攻乏术，乃派武装小艇两艘，满载海军陆战队，由黄浦江驶入苏州河老闸桥，企图封锁我军与租界之交通线。这时租界内之民众，很关心地送了一张地图给我们，并指示老闸桥之位置，足见民众爱护我军之热忱。但我军全体官兵，始终以沉着镇静之态度，严阵以待。结果敌之海军在英驻军当局的交涉之下，自知理屈，怏怏而退。

我军笑破肚皮

此时我军见敌寇攻击不逞，大家更兴高采烈，竟有顽皮士兵，用长竹竿挑着钢盔，伸出××窗外做我军探窥状，敌寇不察，竟以机枪集中射击，我军见之，拍手大笑，捧腹不止。

发明照明战术

下午六时许，天色已暗，敌之枪炮声虽渐稀疏，旋而却又紧张起来了。这时敌寇企图利用黑夜，接近我阵地，准备在西北面，用掘土机挖地道，轰炸四行仓库墙壁，并准备以坦克车猛冲四行仓库门口。可是这种种毒计，幸被我瞭望哨察觉。我得到此项报告后，急与谢团附磋商应付办法。当即决定利用照明，严密防范，待敌寇接近，即用手榴弹投掷。并决定实施照明方法如下：

一、敌人距离较近时，用信号弹射击，如发现敌人，就用轻、重机关枪射击。

二、敌人接近四行时，以一人用大号手电灯缚于竹竿上，伸出窗外，向下探照。另一人在其他黑暗之窗口窥探，如发现敌兵接近，即用手榴弹抛炸。

三、用棉花打成粗捻子，浸以煤油，燃烧后投于地上。

于是敌寇想破坏我坚强堡垒之毒计终于被我们粉碎了。今夜敌寇枪炮声，时紧时缓，彻夜未息。而我军全体官兵，又是整夜未得睡眠。

十月三十日　阴　星期六

努力完成工事

晨七时许，敌寇围攻已逾三昼夜，不但未得到丝毫成功，反而屡遭挫折，所以敌寇在今晨更变本加厉地联合步炮空军向我进一步围攻。其炮火之猛烈，为三昼夜来所未有，外面一线之交通线——西藏路也完全断绝交通。然而我们已在三昼夜中，完成最巩固之工事。四行仓库之一、

二、三层楼，均沿墙砌有三公尺厚的麻包，一直堆到屋顶。下面各主要门口，也砌有三公尺的麻包，因此敌寇的平射炮、机关枪完全失效。所以我仍然依照原定计划，除留一部分重火器严加抵抗外，其余大部分仍然继续构筑第五楼的工事，因为第五楼可以俯射敌寇所占的交通银行。

为什么我们不构筑第四楼的工事呢？一因材料有限不够分配，一因敌寇所占的交通银行较高于我之第四楼，在战术上实长瞰射之弊，一可引诱敌寇消耗弹药。所以第四楼不但没有做工事，同时也没有一个人在里面。

敌为我凿枪眼

第五楼的西面，是整个坚厚的墙壁，没有一个窗户。为了要发扬我的火力，必须凿枪眼，可是这墙壁全是钢骨水泥，我们也没有那样适当的工具可使用，所以要开设一个枪眼，是万分的困难。不料敌寇这时，在国庆路利用平射炮，对准我们这面墙乱轰，终于替我们轰穿了几个洞眼，这真使我"感谢"极了。我们架设机关枪，向敌寇聚集之处扫射。交通银行屋顶之敌寇，又仓皇奔逃。这时我很兴奋地督促赶筑第五楼工事，并限令于本日完成。预计将五楼工事完成后，将剩余材料，完全盖在大厦屋顶。以防空袭。

我们昼夜没有休息，没有睡觉的弟兄，确是疲倦极了，所以在做工的时候，尽管敌寇的炮火那样凶猛，他们有些还是很甜蜜地睡着在地上，这真是一批把生死置之度外的勇士。

当我到处督率做工的时候，有的士兵坐在地上，见我来时也不动。我问他们为什么不赶快做工？他们用嬉笑的姿态向我说："营长啊！我们刚才休息，实在没有睡觉。"有的士兵见我来了，却互相警告说："营长来了，赶快做吧！"这是一时许，一个传令兵来报告："团附等营长去吃饭。"这时我才知道，自清晨到现在还没有用过饭。

五楼工事完成

晚八时许，五楼工事已告完成。敌寇攻击的猛烈，又甚于白昼了，并用探照灯照耀西藏路，以猛烈的机关枪封锁路口。十时许，敌火更猛。十一时许，敌以平射炮及重迫击炮向四行仓库猛轰。最激烈时，每秒钟发炮一响。轰轰之声，震破长夜的沉寂。这时垃圾桥上的英驻兵为避免流血牺牲计，也撤退了。可是敌寇这种异样的企图，究竟是为了什么呢？

奉命退出闸北

晚十二时许，奉本师副师长冯转来最高领袖命令："着于本晚十二时

130

经过英租界退出四行仓库。"这时我想本营尚有轻重机关枪弹药四万余发，有手榴弹、迫击炮弹四百余颗，且已完成最坚固之工事，如无命令撤退，决可为我闸北领土流最后一滴血，至若干周以后。今晚奉命撤退，只得忍痛与我闸北阵地暂别，当即同谢团附商撤退办法。

计划撤退部署

为减少牺牲，随即集合各连长面示各连官兵一律武装起来，所有武器弹药，工作器具，均须佩带齐全进入原阵地，以备敌寇向我总攻。但未说明撤退消息。待各连准备完备后，我当即决定撤退部署如下：

一、命第一连派兵一排，附重机枪一挺，由排长杨得余率领为收容部队，掩护我军经西藏路向英租界撤退；

二、伤兵先行暗自退出；

三、谢团附率领机关枪连及第一连之一部分按次撤退，并向英租界交涉撤退租界后之善后事宜；

四、二、三连在最后撤退；

五、我在二连之排尾、三连之先头随队退出。

完全退到租界

时已深夜十二时，我军开始遵命向英租界撤退，奈敌寇事先已明了我军撤退企图，除以探照灯和机关枪四挺严密封锁我必经之西藏路外，并以各种火力集中压迫，弹如雨下，我军仍以不屈不挠之精神，竭力施行火力制压，并利用敌火稍为间断时间，奋勇冲出，不幸当我随队冲到西藏路口时，被敌弹洞穿左腿。直至深夜二时许，我收容部队已安然退出，我受伤十余人及高悬屋顶之国旗，均安全携出，余心大慰。我此时承英驻军之厚情救护，送护医院疗伤，我营奉命死守闸北之任务，算告结束。

今后的人生观

是役也，既未成功，又未成仁，仅仅做到"绝对服从命令"六个字，备蒙国人赞许、爱护，至深感愧！瑞符身为军人，杀寇日长，当本"绝对服从命令"之精神，为争取抗战之最后胜利而奋斗！为争取中华民族之独立、自由而牺牲！完成我"不成功，便成仁"之人生观，以报党国，以谢国人。

最后一点补白

本篇所述，仅就瑞符个人所目击者、所感想者而记。一言一语，不敢虚肴，至于其他宝贵可记之事迹自然很多，但非本人目击者，只得留待关心此四日记之人士，另文补述之。

殊死报国的四行孤军

陈德松[※]

八一三淞沪会战时，我在陆军第八十八师第二六二旅第五二四团第一营当兵。八月十一日晚，第八十八师接到上级命令，从无锡北站乘火车至上海北郊的真如车站（离上海北站约三十里），立即跑步占领闸北宝山路一带。八月十三日，我师奉命向日军进攻，揭开八一三淞沪会战序幕。我们在闸北、江湾、虹口等地区与日军激战三个月，狠狠打击了敌人，其间，我曾因弹片擦伤大腿住院十天，愈后返队参战。

谢晋元舍身为国，愿肩负孤军危殆

十月二十六日，大场失陷，我江湾、闸北地区的守军陷于日军两翼进攻的境地。第三战区司令部即令我师撤至苏州河以南地区，留下一团兵力于闸北地区牵制敌军。师部召集团以上军官会议，问谁愿挑起这副重担。这时，第五二四团团附谢晋元说："我愿留下。"于是委任谢晋元为团长。以该团第一营为基干，组成加强营，仍用团番号。全团四百一十人左右，一个机枪连，三个步兵连，一个迫击炮排。当晚十二时左右，我团奉命转移到四行仓库防守，谢团长对我们说："国家兴亡，匹夫有责，我们是中国人，要有中国人的志气。现在我们三面被日军包围，这仓库就是我们的根据地，也可能是我们的坟墓，只要我们还有一个人，

※ 作者当时系第九集团军第八十八师第二六二旅第五二四团第一营士兵。

就要同敌人拼到底！"

众志成城，坚守四行仓库

四行仓库全长一百二十米，宽十五米，约有六层楼高，紧依苏州河新垃圾桥北堍而立，与公共租界仅一河之隔。谢团长率四位连长，一位排长查看了仓库，指挥将所有门窗用麻袋装土堵上，但留有射击孔。待全楼火力、兵员配备就绪，已是次日黎明。日军还不知道我们在四行仓库"恭候"他们。

早晨五时左右，成队日军由东向西蜂拥而来，当接近四行仓库时，团长一声令下，全楼所有火力一起射击，打倒约二百敌兵，顿挫其锋。日军后续部队立即组织几倍于我们的兵力向我们进攻，也被击退。十时左右，日军发动第二次猛攻，大楼东南角被敌火力封锁，西北方向被重兵包围，形势紧迫，但谢团长胸有成竹，当即下令停止射击，等日军攻到大墙脚，用集束手榴弹消灭他们。激战到十二时，再次粉碎日军的进攻。下午一时，日军在大楼西北角纵火，将附近房屋烧着，并发动第三次进攻。霎时浓烟滚滚，好像整幢大楼都在燃烧。全团士兵在谢团长指挥下，一面阻击敌人，一面打开仓库内灭火龙头熄火。下午五时许，大火终被扑灭，日军也停止了进攻。晚上八时左右，一位外籍记者通过租界守军，送一张纸条给谢团长，问四行仓库守军有多少人，团长答复有八百人，当天阵亡两人，伤四人。

二十八日上午八时，日军发动第四次进攻，为了节省子弹，我们等敌人接近楼时才掷手榴弹，如此打退了敌人四次进攻。中午谢团长巡视全楼，他拍着士兵的肩膀问："你们饿不饿？"士兵们说，我们就是打五天也不饿。谢团长说："你们真是中国的好男儿。"下午五时左右，敌人又发动了第五次进攻，同样遭到失败。但我们奋战两日，粒米未沾，上海救亡团体同万国商团谈判，通过租界守军帮忙，把食品装在布袋里，用绳子抛到大楼墙脚边，我们在大楼底层打个墙洞抢运食品，为此阵亡三人，但全团官兵深受鼓舞。

八百壮士震中外，中华民族不会亡

二十九日，日军公开宣称苏州河以北地区全部占领。然而就在当天，我们在苏州河北的四行仓库粉碎了日军的第六次进攻。晚上十时左右，有一位名叫杨惠敏的女童子军冒着生命危险过河，把一面国旗送给我们。

翌日黎明四时，团长命令我和段海青等三人，把国旗插在四行仓库六楼顶上。当日军发现这面国旗时，便疯狂地发动第七次进攻，并用机枪向国旗猛烈扫射。这时，谢团长从六楼带两个卫兵下到底层，向大家喊话："兄弟们！你们要和国旗共存亡，誓死不投降，狠狠消灭敌人！"在苏州河南岸大楼顶上，有成千上万的群众观战，他们挥动着帽子、手巾向我们呼喊、致意，还把日军集结地点、行动情况用黑板写字报告给我们。日军进攻持续到下午二时，遗尸数百，一无所获。战斗结束后，许多中外记者来四行仓库采访，报上登出四行孤军八百壮士坚持抗战的消息，轰动一时。我们虽困守四行仓库，但受到国内、国际的关注和尊敬，当时有人编了一首《八百壮士之歌》，隔河高歌，我们同声合唱，歌词是："中国不会亡，中国不会亡，你看那民族英雄谢团长；中国一定强，中国一定强，你看那八百壮士孤军奋守东战场；四面都是炮火，四面都是豺狼，宁愿死，不退让，宁愿死，不投降，我们的国旗在炮火中飘荡！飘荡！八百壮士一条心，十万强敌不敢挡，我们的行动有力，我们的志气豪壮。同胞们起来！同胞们起来！快快赶上那战场，拿八百壮士做榜样，中国不会亡！中国不会亡！中国不会亡！"

顾全人民安危，主动撤入租界

新垃圾桥南堍，耸立着巨大的煤气筒，距四行仓库不过数十公尺，工部局顾虑煤气筒挨炸，威胁租界里数万居民的生命，便要求战区司令部命令我们撤出四行仓库，退入租界。当时全团官兵一致表示愿与仓库共存亡，同敌人拼到底。后经上级再三电令，谢团长和工部局几次交涉，才决定撤退。三十日夜十二时左右，准备工作就绪，谢团长下令突围。日军在探照灯的照明下，用轻重机枪封锁通往租界的马路，谢团长指挥我们动用所有的轻重武器，把探照灯打灭，把敌人火力压下去，然后分批撤退，以最快的速度跑向租界地境，三十分钟后，谢团长随最后一批战士进入租界，列队后发现伤亡三十多人。工部局把我们送到跑马厅，第二天上午转移到胶州公园，这时全团计约三百五十人。

失去自由，坚持斗争

我们被工部局关在公园里，手无寸铁，失去自由，但全团官兵在谢团长率领下，仍过着严格的部队生活，早操、值勤、站岗，从不间断，还自力更生制肥皂、织毛巾、做木工活等。

一九三八年八月十三日，为了纪念淞沪会战一周年，谢团长率全团官兵在早操时举行了庄严的升旗仪式。一小时后，工部局全副武装把公园包围起来，命令降下国旗，理由是让日本人看见，工部局不好交代。我们坚决不答应，手挽手地筑起人墙，围在旗杆下。工部局集中大批军警人员，用高压自来水龙头加棍棒围攻我们，我们报之以石头和拳头。但因寡不敌众，被迫退出操场，国旗也被工部局没收。第二天工部局就派一个武装排来加强防范，谢团长针锋相对，加强岗哨。某日，工部局外籍士兵无缘无故地用枪打死我们的站岗士兵胡玉香，全团官兵莫不义愤填膺，一致要求严惩凶手，争取自由。谢团长向工部局提出严正抗议，工部局理屈词穷，不得不逮捕凶手，并准许我们把被害人遗体安葬在胶州公园内。某日晚十时，工部局对我们进行突然袭击，把全团排长以上干部抓去，当时漏捕吴杰排长，吴杰召集全团士兵开会，商议解救办法，决定集体绝食，并电吴杰代表全团士兵同工部局谈判。第三天上午，工部局送来面包、米饭，被我们打翻在地，工部局怕捅出大娄子，当天晚上就把全部官长送回。谢团长回团后挨个看望大家，表扬了我们。

谢团长遭害，处境更艰难

一九四一年四月某日早操时，谢团长遭四名早被敌人收买的士兵的袭击，伤势严重，不幸牺牲。全团官兵失声痛哭。工部局即把凶手捕去。谢团长牺牲后，上海各界举行隆重的吊唁仪式，遗体停放在临时搭起的礼棚里，前来吊唁的有工人、学生、职员，以及外籍人士等共几万人。七天后遗体安葬在其宿舍门前的小花园里，墓高二公尺左右，四周栽了常青树。此后由重机枪连连长雷雄代理团长。

我们在胶州园住了四年，也斗争了四年。太平洋战争爆发，上海全部沦陷，我们也落到日军手里，日军把我们从胶州公园送往吴淞口看管，后又把我们送往上海北郊的一个火车站看管。我们目睹日军在中国惨无人道的行为，在手无寸铁的情况下，用石头、木棒同日军打过两次架。日方顾虑国际舆论，不敢随意杀害我们，把我们送到南京老虎桥监狱监押起来。

在南京我们仍坚持斗争。某日日军叫我们挑大粪，一位湖北籍士兵气愤不过，用扁担把一个日军士兵手臂打断，日军当即集结几百人把我们包围起来，四周架上机枪，威胁要全部打死我们，雷团长毫不畏惧，提出抗议：我们不是战俘，为什么把我们当俘虏。日方无言以对，不了了之。从这以后就把我们分散看管，雷团长带百余人到裕溪口，刘益林排长带百余人到杭州，潘××带七十余人到孝陵卫（我在此队），老虎桥留下八十余人。

逃出虎穴，重见光明

我们到孝陵卫后，被押在日本军官教导队，那里警卫森严，一层铁丝网外加一层电网。一九四二年十一月的一天晚上，我们意外发现电网未通电，乘机逃出八人。在当地百姓和新四军的帮助下，经安徽、江西、广东、广西等省，安然到达重庆，沿途受到各地军民的热烈欢迎。

我们找到设在重庆的第八十八师留守处，实现了归队的愿望。我被委任为排长，集训三个月后，即随远征军奔赴缅甸战场，直至抗战胜利后解甲归田。

血战淞沪

宋希濂[※]

风驰电掣奔赴淞沪战场

一九三七年八月十三日晨二时，日军从闸北、横滨桥以东及青云桥一带出动。九时五十分，日本海军陆战队，从北四川路日本小学开出，用轻重机枪向我扫射。于是八一三战役开始。我第八十七师（师长王敬久），第八十八师（师长孙元良）最先投入战斗。

当时我任第三十六师师长，驻防西安。十三日晚接到最高指挥部命令："火速开赴上海参战！"同时命令沿途一切车辆（包括特别快车），通通为我师让路。

奉命后，我立即部署部队乘车顺序，准备好干粮、饮水等。然后风驰电掣地沿陇海铁路东开。（这里附带说明一下，当时驻在徐州、蚌埠及南京附近的军队颇多。为什么单独命令我师由陕开沪？因为我师和第八十七、八十八两个师是姐妹师，是由原国民政府警卫军改编而成的。）日夜兼程，经过两天两夜，十六日即赶到上海。我们这个师经过南京、镇江、常州、无锡、苏州等京沪路沿线各县。老百姓知道我们是去参加淞沪保卫战，打击日本侵略者的，每站都是人山人海，鼓掌欢送，高呼口号壮我军行。慰劳将士的饼干、糖果、罐头食品、香烟等物，纷纷争相掷进火车窗口。我师将士无一不为民众高涨的抗日热情所鼓舞，誓死保

※　作者当时系第九集团军第三十六师师长。

卫祖国的壮志更为坚定。

十七日，我师即投入战斗。我亲自率领陈瑞河旅为前驱，彭辑光旅的胡家骥团殿后。

我师进攻的位置在第八十七师与第八十八师之间的天宝路一带。陈瑞河旅首先向驻守该处的敌军猛烈进攻，逐街逐屋地争夺，伤亡颇重。旅长陈瑞河负重伤，我即命第二一二团团长李志鹏代理旅长职务，继续攻击。日军的防守掩体多半是钢筋水泥加上沙包建成。我军缺乏攻坚炮火，只能逐步接近，使用手榴弹爆炸敌人据点。日军陆续增加部队，造成两军对垒，进行阵地攻坚战。

中外驰名的汇山码头攻坚战

我师在淞沪打得最精彩、最激烈、功绩卓著的一仗，是进攻汇山码头之役。这次战役是淞沪整个会战中几次著名战役之一。它是和姚子青营长死守宝山，全营壮烈牺牲；谢晋元八百壮士死守四行仓库；罗卓英的第十八军往返争夺罗店等战役，同样驰名中外的。

我师第二一六团由西安开抵上海后，立即进入引翔乡阵地，奉命攻击敌重要据点汇山码头。其任务是：除了阻止日军在虹口增援部队的登陆以外，并准备一举驱赶敌军于黄浦江畔，然后集中力量歼灭之。

二十日，首先侦察地形地物，准备晚间开始攻击。第二一六团当时共有官兵二千余人。除团直属部队外，共辖三个步兵营。以第一营营长熊新民所率官兵为主力①，进攻兆丰路，第三营营长顾心衡所率官兵助攻公平路，两路齐头并进。吴涛的第二营为预备队，担任策应。

半夜十二时，攻击开始。第一营由兆丰路向汇山码头攻击前进，途中必须冲破唐山路和东熙华德路口的日军防御工事。敌军躲在四五层高的楼顶上，居高临下，对我军进行俯射，阻止我军前进。相持了一个多小时，胡家骥团长下令："不顾一切牺牲，冒着敌人的炮火前进。"于是我军官兵与敌人展开了激烈的巷战，进行逐屋争夺战。由于我军官兵视死如归，凭着英勇无畏的气概，一举冲过了唐山路，胡团长身先士卒，走在队伍的最前面，带领部队继续冲击。他的两名卫士，一个叫胡正林

---

① 据熊新民说："那时我先是第三十六师第一○六旅参谋主任，参加作战后，旅长负伤，第二一二团团长李志鹏升代旅长，我在火线上调升第二一二团上校团长。"

的光荣牺牲，一个叫喻盛东的身上中了两弹，他自己也五处负轻伤，但仍坚持不下火线，继续指挥战斗。因此又连续冲过了东熙华德、百老汇路，直逼汇山码头。残余的日军支持不住，争相逃窜到外滩外白渡桥，向桥南英军投降。我军乘胜追击。但抵达汇山码头的部队，无法摧毁坚固的铁栅门，进攻受阻。胡团长首先爬上铁门，士兵相继跟进。然而由于遭到侧面日军的猛烈炮击，我军官兵很多人壮烈殉国。我于是下令第二一六团在完成扫荡汇山码头的任务后，重新撤回引翔乡，形成与敌人对峙的局面。仅汇山码头一战，我师伤亡五百七十余人。敌军除一部分向英军投降外，死伤也不下四百余人。

我军装备远远不如敌军。我师官兵抵达上海后，没有经过休息，立即参战。凭着爱国精神，民族正气，三天内即取得这样辉煌的战果，这是中华民族的骄傲，也是被敌人诬蔑为"不堪一击"的中国军人的骄傲。

敌我淞沪增兵，形成决战态势

淞沪战役由于我国军队的顽强抵抗，上海工人、学生、市民的热烈支援，在战役初期，日军即遭到重大的挫败和陷于苦战。

八月二十三日，日本一个旅团登陆增援。八月到九月之间，在上海北面，陆续登陆的援军，先后共有十几个师团，总计约三十万人。日方委派松井石根大将为上海战场总司令。将陆续增援的部队，从吴淞、浏河等方面登陆后，迂回攻击我方的左侧背，企图在淞沪西北地区，一举击破我军，消灭我军主力。我方亦陆续增援精锐部队。如第一军、第十八军等均相继投入战斗。尤以在罗店的争夺战，极为壮烈，双方伤亡枕藉。上海战争开始时，派张治中担任第九集团军总司令。及到九月中旬，张治中调任军委会第六部部长，派朱绍良接任，改称为中路军总司令。派陈诚为左翼军总司令，指挥薛岳、罗卓英两个集团军。派张发奎为右翼军总司令。同时发表王敬久为第七十一军军长、孙元良为第七十二军军长、我为第七十八军军长。但指挥的部队仍只一个师。我军先后在淞沪之战中，投入了约七十多个师，几占开战初期军委会共辖有一百八十个师的一半。敌军投入约三十万兵力。这一阶段敌我双方展开了激烈的争夺战。

将士血热之躯，染红每寸土地

在这一阶段中，我第三十六师经常在与敌军相距很近的地方进行战斗。有时两方讲话都听得很清楚，日军的机关枪甚至可以打到我的司令部。我师及第八十七师在初期是进攻虹口、杨树浦一带。以后由于日军的不断增加，两师主力随即移到江湾一带作战。

九月某日，敌人的炮弹击中了我的指挥所。我和师参谋长，还有几个参谋，正在屋内研究作战方案，而炮弹落在隔墙的房里，造成房倒屋塌，看守电话总机的四名通信兵牺牲。

我率领的第三十六师是一个整编师，装备较好，上战场时九千余人。由于战斗激烈，伤亡很大，共补充了四次。每次补充约一千五百人至两千人，这些补充兵多为曾经有过训练的老兵。

敌人掌握了制空权，日夜轮番对我轰炸。即使白天有一两个人在路上行走，敌机都要进行低飞扫射。其战况之激烈、严酷，可见一斑。但我军士气旺盛，同仇敌忾，奋勇争先，没有一个人怕死贪生。也由于我师与敌人展开了短兵相接的阵地战，旅长陈瑞河负伤，营级以下的干部死伤甚多。将近三个月的作战，全师共计伤亡官兵一万二千多人。

其中补充来的人员，为了避开敌机白天的狂轰滥炸，都是晚上到达前线，立即投入战斗。有许多官兵连符号都没有来得及发就牺牲了。他们用血肉之躯，护卫着我国的每一寸土地，血洒疆场，成了为国殉难的烈士。战争结束后，连姓名都不知道，他们的家属连抚恤都得不到。他们是我中华民族的忠魂，是我抗敌勇士中的无名英雄。因为我们从事的是反侵略战争，才有了这么一大批英勇捐躯的官兵，才使得在武器优劣悬殊的战争中相持了两个多月。

第三十六师全体官兵与其他兄弟部队一样，虽然牺牲是惨重的，但使日本侵略者也同样付出了死伤约十万人的代价。

英国伦敦《泰晤士报》，当年十月二十八日发表社论，特别提出华军之英勇抵抗。并称日军尚未获得其摧毁中国军队的主要目的。即此次两军作战，华方伤亡固极惨重，但十周之英勇抵抗，已足造成中国堪称军事国家之荣誉，此乃前所未闻者。虽知若干华军器械，犹未充分，但一般所认为不能保持一日之阵地，彼等竟守至十周之久，此种奇迹，实属难能可贵。上海一隅之抵抗，对于整个中国均有极大影响。

这恐怕是比较客观的评价。

淞沪失败原因

敌强我弱的客观形势

日本是一个实行征兵制的国家，受过正式军事训练两年或三年（特种兵为三年）的壮丁甚多。所以，它虽然平时只有二十个师团及一些特种兵部队。但一旦动员，立即可以征集数百万人。而我国于一九三六年，才开始设立师管区，办理征兵事宜，临时征集的壮丁，根本没有受过训练，参加淞沪战场作战的部队，伤亡都很大。除由各省的保安团队抽调部分官兵，送上战场补充外，已无后备兵可以征补。在淞沪战场打了将近三个月，伤亡过重，部队残缺。每个师所存人数，多的不过三四千人，少的只有两三千人。

当局指导上犹豫不定

当时主管作战的军事委员会第一部（以后改称为军令部），及前线的高级指挥官，鉴于已被日军攻占了浏河、刘行、江湾、真如等地，后方已无可以抽调的增援部队。均建议迅速将上海战场的主力部队，有计划地逐步撤退到常熟、苏州、嘉兴之线（简称吴福线），及江阴、无锡、嘉善之线（简称锡澄线）进行整补。这两线是一九三五、一九三六两年，以四个师和几个工兵团的兵力，构筑的两条国防线。实行和日军持久作战的方针。这一方针无疑是正确的，并已获得蒋委员长的批准。十月底，这一方案正在开始实施之际，蒋介石突然于十一月一日晚十时左右，乘专车来到南翔附近的一个小学校里，随来的有白崇禧、顾祝同等人。随即召集师长以上的将领会议，以约半小时的时间，听取了几个高级指挥官的战况报告。接着蒋介石讲话，主要内容分为前后两部分，而尤侧重于后者。前一部分他概括了八一三以来，敌我双方作战的经过、概况和国际间的一般反映，并对前线官兵的英勇斗争，进行了表扬和鼓励。后一部分则是他此行的目的，他说："九国公约会议，将于十一月三日，在比利时首都开会。这次会议，对国家命运关系甚大。我要求你们做更大的努力，在上海战场再支持一个时期，至少十天到两个星期，以便在国际上获得有力的同情和支援……"同时他又说："上海是政府的一个很重要的经济基地，如果过早地放弃，也会使政府的财政和物质受到很大的影响。"蒋说这些话，语气很坚定。说完他就走了。

敌增重兵

十一月五日晨，敌以军舰多艘，炮击平湖县属金山卫一带，掩护其第六、第十八两个师团在漕经镇、全公亭及金丝娘桥登陆，在黄埭会合，趋张堰镇。六日抵松隐镇，七日占米市渡，八日敌军窜至石湖荡、张庄市，进陷松江。侵占松江之敌，以一部沿沪杭铁路向上海前进，以主力疾趋青浦、南翔，企图将在沪西北区的我军，加以包围歼灭。

毫无撤退计划，部队极度混乱

自八一三淞沪战争爆发，我就率第三十六师投入战斗，在江湾、天宝路一带，与敌军周旋了两个多月，没有一天停止过战斗。十月二十八日，奉命撤到苏州河南岸据守。我的指挥所设在沪西的罗别根路，敌军曾数次施行强渡，均被我击退。至十一月六日，敌又集中优势炮火轰击我阵地，掩护其工兵进行架桥作业，随着敌兵强渡成功，我军仍在河畔逐点据守，阻其扩大，但战况已益趋严重。因当时所有退守苏州河南岸的部队，均伤亡甚大，又无兵力增援。我原归中央集团军总司令朱绍良指挥，退到苏州河南岸后，改归右翼集团军总司令张发奎指挥。他的司令部设在青浦附近。九日下午六时，张发奎和我通电话，说："委员长命令我军务必在沪西再支持几天。"但到八时，张又突来电话，命本师于当晚立即向昆山方向撤退。九日这一夜的退却，简直是紊乱极了。因为自沪西经青浦、南翔至昆山一带地区，全是河汊纵横，没有一处可以徒涉，只有一条公路可走。所有部队全沿着这条公路西去。大家争先恐后，拥挤不堪。各级指挥官对自己的部队，完全失去了掌握。自青浦至南翔的苏州河大桥，被敌机炸毁了。所有车辆无路可走，拥塞于途。加以深夜过青浦时，西南方向机关枪声很密，说明日军已迫近青浦。大家为避免使自己的部队陷入敌军包围圈，更是拼命向前赶，形成极度的纷乱。敌军编组了几个小规模的挺进部队，从青浦以西地带，挺进到苏州河北岸的南翔至昆山间公路上。胡宗南的第十七军团司令部，在南翔西南角的苏州河畔，遭受敌军的偷渡袭击，司令部人员及警卫连被打死者甚多，胡宗南只身逃出。薛岳（那时任第十九集团军总司令）乘小汽车，自南翔前往昆山，被敌军机枪扫射，司机和他的一个卫士被击毙，薛岳从车上跳到一条河沟里，幸免于难。

这次撤退十分混乱。这样大的兵团，既不能进行有组织的逐次抵抗，以迟滞敌军的行动，又无鲜明的退却目标。造成各部队各自为政，拼命地向西奔窜。战场统帅部，对许多部队都不明白其位置，遂使敌军如入无人之境。弄到这种地步，最主要的是蒋介石妄图依赖国际联盟和九国公约签字国，对日本施加压力，与日本进行和谈，以谋求结束战争。

第三十六师淞沪撤退经过

我于十一日在南翔附近，将部队收容掌握后，晚越过沪宁铁路以北地区，绕道前往昆山。到达昆山时，陈诚的总指挥部（陈诚那时担任前敌总指挥）已经撤走。那里只有一些找不到自己单位的小部队和溃散的士兵。我得不到任何指示，便率部退往苏州。大约是十七日黄昏到达苏州。这个古城已是死一般的沉寂，街上店门紧闭，阒无一人。我走到电话局，和在无锡的顾祝同（顾那时任第三战区副司令长官，负东战场指挥之责）接通了电话，他叫我迅即开到无锡去。当晚继续西行，于十九日正午到达无锡，即往见顾祝同。他告诉我，军委会命令第三十六师立即开南京。运输部队的车辆已通知铁路局准备，让我速往接洽。

淞沪战役自八月十三日开始，到十一月九日夜全线撤退，历时将近三个月。双方都投入了相当大的兵力，战斗是激烈残酷的。参加这一重要战役的国军官兵，懂得这是为保卫祖国的生存而战，是一场反侵略的伟大战斗。虽然我军装备远不如敌，但都奋不顾身，视死如归。每一寸土地的争夺，敌军都要付出重大的代价。我军也牺牲惨重，实在是可歌可泣的。尤以第三十六、八十七、八十八这三个师自战斗开始的那一天起，一直到全线撤退的最后一天止，始终坚持战斗。其他的师最多打半个月，便被轮换下去整补。因此，这三个师在闸北、虹口、杨树浦、江湾、大场一带作战的英勇尤为突出。应该成为中华民族史册上的光荣一页。

杨树浦与江湾抗战

熊新民※

进攻敌海军码头

一九三六年西安事变和平解决后，第三十六师接管西安，担任警备任务。次年八一三淞沪会战爆发，我师星夜赶到上海，投入战斗。

那时我先是第三十六师第一〇六旅参谋主任，参加作战后，旅长负伤，第二一二团团长李志鹏升代旅长，我在火线上调升第二一二团上校团长。奉命由公平路及其两翼的东有恒路等地攻击杨树浦敌海军码头。我指挥沿公平路进攻，亲眼看到本团官兵英勇前进，在公平路上先后攻下敌既设的两道防线，先头部队约一个排已越过与黄浦江平行的杨树浦路，向敌海军码头攻击。正在督促乘胜进攻时，忽然敌人由杨树浦路东开来六辆坦克，拦腰占领了杨树浦路，把我越过杨树浦路向敌海军码头突击的一个排与后续部队隔绝。我见事态紧迫，当即指挥在公平路上的部队，不顾牺牲，一浪高一浪地猛烈攻击，并将预备队调近前线，准备必要时增援，企图突破阻隔，与先头部队取得联系。同时把配属我指挥的一个战防炮排调上来，由公平路向敌之坦克射击，不料战防炮排刚加入作战，即被打坏了一门，后面的炮不敢推进。我命令战防炮排应不顾牺牲，继续发炮，但炮排借口公平路无隐蔽的阵地和进出的途径，请求

※ 作者当时系第九集团军第三十六师第一〇六旅参谋主任，后任第二一二团团长。

侦察好阵地后再行轰击。

我正面进攻的部队与敌血战时，忽奉上级命令，要本团迅速撤退到江湾布防死守。我把撤退命令下达之后，在公平路上主攻的队伍不肯后撤，定要把被阻隔在敌海军码头的先头排援救出来，然后一同撤退。我考虑到形势绝不允许有这样的可能，当即晓以整个战局为重，军人在火线上必须服从命令，于是忍痛撤退。这样，我先头进攻敌海军码头的一个排遭到敌人包围攻击，敌并用汽油喷射火攻，全部牺牲。战斗至此，进攻告一段落，全团转移到江湾部署阵地，从而进入防御阶段。

坚守江湾和人民支援

江湾是上海近郊的一个大镇。我团奉命东自与第八十八师接界的爱国女校起，沿江湾复旦大学及其以东地区与我第一〇八旅接界止，在这一线占领阵地，坚决死守，要求做到人在阵地在，与阵地共存亡。

这时复旦大学是整个阵地中最突出的部分，距日军最近，地形复杂，最易受敌人攻击。我团死守江湾直到十一月中旬，最后撤离上海为止，苦战三月，这是整个战役中打得最久、牺牲最大的一块阵地。

我团刚到江湾，敌即乘胜一次又一次地猛烈攻击，均被我击退，未能前进一步。官兵们作战之勇敢，牺牲之壮烈，真可谓功勋贯日月，忠勇慰先烈。在此期间，我团始终与敌保持接触，没有片刻间歇，尽管伤亡惨重，但官兵始终斗志昂扬，越战越勇。尤其当得到上海群众特别是青年学生们奋力支持，使我们每一官兵都感动得热血沸腾，信心倍增，紧握手中枪，誓死与阵地共存亡。

当时我团面临的一大困难，就是没有时间挖战壕，筑掩体，也缺乏构筑工事所需的麻袋、木材、钢板、铁丝网等材料。上海群众得知这一情况后，立即筹集了大批材料，利用夜间运到江湾我军后方，交付使用。以后前方需要什么，只要一个电话，不论刮风下雨，都立即源源不断送来。他们还主动赠送慰劳品，诸如罐头、饼干、面包、大饼、炒米、咸肉、火腿，以及毛巾、牙刷、牙膏、肥皂等等，应有尽有。那时我们与日军对峙，白天不能生火烧饭，这些食品送来，对解决官兵的吃饭问题起了很大的作用。有些学生要求送到前方去，我们拒绝说，前方危险不能去。他们却说，我们不怕危险。有时前方打得激烈，他们还要求到前线去参加作战，说他们受过军训，打过枪，不怕死。我们说不服他们，于是就说这要经上级批准，没有上级的命令，谁也不敢答应。他们说那我们向上级请求去，这才离开。

各人民团体送来的药品，有绷带、救急包、万金油等等。伤兵无论多少，一到夜间，就由派来的担架输送到租界医院去。到了九月底，上海群众怕官兵夜里着凉，给每个官兵赶制一件丝绵背心，送来前方。他们听说我军伤亡大，干部补充困难，又立即将全上海所有的钢丝马甲收集一起，送到前方。我团营长以上干部都分得一件。因感到守备复旦大学图书馆的那个连的阵地最容易遭到敌人的攻击，就转送给守备这块阵地的连长穿。以后哪个连接守这块阵地，马甲也移交给防守这阵地的连长，借以鼓励士气。此外，敌人如有调动、增援，或黄浦江中的敌舰有调动、增加时，上海群众立即报告我们注意戒备。这样军民一体，一条心地对付敌人，仗就好打得多了。很多官兵说，老百姓这样热情的支援，就是战死也高兴。

可歌可泣的忠勇事迹

敌人屡次向复旦大学图书馆我阵地进攻，都被我击退，未能得逞。有一次，恰逢我战防炮损坏，撤到后方修理，敌炮发射了一阵之后，又开来三辆坦克，随伴着一群步兵，向我阵地进攻。恰好我沿着散兵壕巡视到了图书馆阵地，看见日军的坦克和步兵列成品字形向我阵地扑来，我一见情势紧迫，不知不觉地口里唠叨着"糟了，糟了"，声音刚落，就有趴在我旁边的一个高大个子的士兵，立即在散兵壕内站起来，对着他近旁的两个士兵说："赶快给我把这些手榴弹捆在腰里。"只见那个士兵用绑腿把他们的手榴弹一齐捆上，他爬出战壕，越过铁丝网等障碍物，径向敌坦克滚过去，刚滚到敌坦克边，骤闻"轰"的一阵巨响，一时浓烟四起，但见敌人的一辆坦克斜瘫着不动了，横在路边，后面的坦克掉头逃跑，我守军向逃敌放了一阵枪，敌人逃得无影无踪时才停止。我问轰炸坦克的人是谁？士兵们说："这是我们的副班长。"

我将这事详细情况报告给旅长，后来还在战报中作过详细的报道。这一抗日救国的壮烈事迹，大大激发了全体官兵的斗志，可惜我忘了这位副班长的姓名，成为我中华民族奋勇抗敌的无名英雄。

还有一回，也是我巡视到图书馆的散兵壕内，正碰上敌人的猛烈攻击，我靠在散兵壕的胸墙上注视着前方，回头忽见旁边一个人的肚子上冒出一股血淋淋的红血泡，原来他腹部中弹，肠子流出，我一细看，大吃一惊，要他赶快下火线。他却对身旁一个战友说："赶快用急救包把我包扎好。"我命令他赶快下去。他说："不要紧。"一会儿就倒毙在散兵壕内了。这时敌已被我们打退，我流着眼泪忙问："这是谁？"都答："这是我们的排长。"后来据了解，这位排长姓彭，是湖南湘乡人，随新兵由湖南的保安团队调来补充到我团的，真是一位忠贞卫国，视死如归的英雄烈士。

在江湾防守战役中，最使我感动终生难忘的莫过于以上所说的这两件壮烈史实。另外还有在进攻杨树浦，冲进敌海军码头被包围而全部牺牲的那一排烈士。日本投降后，我随部队复员回到上海时，那时我已升任第八十八师副师长代理师长职务将近一载，担任上海警备任务，驻守上海郊区。蒙上海各界人士在"伤兵之友社"举行了一个欢迎招待慰问会，招待我第八十八师团长以上军官。会后，有几位新闻记者邀我同去当年作过战的战场凭吊一番，我欣然从命。到江湾一看，已找不到原来的图书馆了，其附近房屋道路也已面目全非。但回忆起当年我官兵在此浴血抗战时那种悲壮情景，不禁黯然泪下，带着怀念先烈的无限悲切的心情返回司令部。

尽量补充新兵，不准撤下

我第二一二团在上海攻击敌海军码头，死守江湾，共达三个月之久。为什么能打这样的持久战呢？据说原因之一是根据法国顾问的建议，在上海的正面作战的第三十六、八十七、八十八师已具备与敌作战的良好经验，伤亡虽大，但可以尽量保留老兵，同时源源不断地补充新兵，增添新生力量，不应将整个部队撤下整补，这对作战有利。因而在淞沪抗日战争中打得最久的就是这三个师。

第二一二团在约三个月的战斗中，除原有官兵两千多人外，先后补充了新兵约二千名。这些新兵，几乎都是整班整排甚至整连编好补充上来的。在分拨到团之后，先在江湾的后方隐蔽驻下，然后率领排长上火线参观、学习，熟悉敌情、地形和实战情况，然后再率领班长甚至部分较优秀的战斗兵照样观摩学习。到要接防时，还先让他们到准备接防的地段演练一番，再视情况，整班、整排或整连地接防，正式参加战斗，并留下一部分老官兵协助防守作战。这样做的结果，新兵与老兵，新部队与老部队，在作战上几乎没有多大差别，成为一种传帮带的最好方式，上级也很奖励这种办法，并加以推广。

记得有一次补充来一批新兵，据说是由湖南保安团队挑选拨补的。这个部队一到本团之后，我照例让他们的干部、班长分批分期到火线上观摩了几天，并要他们在后方休息几天再上火线，但所有官兵都要求立即上火线去作战。并说："我们就是来打日本的，不是来休息的，我们都是老兵，训练很久，会打仗，请团长放心。不论你把我们摆在哪里，我们保证守住，只要有一个人在，阵地就存在，誓与阵地共存亡，我们不怕死。"有的还哭着说："如团长不要我们，请求拨给旁的部队去。"我深受感动，于是就一班班、一排排分批分期摆上火线去，结果都很沉着、勇敢，只要一发现敌人来攻，他们都奋不顾身地搏斗。平常的隐蔽动作也很好，从不暴露目标，从没出过乱子，从不叫苦。这都充分体现了我中华民族坚韧不拔，赖以屹立于世界民族之林的崇高的爱国主义精神。

艰苦支撑和奉命撤退

战斗到后来，兵力消耗日增，官兵精神上也感到支持不了，我曾向上级报告了这种实况，上级再三转达蒋介石的命令，说九国公约正在开会，有调处的可能，前方如不能艰苦支撑，在谈判上对我不利，务必要我们咬紧牙关，再艰苦支撑一段时间。这样，我们又相互鼓励，振奋精神，竭力苦撑。好在这几天敌情也似乎缓和一点，我们还以为日方也在等候着九国公约国的调处。

不料几天后，敌情骤变，大量敌军在我右翼的大后方金山卫登陆，企图与长江方面的敌军靠拢，向我展开大包围。形势对我军非常不利，我团奉命紧急撤退，并担任掩护撤退的任务。这时正面之敌故意与我前线作战的部队保持紧密接触，企图拖住我军不让脱身。我们且战且退，才得以陆续撤离江湾战场。敌军已察觉到我军在撤退中，准备了多辆坦克和装甲车等，死死咬住我们不放，在我团撤离江湾不远的公路上，忽然发觉有一条小河浜，过河靠公路旁有一座较坚固的小洋房，而公路的两翼则是一大片密密的树林，车辆除从公路通过以外，绝无他途。因此，我迅速命令把两门战防炮在洋房里进入阵地，射向直接瞄在公路上，准备在我部通过小河上的公路桥后，立即将桥梁炸毁。这时敌人几辆坦克尾追而来，我命令战防炮向敌坦克开炮，命中先头的一辆，其余都龟缩在后面不敢向前开，敌之步兵被河阻隔，无可奈何，这样我团才得以与敌脱离接触。

撤退到北新泾时，忽又奉命令要本团占领阵地，并严令死守，非有命令不得撤离。我当即凭借北新泾的一条可以通行民船的河流，将河流上的公路桥炸毁，沿河左岸布置防务，赶筑工事，并把兵力重点配备在南头一段上。不到半天，敌人架设好前面被炸毁的桥梁，向北新泾我阵地进攻，经强力抵抗，敌未得逞。忽然发现在对河的河岸边摆上一捆捆如同卷筒纸一样的东西，这一捆捆的卷筒滚到水面上，即向我方河岸铺成一条浮桥，妄图强行通过。在这紧急时刻，当即命令将所有火力集中在这块阵地上，轰击延伸过来的浮桥。激战约三个小时，已是到北新泾后的第二天。

在撤退途中，人车拥挤路不畅道，滞迟了一天，才绕道经田野走向南翔，然后经昆山、苏州撤到南京。这时我们团已不足千人。后来参加保卫南京的战斗。

虬江、宝山、月浦、广福血战记

方　靖[※]

战前敌我双方的情况

八一三淞沪会战前，第七十九军第九十八师原驻武汉，八月十一日奉命轮运南京担任卫戍。于十二日乘轮东下，十三日午后抵南京下关时，得知日军已在上海方面发动侵略战争，企图占领上海，形势紧张。我师于十四日下午奉命车运上海，十五日拂晓前到达南翔车站下车。天明后，敌机四十余架对南翔车站大肆轰炸，幸而我军已提前向四郊疏散，未受大的损失。

第九十八师编制是两个旅（每旅两个团）及直属部队炮、工、辎重各营。师长夏楚中，副师长王甲本，参谋长罗广文。第二九二旅旅长吕国铨，副旅长陈集辉，第五八三团团长路景荣，第五八四团团长胡一。第二九四旅旅长方靖，副旅长龚传文，第五八七团团长侯思明，第五八八团团长向敏思。师的装备是以国产装备为主，每团三个步兵营，每营有重机枪一个连；每团有八二迫击炮一个连；每步兵连有捷克轻机枪六挺；师炮兵营有江南造七点五厘米山炮六门。

※　作者当时系第九集团军第九十八师第二九四旅旅长。

第九十八师在淞沪会战的经过

虬江码头战斗

八月十五日晚，第九十八师第二九四旅奉命由南翔车站进至新市区马玉山路，接替第八十七师沈发藻旅在马玉山路虬江码头向公大纱厂之攻击准备位置。第二九二旅亦须进至马玉山路以西地区集结，暂归第八十七师师长王敬久指挥。我当天夜间到虬江码头，经交通壕进到趸船上，见有市政府的武装警察一个连担任守备，同时看到三四百米远处的黄浦江内有日本兵舰两艘，没有灯光。我当时看到阵地防御工事太薄弱，担心易被登陆之敌攻破，必须增构钢筋水泥工事。

八月十六日，敌机数架从早到晚对我不断轮番轰炸扫射，因制空权在敌手，致使我军部队日间行动大受限制，只能在黄昏后开始活动。八月十六日至二十日，每晚协同第八十七师向马玉山路公大纱厂一带敌人阵地进攻，因无重火器，皆未能奏效。我空军在日间偶尔出动两三架飞机，如遇到敌高射炮射击即行飞避，不起丝毫作用，从二十日以后，不再见到我飞机。

宝山、月浦战斗

八月二十日，日增援部队盐泽师团一部由宝山狮子林登陆，侵入罗店，向我第十一师进攻。当晚，第九十八师奉令调到宝山月浦方面，归第十五集团军总司令罗卓英指挥。当时师的部署以第二九二旅第五八三团守备宝山及狮子林炮台之线，阻敌登陆；第二九四旅在月浦以东地区占领阵地，构成村落防御，拒止敌人。因此时我后续部队尚未到达，必须固守阵地待援。

八月二十五日，日军在狮子林炮台及宝山之间大举登陆，首先攻占狮子林炮台。至八月底，我第五八三团第一营（营长姚子青）固守宝山县城，被敌攻破，全营官兵壮烈牺牲。此时日军约有两个联队向我第二九四旅月浦阵地展开攻势，利用海军炮击我阵地，每分钟发射炮弹百余，并用系留气球升空观测，命中效力相当准确。但敌步兵前进缓慢，每进一小段必构筑机枪掩体工事。敌以步炮空联合作战，而我则以步枪、机枪、迫击炮应战。有时派出逆袭部队与敌激战，利用村落构成据点工事，逐村防守，约坚持一星期之久，所有村落阵地多被敌机敌炮击毁，我官兵伤亡很大，但士气很旺盛。后改变以村落房屋为据点的办法，在村落阵地前缘百米的空地构成阵地坚固工事，拒止敌人，因此伤亡日渐减少。

某日正在激战中，接到保安总队吉章简电话，传来消息说，国共两党现已真诚合作，共同抗日，共产党承认孙中山先生的三民主义为中国今日之必需，愿为促其实现而努力。当时全战场官兵感到无比欢欣，士气更加旺盛，认为这是中国人民团结抗日无比坚强的力量，胜利一定属于我国人民。

九月初旬，已形成阵地战，每天都有相当大的伤亡。因在战争初期缺乏经验，所构筑的工事太薄弱，不能抵抗十五厘米榴弹炮，因此有许多人员武器被敌炮击埋葬在掩蔽工事内。全师官兵伤亡达四千九百六十人，内阵亡团长一人，伤团长一人，阵亡连营排长约二百余人。经过三四次补充，所补的官兵都是由后方部队中抽调而来，随时补入连队，发给武器，立即开上火线，加入战斗。有的刚上去就负伤，送入医院，他还不知自己所在部队番号。每天每营、连要增补几个营、连长，因为当时防御工事不坚固，官兵不能擅自后退，只有拼死与阵地共存亡。

九月十日晚，第九十八师将阵地移交给胡宗南部第一师接替，后撤至嘉定县城及其外围，一面整补，一面构筑预备阵地。

据我所知，在九月十日前后，我军已有十几个师先后到达上海战场，陆续加入南翔南北之线阵地。先后投入战场的计有第八十七师、八十八师、九十八师、十一师、十四师、六十七师、三十六师、一师、九师、六十师、九十师、五十九师、三十二师、十三师、六师以及两广部队、川滇部队等等，还有些不知道番号的部队。此时蒋介石为了鼓舞士气，已明令发表胡宗南为第一军军长，李延年为第二军军长，王敬久为第二十五军军长，宋希濂为第七十八军军长，夏楚中为第七十九军军长。

广福战斗

第九十八师经过一个月的整补以及构筑预备工事，复于十月二十日晚进驻广福镇方面第一线阵地，接替第十三师防务，与敌激战。当晚广东部队第一六○师，协同第九十八师、第二九二旅由广福镇阵地正面向敌阵地猛攻，已陷入敌火网内，直至二十一日天明未能奏效，我进攻部队后撤整理。此役我第九十八师第二九二旅四个营自营长以下官兵皆壮烈牺牲。

二十一日晨，我第二九四旅接替第十三师广福镇阵地后，继续与敌战斗。此时阵地形势是由罗店西北向南沿徐行、罗店间，经刘行、广福、老陆宅至公共租界西侧之线。敌我双方皆构成坚固工事，形成阵地战，我方阵地工事掩体系用铁路的钢轨做横梁支柱，能抗十五厘米榴弹炮弹，异常坚固。同时奉指示说，国联正在开会，要我们官兵尽力固守阵地。这是幻想国联开会，强令日军撤出中国。

此时，第九十八师的阵地正面，不足一公里，敌我对峙，每天伤亡不多。我阵地左翼是第九师第十八军部队，右翼是广东部队第一六〇师，再右是第六师周岩部及第三十二师等部。

相持至十一月初，整个战场情况起了变化，因敌军增援部队由杭州湾金山卫登陆，向我右侧背大迂回。此时作战中心已移到松江、青浦县朱家角方面。因此全军即于十一月十二日晚间放弃上海战场全部阵地，全线向常熟、昆山方面撤退。当时官兵思想，认为常熟、昆山有国防永久坚固工事，能作持久抗战，待机反攻，因此在撤退时并不气馁。

十一月十二日晚十时，我第九十八师由广福镇阵地撤至嘉定城预备阵地，担任掩护右翼友军安全撤退。十三日晚间，经嘉定向太仓、常熟撤退时，有十几个师的部队拥挤在一条公路上，争先恐后，遇到敌人的飞机在上空投照明弹，不断轰炸扫射，致使秩序大乱。尤其在太仓县分路口，原定第十五集团军第九十八师与第二十一集团军广西部队皆向右往常熟，其他各部队皆向左往昆山。此时混乱不堪，有的应向昆山的，却向常熟，有的应往常熟的，却向昆山走。

国防工事近似虚设

十一月十五日拂晓，第九十八师刚抵常熟，即命第二九四旅迅速占领城东既设阵地，第二九二旅任城防守备，迅速进入阵地工事。当时发现既没有现地工事位置图，找不到工事位置，亦找不到钥匙。据当地老百姓说，工事位置图和钥匙是由保长保管的，而保长早就逃跑了。

我官兵随即按方向寻找工事位置。所谓国防工事，钢筋水泥机枪掩体在公路大道两旁南北三四百米之线，仅有十几处像坟堆的土包一样，当时掘开上层，有的是机枪掩体，没有钥匙打不开，只有立即钻开。有的扒开了是棺材，不是水泥工事。再向三四百米以外去找寻，就找不到水泥的掩体工事了。我们只有急急忙忙地占领阵地，构筑临时工事。阵地前面隔着一道十余公尺的小河，对岸的树木房子很多，从前没有扫清射界。我们正在占领阵地时，而敌人也到小河沟对面占领阵地，开始战斗。我所占领的掩体工事皆没有联络交通壕，每个掩体工事仅能容一班兵、一挺轻机枪，在日间不能联络，后方粮弹也送不上来，只有在夜间补给。我官兵满以为退守到国防工事线上定能持久抗战，现在看到公路南北两侧二三里处，仅有十几座水泥掩体工事，如再往远处就没有工事了。至于湖内湖边上，皆没有防御设备，使官兵大失所望。

当日下午，有敌机二十余架对常熟城轮番轰炸，同时有日军一个中队从我两个集团军的间隙，如入无人之境，窜入常熟城北能俯瞰全城之虞山（当时罗卓英第十五集团军同廖磊的第二十一集团军之间有八华里的空隙）。

十六日，在虞山上的敌人增到一个大队以上兵力，以机枪和轻榴弹炮火力控制常熟城。十七、十八、十九日，罗卓英亲自指挥第十八军第十一师（师长彭善）反攻虞山，曾一度将虞山夺回，毙敌甚众。经过反复争夺，并于十八日增加第四十四师协同进攻虞山之敌，敌人由浒浦镇方面登陆，向常熟城郊进攻。我第九十八师在常熟城沿北门、东门至大悲桥以南之线，与敌激战。直至十九日下午，奉命同第十八军第十一师、第二十一集团军（广西部队）及第四十四师，撤出常熟阵地，强行通过被敌炮火封锁的第二十四号桥。二十日下午，又同各友军先后退到无锡市。二十二日，第九十八师奉命随同第十八军向皖南广德方面撤退，第二十一集团军向浙西方面撤退，其他部队向常州方面撤退。

蕴藻浜、苏州河战斗

黄 杰※

　　八一三淞沪战争爆发，当时我的职务是陆军第八军军长兼税警总团总团长。第八军是在八月间以税警总团原有编制兵力编成的，奉命调沪参战，由海州经陇海、津浦、京沪铁路，专程迅速输送，在南翔下车。九月三十日，推进至小南翔地区，当晚集结完毕。步兵第六十一师配属第八军，从此参加抗日行列，负担起捍卫国家、保护人民的使命。

　　淞沪地区属第三战区作战地境，当时，战区司令长官由蒋介石委员长亲自兼任，副长官是顾祝同上将。依作战地域，区分为右翼、中央、左翼三个作战军，作战军之下辖各集团军。第八军初期隶属中央作战军第九集团军，十月九日一度改配属左翼作战军第十九集团军，十月十五日复回隶中央第九集团军。从十月一日起至十二月五日止，在全战役期间，参加蕴藻浜与苏州河阵地守备战斗，及敌人在杭州湾登陆后，担负掩护大军转进作战等任务，历时六十六天。作战地区系沼泽地带，河流纵横，工事构筑、阵地守备均极艰难，而敌人利用空军轰炸，舰炮支援，兵力运用灵活，火力发扬炽烈。我军装备虽处劣势，但士气高昂，奋勇作战，前仆后继。就第八军来讲，蕴藻浜唐桥站的争夺战和苏州河刘家宅的争夺战，最为残酷，最为激烈。

　　唐桥站之争夺战：十月二日拂晓，敌军第九师团在优势空军支援下，配合战车部队，由北南犯，攻击我第九集团军蕴藻浜陈家行至唐桥站间

―――――――――――――

　　※　作者当时系第八军军长兼税警总团总团长。

155

既设阵地，企图由大场以西南窜，切断京沪铁路，以孤立我由大场镇至江湾的守军。第八军之税警总团奉命接替第八十七师阵地，与敌主力相遇，经过两日激战，双方损失惨重。敌复以第三师团增援，猛攻我左翼友军，将陈家行至黑大黄宅宽约三公里之阵地突破数处，渡过蕴藻浜，向南继续猛攻，致我税警总团阵线特别突出，处于三面受敌，孤军苦战的险境。但官兵抱寸土必争之决心，艰苦支持，得确保唐桥站阵地。十月三日，敌强大部队继续向南压迫，固守严家宅、曹家宅之税警总团守军，牺牲重大。后相继失陷。我再以可堪调用之部队，配合炮兵，向敌实施逆袭。至十四时，遏止敌之攻击，并夺回严家宅及西曹宅。敌复集中炮火轰击，继以步兵反扑，数度肉搏，双方牺牲惨重，税警总团严家宅守军，全部殉国，再告失陷。十月四日，自拂晓开始，敌机穿梭向我第八军阵地猛烈轰炸。九时许，敌地面部队由东、北、西三面向我唐桥站之桥头堡形成包围攻击。激战至十九时许，数度肉搏，我守军伤亡惨重，上级以迟滞敌前进的目的既已达成，遂令第八军撤回至右岸主阵地固守，继续拒止敌人。

刘家宅之争夺战：十月三十日晨，敌集中炮兵，向我苏州河右岸丰田纱厂、北新泾镇、屈家桥等处猛烈轰击。十二时，敌主力借炮兵之弹幕射击及烟幕掩护，强行渡河。苏州河南岸之周家镇，因地形隐蔽，被敌利用南窜，当即与税警总团发生激战。另股强大敌军亦向税警总团苏州河南岸之刘家宅阵地猛烈攻击，我亲至前线指挥守军奋勇抵抗，数度肉搏。终以敌不断增援，形成敌众我寡，我军伤亡颇重，但敌伤亡则数倍于我。我军事最高当局认为已达成消耗敌军之目的，急令我将刘家宅军转移至后方阵地，加强守备，刘家宅遂被敌占领。是日，我冲过敌猛烈炮火形成的弹幕，亲赴刘家宅之第一线，激励守军，守军士气高昂，咸抱必死决心，逐屋必争，一墙不让，敌尸横枕藉，血流成渠，一日之间，伤亡两千以上，虽幸占刘宅一村，所付代价至大。此役本军已达成上级作战指导目的，深蒙各长官之嘉许。十一月二日一时三十分，我税警总团之第三团第二营，向刘家宅以西攻击前进，协助第三十六师作战，企图夺回刘家宅。六时十五分，敌再以强大空军支援地面作战，向税警总团第五团阵地猛烈攻击，该团奋勇抗拒，团长丘之纪上校于激战中饮弹阵亡，官兵亦伤亡过半，情况危急。我乃令第四团前往接替，同时亲率官兵，出敌意表，向刘家宅反攻，企图将进犯苏州河南岸之敌一举歼灭。九时三十分，我军冒死犯难，奋勇攻击，将刘家宅南区之房屋攻克一部，唯敌仍据守其他房屋进行顽抗，演成逐屋逐室之争夺战。当我陷于敌我双方难分之混战中，第七十八军军长宋希濂得悉情况，曾令该军之第二一六团支援作战。十一月三日，敌乘我伤亡惨重，不断增援猛攻，税警总团第二支队司令孙立人身负重伤。是日午后，税警总团遵令将刘家宅至蔡家宅防线交第三十六师接替。

孙立人将军智勇报国

郑殿起[※]

　　七七事变之前，孙立人将军是财政部税警总团（总团长黄杰）第二支队（相当于旅，支队司令官王公亮，辖第四、第五、第六团）第四团上校团长，驻在江苏东海县的新浦镇（即现在的连云港市）。七七事变后，黄杰升为第八军军长仍兼税警总团长，第八军的参谋长是周学海，我由总团司令部少校参谋调为第二支队司令部少校参谋。

　　八一三淞沪会战开始，税警总团于九月二十八日由海州调到上海参战，先后参加蕴藻浜和大场两个战斗。在战斗中，敌我双方伤亡均大。孙立人的第四团在这两个战斗中，阵亡营长一员，少校团附郑宗周（山东人，东北讲武堂第十期毕业）负重伤。由于孙立人指挥有方，沉着应战，在税警总团的六个团中，第四团的战绩最佳，受到上级的嘉奖，特别是受到宋子文和孔祥熙的嘉奖。

　　孙立人指挥作战的特点是，在任何情况下，他手中都掌握一部分预备队，增援战况最紧急的方面。在大场战斗中，他曾两次亲带预备队去增援被敌人突破的第一营阵地。由于团长亲到第一线指挥，很快将突入阵地的日军击退。在大场战斗后，税警总团的两个支队司令官何绍周（何应钦之子）和王公亮均因指挥无方而被免职，第二支队的第六团团长钟宝胜（桂永清的同乡，一九三六年初，黄杰由第二师师长调为税警总团团长时，由桂介绍给黄杰）也因作战不力而被撤职，独有孙立人升为第二支队少将司令官，仍兼第四团团长。

　　※　作者当时系税警总团司令部参谋，后调总团第二支队司令部参谋。

孙立人任第二支队司令官后，因第六团伤亡较大，将残余的官兵拨补第四、第五两团，将第六团番号暂时取消。十月十八日，我军退守苏州河南岸，孙立人的第二支队担任紧靠沪西租界的周家桥一带的防御任务。从十月二十日起到十一月三日止，敌我隔苏州河战斗将近两周，均很激烈，只在晚九时以后至翌日拂晓前，战斗较缓，我军才能生火造饭。因为我空军处于劣势，白天敌机不断在战场上空轰炸扫射，发现地面上有炊烟处即行轰炸，所以不论军民白天都不敢生火做饭。每天在拂晓前后和日暮之后，孙立人则带我和两名卫士到第一线视察，白天有时战斗激烈，则带我到战斗最吃紧的前线指挥督战。

十月二十七日晨，日军趁涨潮和晨雾之际，用事先连接好的小型橡皮舟做浮桥，偷渡到南岸四五十人。隐蔽在岸下，岸高约两三米，中有间隔不等的储煤洞，日军躲藏在洞内。孙立人得报后，亲到第一线指挥第四团的两名班长，在岸边竖起四块厚钢板当护墙，连续投了一百多枚手榴弹，将敌军的橡皮舟浮桥炸断，然后将十几捆用汽油浸透的棉花包点燃后，推到岸下滚到储煤洞里，将大部日兵烧死。残存者因浮桥已断，进退无路，被我军打死。用了两个多小时，便将偷渡到南岸的日军全部消灭。

从十一月三日拂晓起，战斗异常激烈，日军趁晨雾之际，先后将我左翼第一支队的阵地突破。第五团（在第四团之左）当面之敌，也正在利用橡皮舟连接的浮桥向南岸强渡。晨六时许，蒋介石在南京直接用电话指示黄杰，速将侵到南岸之敌歼灭。于是黄杰带中校参谋李则尧赶到第二支队司令部指挥所（距第一线约二百米）指挥督战，孙立人则带少校参谋龚至黄赶到第五团团部指挥所（距第一线约一百米）指挥。因中校参谋主任谢慕庄临时有病，我留在支队司令部指挥所，记录战报和与各方的联系。这天终日战斗激烈，第五团团长丘之纪（广东人，黄埔三期毕业，也是桂永清介绍给黄杰的）阵亡，第一营营长（云南人，姓名已忘记）负重伤。

下午六时，军部转来第十七军团胡宗南的命令，第二支队的防御阵地由第三十六师接替，限当日晚九时以前交接完毕。但周家桥西端有一小红楼（两层楼）在入夜时被二十余名日军侵入，第五团第一营虽几次攻至楼下，但日军在楼上顽抗，因此接防部队以上级命令中未说南岸已有敌兵为理由而拒不接防。当时孙立人仍在第五团指挥所，他说："好吧，等我们将侵入小红楼的日军消灭后，再把阵地交给你们。"于是他打电话给我，令我要求军部速送二十个地雷来，准备用地雷将小红楼炸毁。于是我给军参谋长周学海打电话，报告前方的情况，并要求速送二十个地雷到第五团。不久，军部派参谋处长米致一到第二支队司令部指挥所来协助消灭小红楼的日军。因军部没有地雷，得向上级请领，我和米致一数次向军部打电话催要，于四日凌晨三时许，军部才将地雷用汽车送到第五团指挥所，此时日军已开始拂晓进攻前的炮击。孙立人知道地雷已送到，很高兴，立即走出指挥所掩蔽部，弯腰低头用手电筒看地雷，一颗榴散弹在他的上空爆炸，将他的背部、臀部及两个上臂炸伤十几处，有八九块弹片进入体内，幸好因戴着钢盔，正低着头，所以头部未受大伤，即将他抬到掩蔽部内。当时他满身是血，军医抢救裹伤，但他仍坚持令第四团第二营营长张在平代理第四团团长，并负责用地雷将小红楼炸毁，消灭侵入的日军。然后孙立人则由军部派汽车送到上海租界辣斐德路宋子文临时所设的医院治疗。在孙立人由周家桥赴上海市内的途中，军长黄杰赶到看望，慰问了他。四日上午，第二支队的阵地全部交给第三十六师接替，支队司令部率第四、第五两团撤至徐家汇附近休整。

十一月六日，我和龚至黄到上海市内看望孙立人，问明他住在二楼的单人病房内。我俩到二楼后，先向护士说明是来看孙立人司令官的，我俩是他的参谋（当时我俩都穿便服，因为当时规定穿军服的不能进入上海租界）。护士说，宋部长有手令贴在孙司令官的病房门外，不准任何人探视。我俩又找护士长，说明孙司令官负伤时，我们在一起，现在特意来看望他的。于是护士长领我俩到孙立人病房的门外，果然看到有宋子文写的不准任何人探视的手令贴在门上。护士长告诉我俩在门外等一等，她则进到病房内报告孙立人。不久，护士开门招手请我俩进入病房，见他侧卧着身体，面向外，我俩向他敬礼后，他向我俩点头还礼。他面色苍白，上身及头部均裹着绷带，但精神还好，他先问部队驻在什么地方？然后说："你俩在上海休息几天再回去。"我说："今天报纸上登了，登陆日军已到松江方面，我俩今天即须回到防地。"他说："情况紧急，你俩就赶快回去吧。"还送了我俩每人五十元钱，我俩就辞别回到部队。

一九三八年七月初，我随黄杰将军在汉口编写第八军在归德战斗的战斗详报时，正赶上孙立人伤愈由上海经香港转到汉口。这时原税警总团因在上海抗战中人员伤亡过多，武器损失严重，而财政部孔祥熙不给补充（原税警总团的经费由财政部支付），乃由第三战区司令长官顾祝同建议，于当年初改编为第四十师，脱离了财政部。孙立人到汉口后，孔祥熙将原税警总团存在财政部仓库的可装备一个师的武器装备交给孙立人，重新成立税警总队，孙立人任少将总队长，辖三个步兵团和炮、工、通、辎各一营，在贵州都匀训练。一九四一年改编为新三十八师，孙立人任师长，归杜聿明指挥入缅作战。后又转到印度北部，扩编为新一军，孙立人任军长。一九四五年初，该军配合远征军，打通了滇缅路后回国。

军民成一体，炭篓胜骑兵

吴羽军※

七七事变爆发后，上海两个保安团及警察大队，守卫从宝山路口的北火车站，向北经市中心区到吴淞一线。我第一中队担任自北火车站起，紧靠公共租界的新民路向西经岸桥、开封路底，穿过满洲路、国庆路，折向南沿苏州河北岸过西藏路，向西经四行仓库直到恒丰路桥。全队官兵堆沙包，挖工事，设障碍，进行战争准备工作。

八月十一日夜，张治中率三个师来上海。十二日下午，第八十八师进入我所担任的宝山路前线的防区，由该师第二六二旅第五二四团第三营杨瑞符部接收我前线防务，任该团团附的是后来中外闻名的四行孤军谢晋元。我中队负责岸桥以西到恒丰路一线防务。这时上海市民见到一·二八淞沪战事以后，没有见过的我陆军部队，雀跃欢腾，争先恐后挤在租界边上，惊喜交集地问："你们什么时候来的？怎么来得这样快？"我们友军头戴德式钢盔，身着草绿色军装、短裤，脚穿草鞋，官兵都系腰皮带，士兵手持带刺刀的新式步枪，带两百发子弹，胸前八颗手榴弹，军官腰挎盒枪，一个个雄赳赳、气昂昂，眼神中向同胞们流露出杀敌的决心。同胞们报以敬佩的眼光，送来了一车车支援犒劳的物资，军民同仇敌忾结成一体。

八月十三日，第八十八师前哨在八字桥打响了淞沪战役的第一枪。十四日，全线向虹口、杨树浦日军进攻。我中队也推进到虬江路一线。八月十四日至十八日间，南京政府下达过三次停止进攻命令，使敌人从容地由日本国内调来了海军陆战队，重新调整了部署，战斗更趋激烈。在这期间，我们中队有一段智勇杀敌的经历，迄今记忆犹新。

八月十八日早上，日军一个骑兵分队（排）突然窜进我队虬江路防地，三次向我袭击，我两名战士被打死，排长谷同和及十三名战士负伤。敌骑兵运动灵活，来得迅速，去得快，加之巷战难度比野战大，一时弄得我们难于对付，只得将最强的第三分队调到虬江路前线。行军间，我发现虬江路上一家木炭行里有千余只空炭篓子，一时计上心来。天黑了，我和战士们一同把炭篓子搬到马路上，把它们互相拴住，派四挺轻机枪埋伏在炭篓西马路两旁的二楼上。接着命一班人打枪引敌骑兵出击，不到二十分钟，敌骑兵冲杀过来。我军佯败的这班人，转弯退进小巷。敌人从两边横马路向虬江路迂回过来，快马似飞，在黑暗中一转弯连人带马冲入"炭篓阵"，马蹄陷进炭篓无法摆脱，乱叫乱蹦，两三下就马翻人倒。三排长一声令下，埋伏的四挺机枪同时扫射，夜间望去就像四条火舌，居高临下，巷内的一班人也冲出包围。经过二十多分钟战斗，这个日骑兵分队除四名被俘外，无一生还，为我伤亡官兵报了仇。

二十三日，日陆军在川沙口登陆，我第十五集团军在江岸抗击。当时在各部队中传说，蒋介石在电话里申斥张治中将军，不该中央突出到杨树浦汇山码头，致使我军遭敌攻击，伤亡过大。九月中，统帅部决定由进攻转为防御。第九、第十五两集团军后撤至后方防线，第九集团军返至北站、江湾、庙行北至蕴藻浜一线。我们中队也从岸桥、四行仓库到恒丰路的闸北防地，调至沪西虹桥路靠法租界一端向西到万国公墓一线。

一九三七年农历十月初三日，日军在金山卫登陆，直插松江、青浦，杨虎电话通知我中队撤至松江佘山下公路旁村庄待命。到达后的晚上，第一〇九师向松江增援，日军已先占松江，经战斗后，第一〇九师不支，日军又占佘山。我队已受严重威胁，不能待命，决以第一、二分队为左右翼，三、四分队与中队部居中，乘夜突围，战斗激烈，伤亡惨重。当我们向青浦行进时，敌机九架投照明弹轰炸扫射，我队伍被打散，集合部队已不足一排。未到青浦，遇青浦方向倒回的部队，说青浦已被敌占，现只留有炮兵。我决心突过青浦，经半小时的战斗，冲到白鹤江，清点人数，只有十三人，不得已只好投奔南京。到南京时，日军已攻我汤山阵地。南京沦陷时，我们出水西门，每人拿一根木头渡江，被水流冲下二十余里，到达北岸。

痛揍日军侦察，重机枪显威力

杨　俊[※]

　　一·二八战役停战后，中日《淞沪停战协定》规定，上海市及其附近不得驻有中国军队。因此，国民政府命令淞沪警备司令杨虎，成立保安部队，调北平警察大队改为保安第一团，原宪兵第六团改为保安第二团，齐学启任上校团长，日夜训练，主要是街市巷战，准备保卫上海。以后成立总团。

　　七七事变爆发后，吉章简总团长召集尉官以上开会，规定：一、所有官佐眷属立即回原籍；二、官兵不得擅离驻地；三、加紧训练，多打实弹射击；四、官佐要写好遗嘱，准备牺牲。南京运来数万只麻袋以及沙子等物，官兵于夜间装运沙袋至马路各要道口两边店铺里藏匿，准备战事发生后做掩体工事。这时，我中队驻防中兴路锡金公所内，门卫系便衣。有一天上午十时左右，两个人来抄门牌，我出去询问，他们不开口，引起我怀疑，命卫兵将他们脱鞋检查（日人大脚趾一般叉开），他们才说是日本海军陆战队小队长和步兵曹长。我在他们身上搜出日记本，里面记载着我们这屋里有十多挺重机枪，两百多官兵，即命将他们关在后面停棺材的房间内。我士兵起床后（因夜间运沙袋，起床迟），你一拳，我一脚，饱打了他们一顿。我用电话报告大队长吴傅新和团长齐学启，他们都责备我不该捉打日本人。下午一时，新闸分局梁局长、闸北分局廖局长来处理，将两个日人押上汽车到北四川路离开陆战队百多公

　　※　作者当时系上海保安总团第二团第二大队重机枪中队长。

尺处，让他们下车了事。当晚，日人向上海市政府提出抗议。数日后，香山路又发生我团排哨将日军官捆在电灯柱上，打个半死。日方又提出抗议。因日陆军未开来上海，日海军陆战队不敢发动战斗。到八月九日，换着保安团军服的钟松旅，在虹桥飞机场打死来侦察的日人后，八一三战役爆发。

我重机枪中队有高射装置的马克沁重机枪，奉令在两路管理局十一层屋顶上担任对敌机射击。一次，我亲自打下一架敌机，坠落在肇丰山庄内，我去取回残机碎片向指挥部请奖，但警察局保卫部队说是他们打中的，结果上面谁也不给奖。

以后我队在北四川路、天通庵路、白下路、爱国女子中学、沪北中学等处，进行街市巷战。一次，在爱国女中打得最激烈，我亲自打重机枪，连发三根弹带计七百五十发。日军以数门小钢炮向我机枪阵地射击，但大部炮弹没有爆炸（弹头上载有昭和十三年造），他们以为我机枪被消灭了，实则我们早已变换了阵地。敌以密集队伍猛冲，我亲自瞄准，发挥了机枪最大威力，敌人死伤两百多。因战斗紧张激烈，我五十多天未脱过衣裤睡眠。

十月底，全军撤出闸北，我第二大队撤到中山路三号桥，破坏了日商丰田纱厂的机器。十一月初，我们最后撤离上海，拂晓通过虹桥飞机场后，因奉命炸公路桥的工兵排不顾后面大批军队尚未过桥，也不顾桥上有行军的部队，按照上面预给的命令，准八时点火炸桥，炸死了好多自己人，这个排长也被炸死。我队官兵是从浮在水面的桥板上，慢慢凫过河的。正在这时，敌机六架又扫射又轰炸，我队官兵死伤五十多人，我也被炸伤头部。我将负伤的三十多人安置在一牛车棚内，率残部沿京沪公路西退。到无锡，收容在胡宗南的第一军内，我做了第七十八师第四六四团上尉连长，到陕西汉中补充整训。

张华浜、八字桥战斗

严开运　刘庸诚　李慕超[※]

八一三淞沪会战之初，中央军官学校教导总队奉命拱卫首都南京。八月中旬末，淞沪战局吃紧，总队奉统帅部命令，调第二团驰援上海，归淞沪战区司令张治中指挥。第二团有三个步兵营和三个直属连——平射炮连、战防炮连、榴弹炮连。每营有三个步兵连、一个重机枪连和迫击炮排、通信排。该团开赴上海江湾地区后，于八月下旬参加了张华浜附近的争夺战。

同年十月，总队长桂永清参加英皇加冕典礼回国后，主动请缨，奉准以总队的第一、三团和炮兵营、工兵营、特务营、军士营、通信连，开赴沪西八字桥，接替第六十七师的防务，参加了这一地带的防御战斗。此外总队第二团的小炮连还配属于高射炮兵第二团，担任了奉贤柘林附近和常州火车站的防空任务。

以上各次战斗的具体情况，分别概述于次。

张华浜附近的争夺战

一九三七年八月十九日，教导总队第二团奉总队部转来统帅部命令，令该团立即开赴乌龙山要塞布防，阻止敌人溯江而上，以保障南京侧翼

※　作者严开运当时系中央军校教导总队第二团第十三连第一排排长；刘庸诚当时系教导总队第二团第三连第一排排长；李慕超当时系教导总队第二团第十三连第一排排长。

的安全。军情紧急，刻不容缓，该团立即束装整队出发。

当天下午两点多钟，该团到达了乌龙山要塞，正当团长胡启儒召集营、连长研究布防之际，忽然接到总队部传来的紧急命令，令该团在当日六点以前赶到龙潭火车站，搭乘由后勤部门备好的列车，开赴上海江湾，归淞沪战区司令张治中指挥。该团奉命后，未及就餐，立即出发。

第二天（二十日）清晨，列车到达奔牛镇车站。天已大白，为了躲避敌机空袭，保证行车安全，列车时开时停，直至下午四时，才到达昆山车站。昆山地近前线，不便继续行车，该团遂决定乘夜徒步行军，于二十一日拂晓前到达了江湾新建的市政府附近，按指定的位置，疏散掩蔽待命。

二十三日，天晴，敌海陆空军开始蠢动起来，先后在江湾地区张华浜一带，组织了多次的登陆，我防守该地区的部队奋勇抗击，我军伤亡极重，同时预备队已用尽，无力阻止敌人继续猛扑。不得已，第九集团军总部遂将教导总队第二团投入了战斗。

第二团受命后，即由裘新桥后方的集结位置展开前进，第一营为右翼，第二、三连为营的第一线连，第一连为预备队。第三连展开前进时，第二排排长周渭渔率领一班人走在先头。午后两点多钟，不意为停泊在黄浦江心的敌舰所发现，正当周等跑步前进时，一枚炮弹突然袭来，周排长被炸飞，尸骨无存；班长赵振玉下半身被炸掉，立即阵亡，列兵吴瑜、冯栋成各炸断了一条腿，未及运到战场，就为国捐躯了。连长当即命令各排立即疏开，迅速前进，很快地通过了敌人的炮火封锁线，开始进入到敌人的步兵火网内。这时各班也自行散开，相互掩护跃进，不一会儿，双方火力交锋，枪炮声震耳欲聋。

第二营营长秦士铨（黄埔四期）奋勇当先，率领该营先头连与第一营第三连齐头并进。他增援心切，高举驳壳枪，回头大呼"上呀！上呀！"接着又命令司号兵吹起前进号，以激励士气。这样，目标大大暴露，为敌舰观测手所发现，于是敌人发动海陆空三方面的火力向我袭来，一时弹如雨下，硝烟四起，我战士不顾个人安危，继续奋勇前进，并予敌以还击。在剧烈的战斗中，我军每时每刻都付出了巨大的牺牲，第一营重机枪连排长肖长杰（广东人）首先阵亡，第三连第一排的轻机枪手魏云山被敌射中前额，当即壮烈牺牲，各班步枪兵也伤亡十余名。

继续前进时，第三连第一排排长刘庸诚派出了战士王殿臣和辛友金在前面作战斗侦察，自己率领顾班长和几名步枪手在后面跟进。当刘等前进到几间破烂的农舍时，发现一位军官带领几个伤员躺在里面，据说他们的部队剩下没有多少人了，撤也撤不下去。刘无暇与他们交谈，径向林缘奔去。在当时的情况下，前进困难，后退也不容易。

战斗持续到下午六点钟，刘排长派出的两个侦察兵，仍未返回报告，刘排长决定接应他们，并借以了解当面敌情。不料正当刘翻越田埂时，突然右腿上下各中一弹，刘即翻回原处，发现血流如注。离刘较近的顾班长当即为刘包扎好伤口，并乘机建议说："排长，我班只有六个人了，八、九两班伤亡也大，不要再突击了，敌人对我们看得很清楚。也不要后撤，后撤更危险，就在田埂后面坚守吧!"顾班长曾参加一·二八抗战，富有战地经验，刘听了没有吭声，就蹲在田埂后面的泥地里。

战斗已持续到晚上九点了，枪炮声由稀疏转入沉寂。邓连长命令刘排长后撤，与第二排并齐，并就地构筑工事，彻夜坚守，待命进攻。这时大家都感到有点饥饿，不约而同地吃了几块饼干，喝了几口水，警惕地监视着敌方。

翌日拂晓，战斗又趋激烈。敌人侦察到了刘排变换的新阵地，便用枪榴弹猛烈地射击，刘排长和战士李梅林（即李清溪，山东济宁人）俱受重伤。刘被炸伤了背部，李被炸伤头部和左眼，其余战士中，也有数人被炸伤。

刘因多处受伤，神志昏迷，战士张黑娃迅即用急救包为刘捆扎，不料正当扶起翻动时，刘的左肩下面又中一弹。连长得知后，即派传令兵王迎山将刘扶着拖下阵地，到了后方隐蔽地，才将刘背送到战地裹伤所。以后转送到武汉医院，取出子弹，后因创口发炎，又进行了第二次手术。幸赖护士悉心护理，愈合较快，经征得院方同意，刘于十一月二十一日提前出院，返回南京孝陵卫营房，方知同学王抡之、黄卓、谢知远等和其他几位朝夕相处的战友，都已壮烈殉国，闻悉之下，不胜悲痛。

在这次张华浜的阻击战中，刘排官兵四十四人，伤亡共达二十八人之多，占总人数的百分之六十强；全团官兵伤亡约近半数，其他友军有的伤亡更大，日本军国主义者给予中国人民的灾难，是多么惨啊!

奉贤柘林附近及常州火车站的防空

奉贤柘林附近的防空

八月二十八日，教导总队第二团第十三连（小炮连）第一排（排长严开运）在九华山防地奉总队部命令，其主要内容为：一、该排九华山的防空任务，着即交高射炮兵第二团第二连接替。二、防务交接后，乘八月二十九日八时三十分由下关开往嘉兴的火车，再由嘉兴乘汽车赴奉贤柘林。三、到柘林后归高射炮兵第二团第二营营长封成林指挥。高炮营现在奉贤南桥。第一排当即遵照命令行动。火车从下关开出以后，沿途除苏州站外，均未停靠，但在通过月台时，速度都非常慢。沿途不少的车站如镇江、丹阳、常州、无锡、苏州都有慰劳队。队员都是男女青年，左臂上佩戴慰劳队袖章。当火车快进站时，许多队员挥舞着白旗，旗上写有鼓励抗战的标语，迎着火车高唱抗战救亡歌曲。当火车通过月台时，另一些队员把事先准备好的小布袋，热情地抛进车厢，袋里装的慰劳品有毛巾、布鞋、袜子、饼干、万金油、八卦丹等等。他们一个个挥着旗，唱着歌，用充满热情的眼睛，注视着车厢里的战士，战士们也一个个带着感奋的心情，望着他们。彼此素不相识，彼此从未相谈，但就在这一瞬间，都成了心血相通、呼吸与共的亲人！

第一排到嘉兴后，住宿一晚，于三十日晨改用汽车输送经平湖、乍浦、金山卫，于当日下午到达柘林。柘林距南桥约十五公里，严开运排长奉命到南桥见封营长（封是黄埔六期，毕业后曾赴英国皇家学院留学）。封交代的任务是掩护驻在南桥西头的张（发奎）总司令的司令部。为了不暴露司令部的位置，对敌机的射击须在敌机轰炸时才进行，第一排现往柘林，火炮射击的阵地即在柘林地域内选定，高射炮兵第二团第二营的阵地在南桥。封营长向严排长交代了任务后，还询问了第一排的人数、素质、武器、器材及有无困难等情况。

第一排在柘林值勤的时间共六十五天。在这期间，敌机没有炸过南桥，也没有炸过柘林。有时虽有敌侦察机临空盘旋，往来侦察，但为了不暴露总司令部的位置，均未予以射击。

在十月下旬的一天（准确的日期记不起来了）上午十时左右，柘林附近的海面上曾经停泊过一艘敌舰，距离海岸约三千米左右，但并无准备登陆的征候。第一排发现这一情况后，当即用电话向封营长报告，封说："你们继续观察，如发现敌舰有准备登陆的征候，或有后续舰艇开到时，必须立即报告。"这只舰艇在海上停留的时间约四小时，于当日下午二时左右启碇开走。从十一月五日敌人在金山卫登陆的事件分析，该舰当时停泊海上极大的可能是侦察登陆的地点。这是一个非常重要的情况，封营长是否将这一情况及时地转报总司令部，总司令部是否及时地作了分析判断和作过必要的处置，不得而知。

十一月二日的深夜，封营长从南桥给严排长下达了一道电话命令，其主要内容为：一、高射炮兵第二团第二营（包括第一排）奉命迅速转移到嘉兴，担任嘉兴城区和车站的防空。二、运输的汽车于明日八时前到达柘林，第一排须于上午七时三十分以前做好出发准备，在柘林街口的汽车路旁等待。三、封营长本人明日上午七时由南桥出发。根据封营长的命令，第一排按规定时间到达指定位置，但担任运输的汽车却延误到十二时左右才到达柘林。

常州火车站的防空

十一月三日下午五时左右，第一排到达嘉兴，即奉封营长通知，利用原来的汽车乘夜赶赴常州，担任常州火车站的防空，由驻在常州奔牛镇的高射炮兵第二团黄团长（名字记不准）直接指挥。第一排于四日早晨七时左右才到达常州车站南面的尼姑庵附近，即有敌人的轰炸机六架飞临火车站的上空，已来不及选择阵地，就地找了两个便于射击的位置，立即向敌机射击。敌机围绕车站盘旋，先后投弹两次，车站被炸，附近民房有的中弹起火。第一排的炮弹曾有一枚击中一敌机的翼部，但未击坠。敌机飞走以后，第一排即驻入车站北面城隍庙村子里，在那里便于找到射界良好的阵地。

火炮进入阵地以后，严开运排长准备去奔牛镇向黄团长报到，并汇报刚才战斗的经过情况。正在这时，接到黄团长的命令，一是重申第一排的战斗任务是掩护常州火车站，二是要求担任第一排运输的汽车及其驾驶人员立即归还他们团的建制；团部以后经常会有人来联系，目前敌机轰炸频繁，严排长不要离开岗位他往。

为了减少遭敌机轰炸的损失，第一排在火炮进入阵地以后，就开始构筑工事，进行巧妙的伪装。该排在常州车站担任防空的那一段时间，有时一天不见敌机，有时一天光顾几次。敌机投弹时的飞行高度通常都在两千米左右，投弹的命中率虽然不大，但给我们造成的损失也不小。有一次，一列火车刚进站就遇着空袭警报，车头被炸坏，下车到铁路两旁隐蔽的人员被炸伤炸死的不少。路轨不止一次被炸坏，经抢修队迅速抢修才保证了通车。

二十三日上午，黄团长要严排长立即到奔牛镇去见他。见面后，黄说："我团现在奉命要到武汉，你排可以回南京归还建制，也可以随我团行动，我先听听你的意见。"当时严排长考虑到，排的编制没有汽车，要是随黄团的机械化部队行动，会很被动，因此表示愿意回南京归建。黄采纳了严的意见，并给严办了一件回南京归建的书面命令。严从奔牛镇回排后，立即向全排传达，接着到常州火车站运输指挥部接洽车辆，于当晚八时离开常州，回到南京，归还了教导总队的建制。

八字桥附近的防御战斗

十一月初，教导总队（缺第二团）奉令开赴上海，第二次增援抗日前线。为了避免敌机空袭，这次增援行动，是在夜里进行的，由尧化门上车，至苏州站后转苏嘉路，再转沪杭线，至莘庄车站下车。下车后，第一团奉命在八字桥一带接替第六十七师（师长黄维）的防务，第三团是在新桥车站下车的，情况不详。

这一带地处郊区，沟渠纵横，又在夜间，摸索到指定位置时，已是午夜。当时由于防御正面不大，该团以营为单位作纵深配备。第一营为团的第一线，于五日晚袭击了入侵八字桥之敌，夺回了原第六十七师失去的桥头堡阵地，加强工事固守。第三营为团的第二线，在八字桥的后方约五百米处占领阵地，及时完成了战斗准备。

六日晨，敌机活动频繁，敌炮施行威力搜索，我炮兵部队为了避免过早暴露，未予还击。不久，敌炮火渐趋沉寂，我方小有损失。

午后，敌机一阵轰炸之后，敌炮也开始了猛烈的射击，一时硝烟四起，预示着激烈战斗即来。这时我高射火器和炮兵开始了猛烈的还击，一时火光冲天，响声震耳。不一会儿，敌步兵在坦克的掩护下，陆续出动，火力交锋，达到了白热化。紧接着敌人向我第一线发起了猛烈的冲击，展开了激烈的搏斗。经过几番拉锯战，团长李昌龄不幸负伤，敌人攻破了第一营的防线，迫近到第三营阵地前沿。第十连和第十一连为第三营的第一线连，第十连在左，八字桥方面在该连的防区内。第九连位于第十连的后方为营的第二线，重机枪连（第十二连）和迫击炮排位于第九连侧后的营指挥所附近。第十连、第十一连见到敌步兵已接近到阵地前沿，人人振奋，轻重火器及时地加入了战斗。战斗激烈，相持不下。其时第九连已做好准备，待命机动。由于第一线连的英勇搏斗和轻重火器的及时支援，终于重创了入侵之敌，粉碎了敌人的进攻。

夜幕将临，敌机停止活动，我光荣负伤的战士开始下撤，重伤由担架后送，交由后方卫生所处理。目睹被敌杀伤的战友，我战士个个义愤填膺，誓与敌人血战到底。

入夜，传来营部指示，说营长欧阳俊负伤，由重机枪连连长伍洋代行营长职务，告诫各连沉着应战，坚决打击敌人。又说第十连在这次战斗中伤亡较重，着撤至营部待命，其任务由第九连接替，限当晚九时交接完毕。

第九连奉到营部指示后，即以疏开队形开始行动，前进途中，适逢第十连排长肖冠涛（福建人）率队后撤，路过第九连第二排排长李慕超身边时，小声说："珍重！珍重！"随即擦肩而过，李来不及回话，仅以手示意，表示感激。肖在军校时与李同队，毕业后一同分配到教导总队一团三营，朝夕相见，经常交流心得，在这患难与共的时刻，简单的"珍重"二字，语重心长，沁人肺腑。

第九连到达第一线后，第十连的掩护部队交代了任务和情况，撤出了阵地。第一、二排为连的第一线，第一排（排长潘云华，广东人）在左，担任八字桥方面的防务；第三排（排长可能是蒲启长，四川人）在第一排的后方连部附近为预备队。

七日晨，敌人再次发动进攻，战况之烈不亚于第一次。尤其敌人掌握了制空权，给我军威胁很大，第九连各班长和轻机枪手由于姿势较高，几乎全部负伤。第二班轻机枪手郭福全不幸为敌弹命中。守卫在八字桥方面的第一排伤亡很重，排长潘云华和连长聂平耀（湖北人）先后负伤。按照军中惯例，李慕超排长代行了连长职务。他目睹情况严重，即令第三排加入第一排战斗，合力击退了敌人，保住了阵地。黄昏后，送走伤员，修整工事，着第一排由排附率领，撤至第二线休整，并将情况上报，预防敌人的第三次进犯。

八日晨，敌机、敌炮又进行了疯狂的轰击，第九连阵地遭到严重破坏。由于地湿土软，无法加固，该连不得已撤至稍后的沟渠内，施以简单的掩护和射击设备，至于下肢浸在泥水之中，则一时无法顾及。此后，敌机枪手利用高树和建筑物对该连的暴露阵地不断地进行零星射击。该连在地形上虽然处于不利位置，但战士们依然斗志昂扬，也进行了有力的还击。对于我军来说，在平坦开阔地作战，如何讲求掩蔽和伪装设施，还是一个非常重要的课题。战斗持续到九日午后五时，突然奉到营部传来的撤退命令，中止了战斗。

日军在金山卫登陆与上海总撤退

淞沪会战之初，日本侵略者原想以战术包围来打击我上海部队的左侧背，结果演成罗店附近的争夺战，但它未得逞。后来又对大场进行中央突破，也没有收到预期的效果，直至十月下旬，上海战场仍然呈现着拉锯和胶着状态。这对日军来说，是初所未料的。与此同时，九国公约会议已决定于十一月三日在比利时首都召开，敌人深知在此期间我军必将坚决抵抗，以争取国际舆论支持，从而出面制裁日本侵略者。就在这一形势下，日军断然采取了大迂回的战略包围，决定以其第十军从杭州湾登陆，挺进我上海守军后方，以期迅速解决这方面的战斗，迫使我军屈服。

五日，日军出动其优势空军，突然以军舰炮击我金山卫、海盐城和乍浦一带，掩护其海军陆战队在金山县的漕泾镇、平湖县的全公亭和金丝娘桥一带同时登陆。由于我军缺乏准备，守备空虚，未能及时组织有效的反登陆战斗，因而敌人登陆得逞。

敌人登陆后，即以快速的行动，经松隐镇、米市渡，于八日进占松江。侵占松江之敌，以一部沿沪杭铁路向上海前进，以主力疾趋青浦，企图在沪西北地区对我军加以包围歼灭。在这种战局突然恶化的形势下，统帅部仓促决定于九日晚开始全线总撤退。

据说早在十月中旬，敌人攻占刘行、江湾、闸北、真如以后，我军伤亡过重，缺乏补充，主管作战部门曾建议将上海守军有计划地转移到福山、常熟、苏州、吴江至嘉善、乍浦之线的既设阵地，作持久抵抗，以打击敌人，保持自己的战斗力，争取最后的胜利。只是由于当时统帅部寄幻想于九国公约会议，在已经下达了向吴福线转移的命令，而且有的部队已开始行动之后，又收回成命，要各部队仍在原阵地死守。因此打乱了部队的行动，涣散了士气，及至被迫决定全线撤退，就更加混乱不可收拾了。关于撤退中的经过情景，教导总队第一团第九连代行连长职务的李慕超排长有以下的叙述：

　　十一月九日午后五时，我第九连奉到营部传来命令："我营决定从今晚七时起，开始撤退。撤退时，按第十连、营部、迫击炮排、第十一连、第九连、重机枪连的顺序，由重机枪连担任掩护。"至于撤退的原因和后撤的目标等，在当时是不够明确的。奉命后，我连即按撤退序列，紧随第十一连之后，退出了阵地。撤退途中，路过重机枪连阵地时，该连排长钱和森（福建人）轻声喊道："老李，我们掩护你们，祝你们平安。"声音虽然不大，听来却很熟悉。原来钱和我在军校时也是同队同学，当我们在南京出发之初，他就曾经对我和肖冠涛说过："我们重机枪连将尽最大努力，掩护你们步兵连。"鼓励我们抗敌，为我们壮胆，言犹在耳，又谁料他在履行了诺言以后，竟然为国家、为民族献出了自己的生命。这是事后得知的，缅怀故人，悲情何能已！

　　撤退中，全连战士都感到行动困难，有的索性停止不前。其原因不问自知，两天来，两腿为泥水所浸，确已失掉知觉，不听指挥。但在这时，哪容考虑这些，我只好对大家说："你们的感受，也正是我的感受，可是两条僵硬了的腿，只有走才能活动，不走就会瘫痪。何况紧迫我们的就是凶恶的敌人，停止不前是绝对不行的。现在我走在前头，只要我能走一步，大家就必须跟上一步，互相督促，互相帮助，由第九班副班长压队，不让一人落伍。"战士们都深明大义，谁也不愿当敌人的俘虏，于是个个咬紧牙关，一步步坚持下来了。

　　后撤的目标，一直是不明确的，后面的部队只好跟随前面的友军行动。由于我团来自莘庄，大家不约而同地也向莘庄前进，及至听到前面的枪声越来越近，或左或右，都为枪声所阻，才开始意识到此路不通，怀疑是否已陷入敌人的包围圈内。及至天将破晓，才发现转了一个大圈，仍然回到了原处，幸而每个人的两条腿这时都已经走活了，再也不感到行动的困难。

　　一次碰壁之后，部队只好掉转头来，改向西北方向前进。这时，由各方下撤的部队越来越多，传来了敌人已由金山卫登陆，进占了松江的消息，于是大家后撤的目标，多选定昆山，我们也只好随着人流迅速跟进，以免落入敌人的钳形包围圈中。

到达苏州河上的黄渡大桥时，天已破晓，大部队拥向一点，混乱无法形容。同时桥头已敷设地雷，桥身已遭到敌机破坏，尤其意外的是，由松江、青浦方面突入的敌挺进队，已用火力封锁了该桥，有意让我军自投虎口。在这紧迫危急的情况下，大家无暇深思熟虑，但求在敌机开始活动之前，迅速通过，原来的后撤序列，再也无法维持。因此，通过大桥时，争先恐后，以致许多重火器和人掉到河里去。我连通过时，采取了前后战士紧拉腰皮带的办法，依靠人墙的掩护，才未遭受重大的伤亡。通过后清点人数，幸存者约七十余名。

通过黄渡大桥后，天已大明，敌机沿途扫射轰炸，猖狂万分，公路两侧的村庄和树林，都遭到盲目的轰炸和射击。所幸我们的战士，都有点防空常识和经验，避开了村庄和树林，疏散在公路两侧的旷野继续前进，当敌机到达投弹的角度和低空射击的位置时，就近利用地形，迅速卧倒。对于低飞的敌机群，则众枪齐发，敌机怕被打中，而高飞避我，不敢肆虐。我连张排长就曾指挥该班击落敌机一架，灭了敌人的威风。一旦敌机过去，大家又立即前进。这样，减少了敌机的威胁，就增加了安全，减少了伤亡，争取了时间。

通过昆山后，已无敌人，思想从对敌作战的紧张状态中解放出来，大家开始感到饥饿、疲劳。黄昏后，分散作了一次小休息，就地进行炊爨。这时，每人携带的干粮和大米所剩无几，凑合餐了一顿，继续前进，又显得有力气了。

到达苏州后，与总队收容站取得联系，乘上火车，全连于十一月中旬回到了南京。

回到南京后，李排长得悉，在这次战斗中，与他同时分配教导总队第一团的同队同学谢平东（福建人）英勇献身，内心甚感悲痛。

此外在这次撤退中，有的部队撤到既设阵地后，找不到工事位置；有的找到工事位置，又找不到管钥匙的人开门。以致立足未稳，遭到敌人的跟踪追击。这样一来，南京的保卫问题已经提到日程上来了。

淞沪会战虽然是在我军武器装备绝对劣势的情况下被迫进行的，同时又以仓促撤退而告终。然而，广大官兵的战斗情绪和英勇献身的精神，是值得称道的。其所以值得称道，是因为它符合全国人民的愿望，发扬了我国军民爱国主义精神，打击了日本军国主义者的猖狂气焰（日帝曾扬言三个月结束战争），掩护了我沿海各省工业设备和物资的撤退。但最高统帅部先寄幻想于国际裁判，贻误战机，未能将入侵之敌歼灭，后又因防御不力，救援不及时，终陷名城不守，京都门户洞开，失多得少，对尔后抗战形势之影响至深且巨，不能不令人为之太息。

第 三 章

第八集团军（右翼军）

英勇战士，血肉长城

张发奎[※]

浦东的"神炮"

淞沪战争的征候，到了八月九日才开始发现。当时敌人的兵舰集中于黄浦江和长江的江面，并运到陆战队万余人在上海登陆，随即令武装士兵闯入我虹桥机场滋生事端，同时更要求我方撤退驻沪的保安队。这一要求，经我方严词拒绝，敌方遂于十三日正式揭开了淞沪大战的序幕。

在这次战役的前夜，最高统帅部适时下达了淞沪方面军队的战斗序列：张治中将军担任指挥左翼部队，我担任右翼军总司令；另以李崧山、阮肇昌、刘尚志各师，张銮基的独立旅及炮兵第二旅第一团编为第八集团军，集团军的总司令也由我兼任。同时，刘建绪将军的第十集团军，亦奉命加入右翼军的序列。

我奉命后，即令张銮基旅推进浦东，接替李崧山师的防务；命李师移动于上海方面，策应左翼军作战，并令刘尚志推进至松江附近，以为集团军的预备队；刘建绪集团军则由衢州附近向杭州推进，为右翼军的第二线兵团。

十三日，敌我在上海的警戒部队发生战斗。我左翼军按照原定计划，即开始攻击行动。经过数日的战斗，因为没有摧毁坚固防御工事的火器，同时，又缺乏街市战的熟练经验，我左翼军的部队虽曾一度进出于汇山

※ 作者当时系第八集团军总司令。

码头，但终不能摧破敌人的整个防卫组织。

我所指挥的右翼军方面的情况，是比较沉寂的。因为在南市方面，隔离着一个租界地区，浦东方面，又隔离着一条黄浦江，所以就没有成为作战的重点。但左翼方面军却不同了，战况是紧张的，因此，我必须用各种方法给予策应和支援。我除将阮肇昌师增援左翼军外，也不断地以炮兵在浦东的洋泾附近，袭击敌人的侧背，来策应左翼军方面的作战。

我浦东方面的炮兵对敌人的袭击，也确曾发挥过相当的威力。因此，在当时就被一般人过誉为"神炮"。它不断打击敌人的"出云"旗舰，轰击虹口的日军司令部，使敌人不断感受着威胁。敌人为谋消除这威胁，曾采取了种种侦察手段，不间断出动飞机，企图搜寻我炮兵阵地，毁灭我炮兵的力量。但他们始终无法找到我们的炮兵阵地，更无法制止我炮兵每天黄昏和夜间的袭击。

炮兵阵地的位置，是在浦东洋泾附近。为尽量发挥威力及避免敌方空军的威胁计，当时就在对岸设了一个秘密的观测所，利用海底电线的通信，协助我们指挥炮兵的射击和修正弹着点的偏差。同时，炮兵的活动时间，常在黄昏和夜间，白昼我们就把各阵地巧妙地伪装起来，或将各炮移动藏于沟渠和竹林的深处。因此，在这战役的全部经过中，敌人始终没有发觉我们阵地的位置。我对这几门炮，当时是非常爱护，不但常常亲自去指挥射击，并且在这次会战终了的最困难的时候，也还用尽了方法，把它全部安全地转移到后方去。

我们的炮兵阵地也曾有过一次几乎被敌机摧毁的教训。当时有几位新闻记者到战地访问，他们要求去看一看"神炮"的雄姿，经过炮兵营长的许可，同到竹林隐秘的炮兵阵地里，并在那里拍摄了一些照片。次晨，他们将访问战地的详情披露于报上，并且连炮兵阵地的照片，也一并刊登了出来。当天早上，我在《时事新报》上看见了这详尽的报道，即认为这是一个不应该泄露的军事消息，并且认为这消息使我们的炮兵阵地将会发生不可测的后果，因此便立即命令该营长迅速变换各炮隐秘的位置。到中午，果不出预料，敌方便出动了空军，把所有洋泾附近的竹林都炸光了，致令附近的居民也无辜遭受很惨重的损失。但侥幸的是各炮依然无恙。事后那位炮兵营长即被撤差，那负责的新闻记者也受了处分。这事，对战地新闻不慎的报道是一个教训，同时也说明了一个军事指挥官对细微的事，也须时时刻刻作密切的注意。

所谓"神炮"，说来也许一般人不会相信，我们所有的只是六门"卜福斯"山炮而已。假如能够有较多的炮量和较大口径的炮种，我深信对这次会战将有更大的帮助。因此，我最初便建议统帅部，主张由乍浦附近海岸赶筑一条可以运输重炮兵的临时公路，直达浦东，效法海岸游动炮兵的使用方法，调集一部重炮兵使用于浦东方面，但统帅部却没有采纳这个建议。

不惜牺牲，保全上海

到八月二十二日，战事即开始转入更猛烈的阶段。敌军增援部队第三师团、第十一师团，以及第一师团、第八师团之各一旅团，当天即在宝山狮子林登陆，并即向我左翼军方面宝山、罗店、浏河线进攻；同时对我右翼军方面之川沙及浦东各地，也采取积极的行动。我方亦同样以京沪、沪杭两铁道输送增援部队，投入左翼军方面，双方均以猛烈火力作阵地的战斗，情况特别紧张。是以我方对原来预期以攻击的作战手段指导会战的计划，不得不加以修正，而转入以纯粹防御战的阶段。

那时，最高统帅部坚决地企图确保这个远东最大的都市，便尽量把注兵力于淞沪方面。京沪、沪杭两铁路的军车日夜不间断地奔驰，把一师一师的部队送来，加入填补火线，其情况好像一九一六年法军为挽救凡尔登要塞的危急，从巴黎运送增援部队的状况相似。但敌人的装备和战术及战斗力各方面，俱达到相当的高度。他们的空军力量更占了绝对的优势，他们大量的野战炮兵配合着海军的长射程炮也发挥了很大的火力。而我方仅有临时构筑的野战工事，一切器械也比不上敌人，战斗的不利是可以想象的。为着企图避免过巨的牺牲和改变不利的状况，我常常竭尽智虑去搜求战斗的真相，推断未来的状况，研究歼灭敌人的策略。我不断考虑，如果没有可以改变这不利的形势的策略，如果以大量的战斗力投入这方面的决战，而没有胜利的把握，则我们纯粹的防御计划，应否考虑加以修正？经过了二旬的战斗，我的结论是：在我军的现有条件下，欲把敌人歼灭，或遏止他们的攻势，确实是非常困难的。

这时，我和张治中将军即建议于最高统帅部，主张对上海作战使用兵力的最高点，应作一个精密的数字计算，并建议如果超过了这个限度仍不能压制当面的敌人时，则我们的战略应转变为持久消耗战。须先以十个师的兵力预先占领苏嘉、吴福线之既设阵地，以为第二抵抗线，此十个师的兵力除非在扩张战果方面，不得为其他状况而使用。我们二人并明白表示，愿自接受敌人攻击之日起，负责固守此既设阵地三个月时间的责任。但最高统帅部不赞成这建议，他的意见认为上海是必争之地，应不惜一切牺牲来确保这个地区。又因当时敌人的增援部队尚未全部到达，战况亦有时稍为沉寂，于是有些将领们便为此种情况所惑，以为敌人的攻势已至极点。就是冯玉祥将军亦有"淞沪方面的战况已经稳定了"的判断。

可是到九月中旬以后，情况有变化，敌人大量增援，我们发现其第一、第三、第六、第八、第十一、第十六、第一○二、第一○六、第一○七、第一一四、第一一六等师团的番号，估计其兵力约在二十余万，炮三百余门，战车二百余辆，飞机二百余架，其在淞沪与我决战的决心，也益加明显了。

此时，我方的部署亦有所变更，原左翼方面，改划成两个区分，以薛岳将军担任左翼，朱绍良将军担任中央，与我右翼相连结，左翼方面自九月上旬以来，战况已逐渐不利，阵地亦逐渐后移，虽后援部队逐次加入，亦仅能维持"寸土必争"的状况。

我右翼方面的战况尚没有若何变化。敌人虽迭次企图排除我浦东对他侧背的威胁，但在我将领严密戒备之下，敌人几十次的登陆行动都没有成功。不过，我常常顾虑敌人如在左翼军正面突破企图不能成功时，他们可能采取侧面的迂回行动，因此，我右侧的金山方面是一个最可注意的地区。当时我有一个直觉灵感和历史的回忆，就是戚继光于闽浙荡寇时代，日本曾在金山登陆而扰乱浙境，如果敌人以历史作依据，这段历史实有重演的可能。同时，在战术上判断，那里已是一个理想的登陆地点。那里海岸有四十尺以上的水位深度，又有利于登陆运动的沙滩及可作为滩头阵地的据点。

为了这个侧面的顾虑，我曾亲自实地侦察那里的地形，并在那里配置了一连炮兵和一营步兵，再三叮嘱他们对海面作特别戒备。同时，我又命令他们编组了一队渔船，远出海面从事广远的搜索。为彻底明了实地的情况，我亦常亲自或令幕僚至沿海地带和浦东方面巡视警戒部队和火线的战况，并把全线的防御组织严密起来。整个右翼方面虽无特别紧张的情况，但我必须在缜密戒备方面努力，使统帅部可以集中全力于左翼和中央方面的作战，免去了对右翼方面的忧虑。

英勇战士，血肉长城

　　整个十月的作战重点，始终保持在左翼军方面。十月下旬，敌人以全力攻击我左翼军阵地，决战的时期已经到来了。战地悲惨的景况，亦一幕一幕地呈露在我眼前。我们的增援部队继续向前进发，他们由后方输送到战地后，没有一刻的停留和准备，就加入了火线。敌人的炮弹好像雨点一样散落在我们的阵地。我们的炮兵在数量与火力上都无法与敌对抗，只有英勇的战士们以血肉筑的长城，来抗拒敌人的犀利的火器。制空权也完全掌握在敌人手里，敌人的飞机一天到晚翱翔在战地的上空。我们的部队没有立体作战的经验，仅凭着血气之勇，不知讲求疏散与伪装，更招致许多无谓的损害。我们部队的行动白昼大受限制，一切部署的调整和兵力的转用，都在夜晚，这更使指挥与时间上蒙受很大影响。战地是一片平野，不能徒涉的川渠，纵横交错。这对于联络与地形的熟识，均感到不少困难。在这种种不利的条件下，各级指挥官当时都深深感到指导一个防御组织不健全的大兵团作战，确是一件不容易的事。而下级干部和士兵们，到这时候才认识了现代战斗的形式，才明白仅靠精神而忽略物质科学的战斗，已是落伍的思想了。

　　在战况的高度紧张中，最令人感动而安慰的是人民对作战的协助。他们不仅帮助军队的运输和救护，他们更自动地献出了他们仅有的粮食，一切好的东西他们都送给军队使用。学生们自动加入了战地宣传和通信的工作；妇女们自动看护我们的伤兵；慰劳队的歌声鼓舞了战士们的热血；工作队的热心服务消除了战士们的疲劳。在大军作战最感困难的后勤工作，人民都帮助我们解决了。军队为国家而流血，人民也贡献他们的一切给军队，这是民族战争的特点。

　　十月三十日，左翼方面的战况已达到极度的不利。突击我大场阵地的敌军已在周家宅、姚家宅两处强渡苏州河，上海市区的我军侧背便感受到重大威胁。以当时的情况判断，敌人似有从大场以西向左右席卷的行动。朱绍良将军这时忽奉命调任甘肃省主席，所遣中央兵团的任务，最高统帅部即命令我去接任，并将右翼方面的指挥责任交给第十集团军总司令刘建绪将军接替。这时刘集团军的部队方从杭州向前推进，我一面担忧沿海地带的侧面和刘集团军能否确实接防，一面又感于上海方面的紧张状况，将如何去挽救这危殆的局面。我此时陷入了无限的焦虑，以沉重的决心，担当这残破而没有把握挽救的局面，这在我生命史中是最痛苦的记忆。

十一月二日，我的指挥部由南桥移至龙华西侧的北干山，这是极接近火线的位置。当我到达那里时，情况已变化了，第一线的部队已陷于紊乱状态；同时，渡河的敌人予我们侧面的威胁，也正在日益扩大中。但第一线已经没有可以抽调的部队，后援的兵团又迟迟未能到达，我除了竭尽一切努力来调整这个紊乱的形势外，开始发生了悲观的心情。

十一月五日，一件数月来日夜所焦虑的事终于发生了。敌人的第六、第八两个师团当日就在全公亭、金山嘴等地同时登陆了。我力量薄弱的警戒部队很迅速地被驱逐了，刘集团军以行动迟缓，未能实行夹击的行动，让敌人一直向松江前进，我吴克仁军集结尚未完成，仓促应战，又遭受各个击破的命运。

九日，松江被陷，我军腹背受敌，失败的战果已是注定了。

从整个战略上着眼，敌人强渡苏州河以后，退却已是无可疑义而不能再迟延的事。这虽需要最高统帅部做困难的决定，须当机立断地即下决心，但指导大军作战者，其最困难的条件也就在此。当时，前敌总指挥陈诚将军来到我的指挥部，他亦同意我的意见，可是最高统帅部却仍迟迟未决，等到情况已到了最危急之际，才于九日下达退却命令。但这时机已不适切了，当我接到命令时，部队已陷于极端紊乱状态，各级司令部亦已很难掌握其部队了，因而演成了最后一幕原可避免而终不能避免的大悲剧！

防守柘林、浦东纪实

焦长富[※]

八一三淞沪会战开始时，我在第五十五师第一六五旅第三三〇团担任团长。在作战期间归右翼军总司令张发奎指挥。现就记忆所及，把当时经过分两个阶段叙述如下。

防守柘林

战役初起时，第五十五师奉命担任杭州湾一带沿海防务，以抵御敌人登陆为主要任务。我团防守区以濒临东海的柘林为中心，右翼向杭州湾方面延伸，左翼与白龙港第一六三旅取得联络，在沿海堤岸上构筑工事，坚固防守。

当时敌人主力部队正挺进上海，外围兵力不多。在我阵地正面的海域上，敌舰忽多忽少，出没无常，多系巡视性质。夜间，探照灯划破长空，不断向我阵地扫射扰乱。

柘林是滨海一小镇，有古老砖城，俗称防寇城，城墙雄伟高大，但城内居民不多，举目四望，一片荒凉。据居民反映，此城原为明代民族英雄戚继光平倭寇时所建，当时戚继光屯兵于此，曾多次大歼倭寇，使之葬身鱼腹。足见此地在军事上自古以来就有重要价值。根据海潮的趋向和风向，船只行驶便利，这是不利于防守的一面。但岸上土质坚硬，

※　作者当时系第八集团军第五十五师第一六五旅第三三〇团团长。

平坦开阔，所有现代化兵种，各种重武器，均能运用自如，这是对防守有利的条件，如能充分运用，定可大起作用。阵地后方，有河流一道，分段架有桥梁，人马车辆均可畅行无阻。但所有大小村庄，四周多在水环抱之中，仅在必要渡口设置船只，居民出入多自驾小舟。我们为适应环境需要，组织官兵学习摇桨划船。

海岸居民多以晒盐和捕鱼为生，他们热爱祖国，有保卫家乡的坚强意志。他们自动协助构筑工事，严防间谍破坏，为官兵送信带路，十分自觉。

我们费力摸清上列情况后，如实报告上级，并建议对这里的防守应十分重视，以免影响整个战局。后经上级派员实地视察，认为对柘林一带阵地确应重视。

我团防守柘林一月有余，未曾与敌接触。至九月底，上海情况吃紧，我师奉命增援，所遗柘林防务交友军接替。

防守浦东

自吴淞陷落、敌舰进入黄浦江，战事延至市区，保卫上海的战斗日益激烈。原来防守浦东的第五十七师增援黄浦江西岸，所遗浦东防务由第五十五师接替。

第五十五师全部占领黄浦江东岸阵地，加强工事，严密监视，以防敌人登陆。我团防守区域，左自封锁线起，经日本纱厂、日本海军码头和他们的第一号、第二号码头，以及英国旗昌栈码头，向右一直到我国招商局码头东头为止。在阵地后方有我炮兵阵地，不时向停泊黄浦江上的敌舰轰击。

敌指挥官所乘的"出云"舰（旗舰），停泊在我封锁线外黄浦江中，其他敌舰亦在江中排成长蛇阵。敌运输船只，在军舰掩护下，自由航行。敌机空袭轰炸日夜不停，对我炮兵阵地的轰炸尤为猛烈，许多后方村庄被炸成一片焦土。

我阵地前方的日本海军码头，为敌军屯煤之所，由敌舰掩护，日夜运送，十分忙碌。我深恐敌人趁我措手不及，蜂拥登陆，因此设法破坏其趸船。于是我们挑选了一批识水性的官兵约十人，初用钢钻穿洞办法，因趸船钢板较厚，未曾奏效。继而向上海警备司令杨虎申请发给炸药，进行爆破，经批准发给水雷四枚，以及雷管、引机、发电机全套。我托旗昌找小火轮机密运来（英人在租界躲避，司机为中国人），并确定每雷布置十人，技术方面由本师工兵营营附负责。深夜以极缜密的行动，把水雷二枚安装在海军码头，第一号码头和第二号码头则各安置一枚。待全部装置完毕。安全退回后，即发电爆炸。霹雳巨响，大功告成。于是敌人震惊，立即发出紧急红球信号，各敌舰的探照灯纷纷探照，却一无所获。只见被炸的趸船，歪歪斜斜散落在水中，它瘫痪了，不再起作用了。

由于黄浦江西岸我援军云集，上海方面的敌人一时无法得逞。不料到了十一月上旬，传来了紧急通报，我海防要地柘林被日军攻破，大举登陆，正向上海急进，以致我军侧背受到威胁，战略上大为失利。接着得到命令，全军火速向后转移。但蒋介石以为敌人未到之前，如将首都门户和外侨聚集的大都市上海撤得不剩一兵一卒，未免有失声誉，于是作出寸土必争的号召，要求不惜牺牲一部分兵力做最后挣扎。乃指派第五十五师第一六五旅旅长张彬率我团（第三三〇团）和第三二八团（缺一营）协同蔡劲军所部的上海保安队（多系在豫北一带招的新兵）固守南市，并暗示必要时可退入法租界。

我部到南市后，就赶快构筑工事，但尚未完成，即与敌发生战斗。敌人以优势兵力向我进迫，炮火极为猛烈，飞机轰炸尤为残酷。苦战两日后，我伤亡严重，粮弹断绝，第一六五旅旅长张彬率一部分部队退入法租界。第三日早晨，退到华法交界处的我团官兵四十余人，前面被法租界铁丝网和机枪阻拦，后有敌人穷追，大家心慌意乱，经我收容整顿，晓以大义，复与敌人展开血战。相持到傍晚，我左腿受重伤，抬至华界贫民医院急救。当夜幕初降时，尚闻枪声，后来渐趋稀落，下半夜枪声全部停止。十一月十一日，上海市区全部陷落。

浦东"神炮"立奇功

蔡忠笏[※]

八一三淞沪会战时,我是炮兵第二旅旅长,本旅第二、三两团驻扎嘉兴。炮兵在战时一般都是分割使用,不只分割到营,而且分割到连。八月十三日前,即把所属两团的五个营十五个连分别配给其他军、师参加作战,只留一个营在嘉兴待命。

十四日午前二时,我接到命令率领炮兵一营与阮肇昌师的步兵一团,立即开往浦东,担任防守。于是下令给营长,要他午后五时前在龙华车站集结待命。我将带领旅部必要人员先行。到上海后,看见一切都不妙,阮师的步兵团在哪儿?人员、马匹、器材怎样渡江?多亏一位任黄浦江船舶管理所主任的同学帮忙,派给轮船三只、拖船十二只,到龙华港候用。同时,在小街上也找到了阮师的步兵团。当即偕同步兵团至龙华,而嘉兴开来的炮兵列车也已到站。为了避免空袭,到天黑后,我们才开始渡江,十时左右全部人马器材渡江完毕。部队全部夜行军,我率步兵团、营长和炮兵营、连长先到前方侦察阵地。部队到后,先构筑工事,然后进入阵地,做射击准备。

浦东和上海仅一江之隔,但相差甚远。浦东方面连无线电通信设备也没有,所以部队到浦东作战,完全与外地隔绝,阮得不到上级的指示、友军的通告,有紧急事故也来不及请示,全凭自己的决断来处理。

浦东原有敌根据地,日华纱厂、日清公司、邮船会社、新三井码头、

※ 作者当时系第八集团军炮兵第二旅旅长。

老三井码头等五处，尽是敌海军的粮库、煤库、弹药库、材料库。五处都没有碉堡，驻有守兵。这些阻碍很快就给我们全部肃清，把有用的物资搬开后，即把各库加以破坏，光是煤库就烧了三天三晚。这就予敌以精神上的打击，警告它不要做卷土重来的迷梦。

此后，在敌舰的炮击和敌机的轰炸下，我防守浦东达匝月之久。直到九月中旬，上级派第五十五师师长李崧山来浦东接防，我把阮师的步兵团归还建制，炮兵营交给他指挥，回到嘉兴旅部。其时浦东地区指挥官张发奎已到，他对我在这困难情况下，能够独立坚持防守，完成任务，并且所有各部人员、马匹、枪炮、器材损失较少，倍加赞许。

淞沪会战中，浦东炮兵发挥了强烈的爱国主义精神。日军企图在浦西登陆，因受我军抵抗未能得逞，因而转以浦东为登陆的目标。当时浦东的兵力相当单薄，强敌在前，我们还是竭尽全力防守，并努力予以重创。为防止敌军登陆，我们把全营的火炮都布置在江岸上。由于火炮数量有限，不得不把连与连之间的间隔拉大，把炮与炮之间的间隔也尽量放大，这样，整个江岸有可能登陆的地段，全被我们控制起来。相接的连、炮，彼此也相互支援，并在重要的地段配置了步兵。为了避开黄浦江上敌舰平射炮的射击，我们把所有的炮位都选择在离江岸稍远的地方。这样布局，有利于我们的火炮打击敌舰，而敌舰的大炮却无法打到我们。

我们的炮兵十分注意防空，特别注意炮兵阵地的伪装和行动，并严令敌机空袭时，立即停止射击。敌机飞走后，再开始射击，避免被敌人发现。用这一"疑兵"之计迷惑了敌人，使敌无从得知我炮兵阵地之所在。

战争一开始，黄浦江上的敌"出云"旗舰，就是我炮瞄准射击的目标。当时被誉为"神炮"的浦东炮兵，斗志昂扬，英勇非凡，可惜使用的是山炮，而不是重炮，如果是重炮，早已把它击沉了。这是因为距离近，目标大，差不多能够百发百中。"工欲善其事，必先利其器。"我们的山炮弹对敌舰的装甲虽起不了作用，可是它的推进器却曾被我们击坏，停止了三天活动才修理好。敌舰上的炮都是重炮，如果它能打到我们的炮兵阵地，那一定会造成我们很大的损失。但是它无法知道我炮兵阵地，我们安然无恙地活跃在浦东。不论敌舰上行或下行，整个浦东江岸都有炮弹"欢迎"它，"欢送"它。浦东炮兵到底有多少？是敌人无法摸清的。

浦东的官兵，忠于自己的防守任务，在抗战中表现了大无畏的精神，他们自动地遵守纪律，服从命令，群策群力，竭尽心智保卫自己祖国领土，打击敌人。敌人为摸清我炮兵阵地，派出侦察机从早到晚轮番到浦东上空盘旋，如果我们的炮兵阵地露出一点破绽，就逃不脱它的重磅炮弹，莫说一营，便是一团也早被消灭。但我们参战的官兵却创造了奇迹。记得当时有几个连观测所设置在树上，居高临下，视界广阔，又得到天然的荫蔽，收到很好的效果。类似这样的群众性创造，当时并不罕见。

　　负责指挥浦东炮兵的是我，我身任其责，亲历其境，曾为它费尽了心力，但完成任务的是全体官兵，在全民抗战的史册上，应该写上他们的功绩。

浦东炮兵显神威

孙生芝※

八一三淞沪会战爆发后，我任陆军炮兵第二旅第二团团长，九月初接事。当时该团编制为两个营六个连及直属部队。第一营三个连全部在浦东参战，第二营第四连在杭州湾之澉浦，第五连在澉浦以北乍浦，第六连在金山卫驻防。防线由杭州湾至上海浦东，全团拥有德国制造"卜福斯"炮二十四门，团部及直属部队驻在平湖县城。我接事后，推进到闵行，因浦东战况激烈，我常驻浦东。

浦东当时只有步兵第五十五师，师长李崧山，另有独立战斗的陆军炮兵第二旅第二团第一营，该营有"卜福斯"山炮十二门，还有良好的观测通信器材。"卜福斯"山炮，口径七十五毫米，最大射程九千米，最高射速为每分钟二十五发，为当时炮兵中最优良的炮种。该营主要任务为还击黄浦江上日本军舰的炮轰，相机支援浦西我步兵作战。

奇袭日军飞机场

十月间，上级密令我会同德国顾问比格尔，侦察较好阵地，奇袭日军机场（原浦西高尔夫球场）。德国顾问比格尔原系炮兵第一旅顾问，与我相处很好。经过会同侦察，确定炮兵阵地在浦东江边英美烟草公司大楼东南，距离江边约三百米左右。当夜十时进入阵地，计有"卜福斯"

※　作者当时系第八集团军炮兵第二旅第二团团长。

炮八门，每炮配炮弹百发，瞬发信管与碰炸信管各半。进入和撤出阵地力求做到动作迅速、隐蔽。一切准备工作于午夜十二时前完成。

日军飞机场经常停有飞机三十架左右，多为轰炸机和驱逐机，它们对我军威胁最大，危害最烈。每天拂晓前，机场电灯通明，根据我们观察的结果，从打开电灯到首批飞机起飞，其间约五十分钟，我们准备抓住这一时间进行奇袭。次晨，敌机场电灯亮后三分钟，我们试射一弹，证实测量准确，即迅速开始大面积射击，仅八分钟，八百发炮弹全部倾泻于敌人机场内。接着全部炮车、器材、人员安全撤出阵地，离开江边内移。十分钟后，天已大亮，黄浦江上的日军舰即开始盲目向浦东炮击。敌旗舰"出云"舰上的主力炮也参加了炮击。一时炮声隆隆，声震大地。吴淞口外日航空母舰上的水上飞机亦轮番向浦东方面狂轰滥炸，以求泄愤。炮击持续了整个上午。我方事先有准备，军民伤亡很少，唯民房略受损坏。

事后得悉，此次我浦东炮兵奇袭日军机场，共击毁敌机五架，击伤七架，敌方人员也有损失。

陆军炮兵第二旅第二团第一营参加整个上海浦东战役，曾给黄浦江上的敌舰以威胁与打击，第三战区副司令长官顾祝同，为此曾多次以电话请张发奎传令嘉奖。

夜袭吴淞日军

淞沪战争爆发之初，由于我军民同心合力，坚强抵抗，敌军增援部队企图登陆，均遭阻击，但其滩头阵地仍有相当进展。吴淞被敌占后，其部队及指挥机关的一部分驻扎该地，并积存有大量军火，我炮兵奉命深夜进行奇袭。

浦东东北一带距离吴淞驻地很近，地势对我有利，但此处没有我驻守部队，不为敌人所注意，我们选择这里为据点，乘敌不备，对敌驻地发动突然袭击。九月下旬至十月中旬期间，有三四次在深夜，我团派遣官兵五六人，乘小汽艇拖一小木船，上载"卜福斯"山炮一门，炮弹二三十发，还有必要的枪支、器材和工具，悄悄出发，前往浦东东北尖端，进入预先侦察好的阵地，稳准狠地猛击吴淞敌驻地、仓库、临时码头和船只等。事后了解，敌人受到很大打击。

勇击敌舰

八一三时，日本海军第三舰队的主要力量集结在黄浦江上，沿江停泊，势如水上阵地，截断我水上交通，威胁两岸。各舰主力炮口径大，射程远，对我上海守军威胁很大。

敌人舰只时有增减，一般在三十艘左右。每舰拥有大炮十二门以上，三十只军舰共有三百六十门大炮，力量比我们强得多。而我领空、领海又为日本飞机和军舰所控制，这使我们炮兵的作用受到限制。但即使在这样劣势的条件下，浦东炮兵仍沉着作战，伺机炮击，先后击中的敌舰在二十艘以上，敌旗舰"出云"舰也多次被我击中，可惜我们的炮口径小，威力不足，未能把它击沉。但在破坏和杀伤上，尤其在精神上，已给敌人以重创。

我们浦东炮兵作战的方针是：一、炮兵阵地和观测所做到绝对隐蔽秘密。二、不放弃任何有利机会，迅速准确地予敌舰以重创。做到我空军轰炸日舰时，一定打；日本兵舰炮击浦西时，一定打；日舰进入我有效射程内，一定打；深夜敌怠于戒备时，一定打；浦西求援时，一定打。三、严禁盲目发炮，节约炮弹，提高命中率。因此，我们的战术大都获得成功，特别是支援浦西作战，不论白天黑夜，有求必应。当时上海报刊对浦东炮兵多有赞誉，称之为"浦东神炮"。

浦东炮兵观测所设于耶稣教堂楼顶，辅助观测所在浦东江边英美烟草公司大楼楼顶，楼底还装有有线电话与后方联系。这些设备，为保密起见，全用麻袋盖实，因恐夜间人静，电话铃响，被停泊在同一大楼前面黄浦江上的敌旗舰"出云"舰察觉。为什么敌人对这幢大楼不加破坏呢？原因是敌"出云"舰经常停泊在楼下江面，这一位置恰在浦东炮兵弹道死角内，使敌舰有安全感。但他们绝对没有想到浦东炮兵的观测所就近在咫尺。

这年九月十八日，是日本侵略我东北六周年纪念日，我们得上级密告，今晚我空军夜袭敌"出云"舰，并配备有水雷爆炸，要浦东炮兵及时予以支援。记得我英勇空军在夜间十时左右飞临敌舰上空，一时黄浦江上敌舰探照灯乱射，信号弹乱发，高射炮及高射机关枪齐鸣，日舰官兵暴露在舱面，忙于应付天空，我浦东炮兵乘机集中火力，向"出云"舰猛轰，（该舰夜间离岸稍远，盖防暗算）一时弹如雨下，甲板上遍地开花，日舰百门大炮齐向浦东还击，就在敌舰的注意力被吸引到浦东这一瞬间，我空军一架飞机朝"出云"舰飞去，连投两弹，绕过江边大楼向东飞走了，可惜弹未命中，未能将该舰击损。事后得知，那天夜里曾派水鬼（潜水员）潜水，推动水雷轰炸"出云"舰，因操作过急，水雷未近敌舰即行爆炸。

浦东炮兵对敌人给予打击，不断使敌人丧胆，所以日军对浦东炮兵恨之入骨，曾千方百计进行破坏。他们派汉奸侦探，派飞机侦察我炮兵阵地。有一次，上海某报一记者来浦东参观某连炮兵阵地时拍了照，在报上发表。次日该连即遭敌机轰炸，幸抢救及时，未造成大损失。此后，炮兵阵地加强保密措施和掩体工事，周围布有便衣岗哨，直至撤离，炮兵阵地始终未被敌人发现。

日军金山卫登陆与浦东炮兵撤退

十一月五日，日军在金山卫登陆。该处当时驻有步兵一个营和炮第二团第六连（有"卜福斯"炮四门，连长郭文河），我曾去视察两次，对炮第六连的部署甚感满意，因自开战以来，那里没有战事，故我常驻浦东。炮第二团团长部驻在浦西闵行，与第八集团军总司令张发奎驻地毗邻。十月底，张调沪西指挥，浦东及杭州湾防务交给第十集团军刘建绪，刘未到任，一切事务由其参谋长代办。

五日拂晓，我正起床，郭连长电话报告日军登陆，随之电话线被切断，失去联络。我赶到总部向刘建绪的参谋长请示，恰遇敌机俯冲轰炸，他急于避炸，没有答复。后来郭连长负伤撤至后方，他详细报告了日军登陆与我接战的情况。那天海上有雾，监视哨看不清海上日军活动的情况，日军乘此机会，分几路同时登陆，人数众多。枪声一起，敌舰即向我阵地发炮，敌飞机也蜂拥而来，俯冲轰炸，我炮兵阵地和前缘步兵受到重大威胁。郭连长迅速指挥炮连应战，阻击正面敌军的进攻，但无暇顾及侧翼。敌两翼进展迅速，对炮连阵地呈包围态势，步兵不敌，纷向敌连阵地两侧撤退，形势危殆。郭令换用零线子母弹（出炮口即炸，五百米内杀伤力甚大）以每分钟二十五发的最快速度发射，延缓了敌军的进攻，但终不能持久，在敌海陆空协同攻击下，炮连人员伤亡过半，郭也负伤，被部下抢救撤退，阵地遂失。

因电话线被切断，我与金山卫、乍浦、澉浦的三个炮兵连失去联系，即派刘副官前往，也因途中遇敌未果。在此情况下，我向那位参谋长请示浦东炮兵营的处置。他指示撤退，但没有告诉撤退方向、地点及运输工具。我即向张发奎请示，张问我需要多少运输工具，我说要卡车五十辆。张允于下午五时听回音。于是我命浦东炮兵向闵行集中，五时左右接张来电，说已向宋子文部长要了五十辆柴油车，晚上九时到，命撤退苏州。晚十时左右，开来三十二辆车，立即装运，忙到下半夜两点，全营除近两百匹骡马外，均已安排妥当，此时方乘团部唯一的小汽车撤离。车抵青浦，卡车司机不肯继续前行，我费了很大气力在该地一个四面环水的小村庄里找到第三战区前敌总指挥陈诚，陈诚给汽艇和民船，将全营运到苏州，又换船转运嘉兴。因平望失守，无法通过，由营长带领折向南京，为唐生智挽留，后来参加保卫南京战役，全营损失殆尽。

第四章

第十五集团军（左翼军）

一寸山河一寸血的淞沪战争

黄　维※

　　一九三一年日本军国主义者在我国东北发动九一八事变，武装侵占我东北三省以来，我国军民为了救亡图存，要求对日抗战的热潮，日益高涨。我原任国民党陆军第十八军第十一师师长，为了提高个人的军事素质，准备进行抗日战争，于一九三六年请准赴德国考察和研究军事。几经周折，于一九三七年二月由上海乘船赴德。是年七月，日本侵略军在北平卢沟桥发动七七事变，向我国当地驻军大举进攻。我军英勇抵抗，战局急剧扩大。在日本侵略军疯狂进攻面前，我国实现了国共第二次合作，从而展开了举国一致的抗日战争。

　　这时，我应召回国参加抗战，于八一三事变的那天，由柏林起程回国。当时，获悉日本侵略军又在上海向我国发动进攻，使我心急如焚，恨不能缩地有术，此时，只能照原定旅程，经热那亚搭乘康特罗梭号邮轮回国，船到香港，已不能驶往上海，而改由火车经广九路、粤汉路、浙赣路、沪杭路转赴上海。在杭州到上海的火车上，遭到日机空袭，走走停停，九月下旬，我才抵达上海前线。

一寸山河一寸血的激烈战斗

　　我到上海后，立即到第十八军军部，向军长罗卓英报到。罗军长指

　　※　作者当时系第十五集团军第十八军第六十七师师长。

示我到罗店附近我军阵地，视察战况。此时，第十八军的主力正在罗店以南，与日军对峙，时有步、机枪声划破长空的静寂。经过几天的调查，我了解了一些情况：

八一三事变爆发后，在吴淞方面，我第八十八师第二六四旅旅长黄梅兴，于指挥攻击日海军陆战队所占据的持志大学的坚固据点时，在激烈的战斗中，英勇牺牲了。黄梅兴是八一三淞沪战争中，最先牺牲的将领。在沪西罗店方面，我第十八军的第九十八师姚子青营，死守宝山城，在日军的强大攻击下，营长姚子青及全营官兵壮烈殉国。第十八军的第十一师和第六十七师，在沪西与日军为争夺罗店进行拉锯战，鏖战逾月，战况激烈，为淞沪战场所仅有，敌我伤亡惨重，第十一师团长韩应斌阵亡，官兵伤亡累累。第六十七师师长李树森负伤，团长傅锡章负重伤，旅长蔡炳炎、团长李维藩均阵亡，其以下官兵伤亡极大。在反复争夺罗店的过程中，官兵前赴后继，愈战愈勇，出现了一寸山河一寸血的激烈战斗场面。我亲自看到这些部队，经过这么大的激烈战斗之后，正在继续抗击日军，士气甚盛。

现在回顾：淞沪抗日战争，迫使日本侵略军在淞沪地区，使用十几个师团的兵力，作战三个多月，使日军受到沉重的打击，陷入泥沼，无法自拔。并使疯狂一时的日本侵略军，付出无比高昂的代价，达不到侵略的目的。

赤心报国，罗店鏖战

我到达上海前线才三四天，便接任第十八军第六十七师师长职务。这时，该师已在罗店与日军进行拉锯战，坚持了大约近一月，伤亡惨重，特别是干部伤亡更大，已逐步后撤至接近罗店的金家宅既设阵地之线，与日军阵地对峙中。时有小规模的战斗，白天是日机在阵地上空盘旋侦察和小部队的进攻。我们的部队白天烧饭冒烟，便会招来敌机的扫射轰炸，由于制空权完全为敌方所掌握，所以我们很被动，但一到夜间，便是我军调动部队和向敌搜索骚扰的时候。而敌军一般都在夜间龟缩不动，这样比较沉寂的状况，大致延续了个把星期，我们预感到日军在向我正面增加兵力，将对我发起大规模的进攻。

当我接任第六十七师师长后，军长罗卓英转到太仓方面指挥。第十八军的其他各师均调走了。仅第六十七师改归第十九集团军总司令薛岳指挥，仍在原阵地与据守罗店的日军阵地相对峙，时有局部战斗。我回到师后的大约三四天吧，就在拂晓时，日军开始炮击，向我阵地发动全线进攻，其主攻的重点在我右翼的第七十四师方面。对我师的进攻并不猛烈，对我攻击之敌，被我火力所拒止，双方对战。此时，罗店全镇毁于炮火，成为一片焦土。我军经常趁敌机不能活动的晚间，发动夜战以夺回白天丧失的阵地，有时进行肉搏战，双方伤亡都很大，第六十七师伤亡过半。这时，我接到命令，上级指示于夜间主动后撤到南翔集结。我师在友军的掩护下，安全撤出阵地。这是我罗店方面作战部队的一次主动后撤行动。

由于第六十七师参加沪西罗店方面的作战，经过长时间的苦战，部队建制残破不全。后撤到南翔后，一面担任构筑工事的任务；一面进行休整补充。幸而，陈诚总司令和军长罗卓英早已抽调驻防在后方的第九十九师等部队的官兵三千多人开到战地，及时补充。还有各团均派出多数得力官兵，到后方和医院动员组织大量本师和其他师的伤病愈归队士兵，一并调整补充。并且所损耗的武器、弹药、装具也得到及时的补充。这时，我们抓紧一切时间，在全师进行了作战检讨、战斗训练和精神教育，团结军心，激励士气，做了很多工作。在一个月的时间内，把部队整补完成，基本上恢复了战斗力。

四天五夜的北新泾战斗

十月上旬以来，日军使用新增援的强大兵力，由蕴藻浜北岸强行渡河，向南岸猛烈进攻。我防守部队，乘其渡河，予以反击，累挫凶锋。但日军不顾牺牲，继续增加兵力，扩大地盘，使我军在该方面陷于苦战。

十一月五日，我第六十七师奉令由南翔附近增援苏州河南岸的作战。当夜以第四〇二团、第四〇一团、第三九九团接替北新泾方面厅头，我第八十七师（师长王敬久）及其以东第三师（师长李玉堂）的阵地。以第三九八团控置于八字桥为师预备队。师指挥所设地虹桥飞机场东北角独立家屋。我左翼的邻接部队为占领姚家宅阵地的第四十六师（师长戴嗣夏）。六日拂晓，日军把主攻指向我师，发动猛攻，用系留气球升高在我阵地上空，指导炮兵向我阵地射击，敌飞机助威滥炸，并以战车掩护步兵向我猛烈进攻。当时，我官兵沉着应战，双方伤亡惨重。

与此同时，我占领姚家宅之第四十六师在日军攻击压迫下溃退。使日军直插厅头第四〇二团左侧阵地，包围该团。此时，我在八字桥之第三九八团，措手不及，不得已在原处应战。与第四〇二团几乎成一个九十度的拐角，形成向西的作战正面，势甚危殆。幸而作战的第二天即七日，广东部队巫剑雄师到达增援，但该师不是向敌军外翼反包围，而是对向西正面延伸，老老实实地在那里挨打。

战斗的第三天，第四〇二团仍坚守厅头，逐屋争夺，团长赵天民负伤，以后成残。中校团附叶迪负重伤，少校团附王家骏阵亡，营长连长基本上伤亡殆尽，士兵前赴后继，伤亡更为惨重。但到最后仍有部队死守厅头的一角，屹然不动，直到作战的第五夜，才把阵地移交给教导总队接替。

八字桥之第三九八团团长曹振铎负伤后，仍带伤坚持指挥作战。第四〇一团连接第四〇二团右翼，受其影响，曾一度动摇。作战的第三天下午，一时电话中断，我很担心出问题，立即率工兵营向该团增援。当我们接近第四〇一团阵地时，见到该团团长朱志席和零星部队向后转移。当他们看见我亲自率部到前线时，该团立即稳定下来，转危为安，继续激烈地战斗。我军官兵就是在这样的激烈战斗中坚持下来，使敌人的攻势徘徊不前，再衰三竭，这次战斗坚持了四天五夜，才由教导总队（总队长桂永清，这个总队比一个师的实力还强）接替我第六十七师的全部阵地，由他们继续阻击日军进攻。

扼守苏州河上泗江口公路大桥

九日夜间，第六十七师把阵地移交完毕后，于十日凌晨前开向七宝镇休整。部队开到七宝镇，只休息了一天，当夜接到薛岳的命令，限第六十七师务必于十一日到达安亭车站附近，扼守苏州河泗江口公路大桥，掩护全军总退却。

我接到命令时，的确感到部队已经打得七零八落，筋疲力尽，如何完成这一重大任务。当时为了应急，决心把四个团的战斗兵集中编到第三九八团和第三九九团，每团编足两个营，以便投入战斗，归第一九九旅旅长胡琏指挥。而把其余所有的勤杂人员，编为第四〇一团和第四〇二团两团的营底，归旅长杨勃率领，立即开赴后方接领新兵。十一日上午，部队编配调整完毕，即分头行动。

我率第一九九旅实则是四个营的兵力，于十一日傍晚到达安亭火车站附近。在泗江口公路大桥的苏州河北岸占领掩护阵地。此时，公路大桥已由第十九集团军的工兵部队装好炸药，只要一按电钮，便可将公路桥彻底炸毁。当时，安亭以西所有村落房舍，俱已有部队宿营，非常混乱。师部和旅部在一起，都在距离泗江口公路大桥以西相当远的小河边的村落宿营。入暮以后，由东而来，由南而来，向西退却的大军，漫山遍野，争先恐后，如潮涌一般向西急行，部队混乱不堪言状。

师部很快与在济公桥的第十九集团军指挥所架通了电话。我与薛岳总司令通了话，我向薛总司令报告当时情况，告诉他，我师只有四个营的兵力，在这里掩护，我师以东以西都没有联系到掩护部队。薛总司令告诉我，他已命令巫剑雄师在我师右翼担任掩护。于是我派人四出寻找巫剑雄师部，最后，终于找到了，与巫剑雄取得了联系。但是，巫剑雄与所属部队失去了联络，对部队失去了掌握，无法将部队配置于掩护位置，以遂行任务。因而，误了大事。

当日深夜，日军挺进队在泗江口以西十几里的地方，偷渡过苏州河，骚扰和袭击我退却部队，造成了我军更大的混乱，以致有自相践踏等现象。当夜，我正在电话中向薛岳总司令报告情况，突然在电话中听到了枪声，薛总司令在和我讲话时，惊慌失措地中断了电话。当时，我判断集团军总部可能遭到袭击。事后听说，日军的挺进队是夜间由泗江口以西十余里的两棵树渡口，混在退却部队中渡过苏州河，向我混乱的退却部队袭击时，同时也袭击了薛岳总司令的指挥所。在这一情况下，我即转移到泗江口，直接掌握部队，为应付情况的变化。出乎意外的是泗江口公路大桥方面平安无事。快天亮时，退却部队已通过完毕，公路大桥也已由负责的工兵部队炸毁。于是我指挥所部向北进入丘陵地带，经无锡、宜兴、广德、誓节渡、宁国达到皖南山区，进行保卫南京的外围作战。我师在宣城附近与日军相持。

血战罗店

薛祓光[※]

一九三六年上半年，我任国民党第十八军军部中校参谋，军长是罗卓英。当时全军分驻浙江各地，先驻丽水后移驻衢县，曾与航空队配合，进行过一次防空演习，并在浙江沿海各岛屿上设置防空前哨。这对江浙地区来说，可算是八一三抗战的前奏。

八一三淞沪事变时，罗卓英任军事委员会广州行营参谋长，代理行营主任，主任是陈诚。第十八军在广州到韶关一带驻扎，军部驻韶关。时我任第六十七师第二〇一旅参谋主任，师长李树森，旅长蔡炳炎，旅部驻韶关以南的马坝。

八一三开始后，我们第十八军奉命开赴上海外围罗店、嘉定一带。第六十七师第二〇一旅在上海附近的罗店、泥墙圢与日军对峙。在战斗中，日军利用其武器装备的优势，多次出动大批坦克，掩护其步兵向我阵地发起攻击。同时，还派遣他们的所谓"空中王牌"木更津航空队，每次数十架向我阵地来回扫射、轰炸。另外还在他们阵地上空升起观测气球，向我方阵地前后进行纵深侦察，又派出不少橡皮小艇在各小河港汊往返侦察、运输、窜扰。

当时我方军火与装备均远逊于日军，但各级官兵同仇敌忾，斗志十分高昂。为了国家的存亡，他们奋不顾身，浴血奋战。蔡炳炎旅长更是以身作则，经常深入团营前线督战，在激烈的炮火中往往身先士卒，表

※ 作者当时系第十五集团军第十八军第六十七师第二〇一旅参谋主任。

现得十分英勇。约在九月上旬的一个拂晓，蔡旅长不幸中弹阵亡，为国捐躯。由第十四师第八十四团团长杨勃接任旅长，率领全旅官兵与日军激战于罗店、泥墙坼一带。我旅右翼的谢鸿鹄连长，率领全连坚守阵地，冒着敌人的炮火奋勇作战，以致全连牺牲。

几天以后，在一个漆黑的夜晚，我们第六十七师调往北新泾附近的八字桥去接第八十七师的防务。当时，第八十七师已被打得七零八落，我们第二〇一旅接防时，只能在那一带阵地上见缝插针地填补火线，交接两方，很费周折。

数日后，第六十七师又奉命经泥墙坼回罗店作战，我因负伤送往苏州福音医院，后又转往湖南津市第一六三军医院医治疗养。到那里以后，受到地方上的热烈欢迎与殷勤慰问。

为了表彰蔡炳炎旅长与谢鸿鹄连长两位烈士为国牺牲的英勇事迹，当年我曾在阵地上的掩蔽部里，写了一篇《蔡炳炎将军血战罗店救国记》文稿，寄郭沫若先生主编的《救亡日报》。寄出没多久，就收到郭先生寄给我一份《救亡日报》，报上刊出了我的文章，另又附一短笺，勉励我努力抗战并多给该报写战地通信，使我受到很大的鼓舞。此外，我还写过两首《吊谢鸿鹄连长》的白话诗，发表于《阵中日报》。

第十四师杀敌见闻

郭汝瑰[※]

从陆军大学到第十四师

我于一九三五年毕业于国民党陆军大学第十期。尽管我在陆大学习时，由于来自杂牌部队川军，受到歧视，又因我们中央军事政治学校第五期政治科是在武汉毕业的，被认为"思想'左'倾"，调皮捣蛋，但同学们认为我在学术上还有一套，何应钦的侄儿何绍周曾在公开场合多次讲："不管怎样说，郭汝瑰的战术是扎实的。"以后连校长杨杰也说，我这个调皮学员，是能说会道的教官材料，故毕业后留陆大当了教官。

一九三七年陆大同学曾粤汉任第十八军第十四师参谋长，但他愿意带兵，不愿做参谋长，就把我介绍给该师师长霍揆彰，推荐我接替他的参谋长职务，以便他改任该师四十二旅旅长，得到陈诚同意。一九三七年三月，我专程去湖南岳阳与霍揆彰见面。五月，正式调离陆军大学，到第十八军第十四师驻地常德，任该师参谋长。

第十八军是蒋介石的嫡系部队之一，由陈诚掌握，与胡宗南掌握的第一军，汤恩伯掌握的第十三军各成一派。当时国民党军队的师分为整理师、甲种师、乙种师和丙种师，全国共二十个整理师，装备最好。第十八军辖第十一、十四、六十七三个整理师，在国民党军队中具有特殊地位。

※　作者当时系第十五集团军第十八军第十四师参谋长，后为第四十二旅代旅长。

奔向淞沪战场

一九三七年七月初，蒋介石在庐山办军官训练团，我到第十四师任职不到两个月，被派往学习。七七事变后，军官训练团结束，我同全师受训军官兼程返回部队。八月初赶到武汉，得知部队已由常德出发，开赴河北长辛店参战。我们就在武汉等候，然后随部队乘火车北上。谁知到了永年，忽接蒋介石电令："原车南下，开苏州待命。"于是我们转津浦路向苏州急驰。

车到南京，我和师长霍揆彰一同晋谒何应钦。何向我们说："得到情报，日本飞机今天将袭击南京，你们要注意防空。"因此我们入暮才开车赴苏州。

部队到达苏州后，我们前往第三战区顾祝同的指挥所。此时顾的指挥所设在张治中的第九集团军总司令部内，因而又见到了在第九集团军司令部工作的陆大同学参谋处长童元亮、作战科长史说以及方传进、沈蕴存等。经他们介绍，得知第十四师之所以由平汉路方面开至淞沪战场，是由于陈诚任淞沪战场左翼军总司令，要集中使用他的基本部队。

首战罗店

陈诚指挥的左翼军负责防守宝山、杨行、刘行、罗店、嘉定、浏河口、太仓、白茆口、福山地区，以保障张治中的中央集团军的侧背。这是鉴于一九三二年一·二八淞沪抗战时，日军白川大将派兵从浏河口登陆，抄了十九路军后路，迫使十九路军从上海撤退的教训而采取的措施。所以我师一到苏州，即奉命开往常熟，警戒白茆口到江阴一带江面，以防日军登陆。

上海正面是张治中的中央集团军，曾进攻日本驻上海海军陆战队司令部，因防守坚固，未能突入。以后双方陆续增加部队，战争更加激烈。日军向我发起反攻时，中央集团军各师采取街市防御，敌我之间一栋房子一栋房子地争夺。日军进展困难，于是调兵增援。

八月二十三日拂晓，日军在川沙口偷袭登陆，直扑罗店。上午，其先头部队已占罗店。第九集团军总部派两个参谋先后坐汽车前往侦察，均在镇口被日军击伤，一司机被打死。张治中派第十一师由大场北上

（第十一师先到大场，归张指挥），罗卓英派第六十七师由嘉定东来，夺回罗店，然后由该师守罗店。经激烈之战斗，旅长蔡炳炎及团营长多人阵亡，师长李树森被炸伤。罗店失陷，李树森被撤职，以黄维为师长。

在第六十七师与日军战斗中，第十四师奉命增援。当时第十四师辖第四十和四十二两个旅，每旅两个团，第四十旅的第八十团和第四十二旅的第八十四团正防守江岸，因无部队接防，不能下撤，只有第七十九、八十三两个团，由常熟出发，星夜兼程直奔罗店。

第十四师增援部队到达嘉定城后，发现罗店被日军占领，但未继续进攻，第六十七师部队仍在罗店南与敌对峙。霍揆彰同我研究作战方案，我说："我们虽然只有两个团，但右侧方是第六十七师，现在是晚上，敌人不知道我们增援来了，因此可以乘日军立足未稳之时，拿一个团正面进攻，另一个团迂回到敌背后，两团夹攻，叫第六十七师在正面佯攻，定可夺回罗店。"霍对此方案表示赞同，乃命高魁元的第八十三团由西向东正面进攻罗店，阙汉骞的第七十九团迂回包围。第六十七师协同作战，在右侧方佯攻。

高魁元接到命令后，立即带领全体官兵从正面向罗店发起进攻。不料罗店西侧横隔着一条小河，挡住了我军前进的道路，河面上的一座桥早已被敌人轻重机枪火力封锁。第八十三团虽数度向这座桥发起冲击，但因缺乏战斗经验，加之山炮营尚未到达，无炮兵支援，几百名士兵在桥头壮烈牺牲，进攻受挫。

造成失利的另一原因是阙汉骞的第七十九团没有严格执行命令。该团迂回到敌背后时，敌人并未发现他们，但阙没有立即带领所属三个营的兵力向敌人进攻。因罗店背后也有一条小河，他只命令第三营过去，其余两个营原地待命。第三营的士兵找了一些桌子、门板、板凳等搭了一个临时浮桥，因而顺利到达对岸，敌人也未曾发觉。他们一举捣毁了敌人的清水司令部（可能是代号），缴获了大量服装、背包、味精、酱油、正宗酒等。但是正面枪声很激烈，情况不明，不敢前进，于是他们找了一块方圆不到两公里的竹林，隐蔽起来。

第十四师司令部设在嘉定城内，攻打罗店时，师指挥所推进到施相公庙。当战斗打得最激烈的时候，师指挥所接到嘉定城内打来的电话，说陈诚要到前线视察，师长叫我到嘉定去接他。陈诚来到施相公庙后，向师长指示："指挥所太近前线，天明后日本飞机厉害，须乘夜暗撤退下来隐蔽。"所以，他刚走，师长就给正面进攻的第八十三团下达了撤退命令；对迂回敌后的第七十九团因电话叫不通，撤退命令不能下达。师长霍揆彰与副师长凌兆垚下达命令后先走，我则等叫通了第七十九团的电话，下达了撤退命令才离开指挥部，步行了好几里，在一条河边上追上他们，他们在那里等我。

天明前，我们回到嘉定城，打电话问前方情况，知道第八十三团已撤退下来，伤亡了二百多人。第七十九团两个营完整地撤退了下来，只是第三营未撤下。到下午才知道，因第三营未接到撤退命令，在竹林里等待，天刚亮，敌人发现了他们，就用大炮、轻重机枪向他们开火，并用飞机轰炸，丢下了数十枚炸弹，部队迅速撤退。

第三营来到河边，原来临时搭的浮桥本来就不坚固，有些门板、桌子被水冲走，渡河困难，加之敌人在后面追赶，部队一片混乱，有不少士兵被敌人打死，或负伤后掉入河中淹死。第三营营长阵亡，生还者不到半数。

时隔不久，日军从宝山登陆，攻打宝山县城，周岩的第六师苦撑一周，伤亡殆尽，奉命后撤，留姚子青营孤军防守，全营英勇牺牲，至为壮烈①。第六师后撤后，第九十八师在月浦镇南北一线抵抗。

再战南北塘口

由于月浦方面战斗激烈，第十四师奉命将罗店方面的任务交给第十一师和第六十七师，而以其两个旅四个团在顾家角、南塘口、北塘口及以北地区摆成一线，等待前线部队后撤时迎击日军。此时，第四十二旅旅长曾粤汉不愿继续当旅长，师长要副师长去代理，副师长不愿意，师长问我是否愿意接替。我说，为国家打仗，愿意去，于是我和曾对调，曾当师参谋长，我代理四十二旅旅长。

当我率领第十四师第四十二旅在南塘口时，夏楚中的第九十八师正在月浦一线与敌交锋，伤亡甚大，请求军长罗卓英派兵支援。我知道这一情况后，向师长霍揆彰表示愿带全旅或一个团乘日军进攻夏楚中之际，夜袭月浦之敌的右侧背。霍不敢做主，叫我直接请示罗卓英。谁知罗说，你不明白现在是持久抗战，要一线一线地顶，以争取时间。我说以攻为

① 姚子青营属第九十八师，不属第六师。

211

守一样可以争取时间，与持久抗战并不矛盾。罗说，你没有弄清楚上级意图，不准乱动。我的意见未被采纳，只好待在顾家角、南塘口、北塘口一线，准备御敌。

月浦离南塘口、北塘口仅十五里，夏楚中师被敌击溃后，我部成了敌人进攻的目标。九月十三日（阴历八月初九），日军正式向我阵地发起进攻。这一天正是我满三十岁的生日，我开玩笑说，有这样多日本人给我放礼炮祝寿，自感洪福不浅。同时数十架敌机在我阵地上狂轰滥炸。我的指挥所在敌炮射程之内，炮声震耳欲聋，死神时刻在等候着我。一次，一颗炮弹正落在指挥所房屋内爆炸，尘土飞扬，房上的瓦片稀里哗啦掉了下来，我等竟无一人伤亡。敌人总是炮击后就冲锋，我军如顶住了，他们再炮击，然后又冲，战斗异常激烈。每当下级团营长叫顶不住时，或一部溃下来了，我就走出掩蔽部督战。在这种时刻，我急得满头大汗，汗水顺着钢盔边沿流下来，如同下雨一般。

在这次战斗中，我命一个团在正面与敌人作战，另一个团做预备队。若阵地失守，即命一个营进行逆袭，将阵地夺回，但伤亡很大，一个团三次就冲光了。充预备队的第八十四团第一营营长宋一中，带一个营反冲上去，被日军打退，我立即命士兵将宋绑起，要将他枪决，他苦苦哀求。我说，那你就回去恢复阵地，丧失阵地的就是要杀头，没有第二个办法。宋营长想，丧失阵地是死，与敌人作战也是死，不如为国捐躯。他又带领士兵冲回去，果然把阵地夺了回来，仅伤亡四五十人，他不仅没有死，连轻伤也没有。

战局危急之时，第八十四团团长邹煜南力主退却，我不同意，决定与阵地共存亡。于是给师长写信留下遗嘱，大意是，我八千健儿已经牺牲殆尽，敌攻势未衰，前途难卜，若阵地存在，我当生还晋见钧座，如阵地失守，我就死在疆场，身膏野草。他日抗战胜利，你作为名将，乘舰过吴淞口时，如有波涛如山，那就是我来见你了。我有两支钢笔，请给我两个弟弟人各一支，手表一只留给妻子方学兰做纪念。那位团长看了我的遗嘱后无地自容，即返前线，我亦亲临前线督战。

本来阙汉骞旅在我右翼（此时阙已升四十旅旅长），第六十七师胡琏旅在我左翼。连日战斗的结果，阵地已逐渐后移，但旅部仍顶住不退。于是他们二人来到我的掩蔽部，三个旅长共用一个指挥所。

战斗正激烈进行时，一天，第六十七师前线的一个团长给胡琏打电话说："我子弹没有了。"胡回答说："我也没有子弹。"说完就把话筒挂上。我在旁听完后，立即对胡说，这样不行，他借口没有子弹退了下来，你拿他无办法，将来这个账算在谁头上？你赶快打电话给他，说郭旅长的子弹运来了，大家分用，赶快来领！我的子弹确实刚运到，给该团领去后，那个团长把阵地稳住了。从此，胡琏对我很佩服，常常说在那么紧张的情况下，我能想到这些，出乎他意料之外。

这一仗打得十分艰苦，因为当时国民党部队不讲究做工事，战壕挖得不深、不坚固，也很暴露，敌人一眼就能看见。敌人进攻时，首先用炮猛烈轰击一两个小时，我军士兵多数被弹片杀伤，有些缺乏战斗经验的下级军官和士兵，遭到敌人炮火猛烈袭击时，不是往竹林里躲，就是到小山包里去隐藏，这正中敌人诡计，将所有炮火对准竹林、小山包打，我军伤亡很大。这时敌人开始冲锋，我们则用轻重机枪猛打，而敌人的"三七"平射炮是专门对付机关枪的，很快就能直接瞄准我们的机枪，加以轰击。第十四师的一个山炮营共有八门山炮，口径小，射程短，东一炮，西一炮，打得很不解渴。一天晚上，我命山炮营长将八门山炮集中放列，急袭射三分钟，打了一百多发炮弹。敌人迅速用声测，双曲线交汇，很快测出我炮兵阵地所在，几分钟后就进行压制射击。敌大小炮（包括舰炮）一齐向我炮阵地射击，像下了四五分钟的弹雨。幸是夜间，目标不准，我仅伤亡十几个人，山炮无损。从此以后，山炮营再不敢集中射击了。师长知道后对我说："你不要勉强，我们是劣势装备，家伙打烂了，就没有了。"

九月十九日（中秋节），我部接到撤退命令，防务交给第四军。这时我旅八千多人只剩两千多人了，而且多是伤员和炊事员。全旅三十六挺重机枪只有四挺可用，其余概被敌人"三七"平射炮打坏。唯独一个迫击炮连的炮，一门也没有坏，且人员伤亡很少。我问该连张连长是怎么打的？他回答说，我把迫击炮阵地设在一片开阔的棉花地内，对敌打炮时，不用炮架，而用手托起炮筒，连打几炮，就搬到几十米以外再打，敌人拿我没办法。

在这次南北塘口七天七夜战斗中，上海爱国团体组织了许多慰问团前来慰问，其中有宋庆龄、何香凝组织的慰问团，给前线战士送来了白兰地酒和三炮台香烟等物，何香凝还送给我一件毛衣，以后我珍藏很久。亲人的慰问更增添了前线官兵杀敌的勇气和决心。

南翔反击战

我军撤至太仓，经过一个月休整，奉命守南翔。我回任师参谋长，第四十二旅旅长由原第九十八师参谋长罗广文接替。

当我部到南翔时，罗卓英在广德镇指挥。一夜要我去开军事会议。罗卓英说："副总参谋长白崇禧认为专守防御不是办法，主张广西部队到达即行反攻。辞公（陈诚字辞修）要我们研究。"我们研究结果，认为应由南翔到罗店向敌侧面全面反攻，重点保持在广福镇方面。第九十八师师长夏楚中这时已升第七十九军军长仍兼师长，他的部队在广福镇正面。他认为把部队分成几个波，一波冲到指定目标，即构筑工事，第二波又向前冲。如此各波交换向前冲，直到敌炮兵阵地。他想要他的部队作有限目标的近距离攻击。

十月中下旬之交，广西部队六个师，广东部队第六十六军的第一五九、一六〇师上来了，即在南翔东发动反攻（实际是反突击），第九十八师在广福助攻。一夜之间，便垮了下来。两广部队战士确实勇敢，但不熟悉阵地进攻方法，不知压制敌人火力点，只凭血肉之躯猛冲，故伤亡甚大，不得不撤退。这是淞沪战场上三个月战斗中唯一的一次较大的反突击。

先是九月中，我师在南北塘口把防务交给第四军时，该军（军长由吴奇伟兼，后交欧震）第五十九师师长张德能对我说："你们这个仗打笨了，应该进攻。"我说："对。"后来他果然进攻，但攻不动，垮了下来。张德能一垮，上面就说进攻不行，要持久还是死守好。其实并非进攻不对，而是进攻不得法。王耀武师在施相公庙与敌作战时，每日夜袭都可得十支八支步枪，或打死、俘虏个把敌人。而死守，即使第一流部队也只能顶七天。胡宗南第一军守刘行，三天就牺牲殆尽，独西北军王修身部（地方军），因工事坚强，在刘行顶了九天。

我认为十月下旬这次反突击，不仅方法有错误，部署上错误更大。如果不只在南翔以东对敌人的主要突击方向实施反突击，而是保持主要突击于广福前线（两广部队部署在这里），由南翔到罗店全面反攻，敌人侧背到处有弱点，给敌人以一定打击是可能的。事后有人告诉我，原来也准备由广福方面反击，但南翔以东正面坚持不住了，故匆匆忙忙对着敌人主攻方向反击。这是以主力对主力的顶牛，不要说劣势装备对优势装备，即对等装备也会失败的。

青阳港公路桥之战

我们在南翔固守阵地，敌主攻方向是由大场南下，所以第十四师正面战斗并不激烈。

日军在上海作战近三个月，由于我军顽强抵抗，又因港汊纵横，我们利用小河沟一步一步地顶，使他们进展缓慢，于是从我防备最弱的金山卫登陆。张发奎命部队堵塞突破口，终归徒劳，几天之后，日军就占领了松江、青浦，使上海正面作战的几十万军队有被截断之危。蒋介石不得不下达撤退命令，可是我师一直未接到命令。我和较近的第六十六军参谋处长郭永镳（陆大十期同学）通话，问我师是否在撤退之列？他回答说，全部撤退，你们第十四师经青阳港、昆山往下撤。我将撤退命令记录下来，天黑时，全师开始撤退。

敌人占领青浦后，又派出一支小部队夜袭安亭，袭击了薛岳的第十九集团军总司令部。薛岳泅水逃脱，我们撤退过安亭时，正与其相遇，见他冻得缩成一团。霍揆彰忙将自己的大衣脱下给薛岳穿上。薛岳的司令部失守后，安亭起火，公路上十几个师以为日军到此，都横向铁路上乱跑，道路堵塞。幸喜某师有一连来到安亭，命他的部队侧袭安亭之敌，因敌人只是侦察分队，所以很快将其打退，我们所有部队才得以安全后撤。

在此以前，霍揆彰已升任第五十四军军长，但该军只有第十四师一个师，所遗第十四师师长一职由陈烈担任，我仍任师参谋长。次夜，我与陈烈带领部队撤退到青阳港公路桥时，奉命在青阳港组织收容部队的第八十七师要烧毁这座桥。如果桥被破坏，我师的第四十旅以及其他部队的几万人就会无法过河。所以陈烈上前制止，守桥的士兵问，你是谁？不烧桥你能不能负责？陈说我是第十四师师长，我们还有一个旅的人马没有过来。守桥士兵又说，那你打电话给我的上级，看怎么办。陈烈便给在昆山指挥青阳港收容部队的第四军军长吴奇伟打电话，说明情况，并表示愿把师工兵营调来，把炸药安装好，另派一个连驻守青阳港东岸，组成一个桥头堡，尽量掩护我们的人过桥。须炸桥时，一点火就行了。吴表示同意。但是守桥士兵提出，这桥是你们叫不烧的，应由你们负责防守。陈表示同意。

接着，陈烈派工兵营聂营长安装炸药，做好炸桥准备，又派出一个连到青阳港东岸桥头占领阵地，收容部队过桥。一直等了一天一夜，退却部队仍未过完，我师第四十旅也有一部分伤号尚未到达。这时，混在我退却部队中的日军士兵，突然发起冲击，守桥头堡的连队被冲垮了。工兵营聂营长即令炸桥，但因电机点火装置出了毛病，炸药未能引爆，敌人冲过桥来，占领了西岸桥头阵地。本来安装炸药时应准备两套装置，除电机点火外，还要安装导火索点火，作为备用，谁料工兵营聂营长考虑不周，竟酿成如此大错。

公路桥被敌人占领后，我又组织工兵去实行人工爆炸，但我到达前线时敌人炮火非常猛烈，桥头防守更严，我工兵无法接近，致炸桥未遂。以后又命士兵向桥头敌人发起冲锋，虽硬冲多次，均被敌人强烈炮火击退。这时我又命山炮营留下三门山炮及全部弹药，其余撤走。三门山炮同时对准公路桥开炮，持续打了两个多小时，共几百发炮弹，因威力太小，公路桥未被炸断，但阻止了敌人的进攻。敌人见公路桥方面不能进展，次日深夜用几只铁壳船在公路桥下游偷渡，又占领了一个新的据点朝霞村。

为了阻止敌人继续向前推进，我军在朝霞村附近与日军对垒。附近河岸有一个水泥工事，我部二十多名士兵带着机枪进入工事对准朝霞村猛射，给敌人造成很大伤亡。但这种机枪掩体设计太差，工事高出地面一米多，外八字的枪孔完全暴露在敌人火力下，敌人用"三七"平射炮打几发炮弹，工事里的士兵不是炸死就是震死。

我师在青阳港与敌人作战数日，伤亡近七百人，包括七个营长，战斗的激烈程度可以想见。待到战略收容目的已经达到，部队又奉令趁黑夜撤退，经昆山来到苏州。接着又由无锡向西沿太湖到宜兴，再转至广德。刘湘的第七战区部队到达广德后，第十四师再退誓节渡。这时敌人又开始向南京进犯了。

从一九三七年八月十三日至十一月十二日，长达三个月之久的淞沪会战以上海失陷而告终。但在这次战役中，我军在民族大义鼓舞下，不怕牺牲，用血肉之躯阻挡了敌人的海、陆、空联合进攻，给了日本军国主义者以一定的打击，挫败了他们的侵略气焰，这种爱国主义精神是值得赞扬和纪念的。

淞沪战役的得失

蒋介石打算扫荡上海日海军陆战队,赶日军下海,以保江南半壁,出乎意料地把日军侵吞华北、饮马长江的战略目标转移了,减轻了山西方面和平汉路方面的压力,日军到黄河边就不再向前。如日军力量不分散,主力沿平汉路直打汉口,国民政府便无法西迁了。我在陆大任教时,翻阅在北平时陆大的旧战术教案,见日本顾问荻村的战术想定原案,就有此方略。但蒋介石见扫荡不成功,转为消极的专守防御,等待九国公约日内瓦会议,则是愚不可及的。战役指导上又将几十万精锐密集于长江南岸狭长地带,层层设防,作战又不主动灵活,听任日军飞机大炮集中轰击,消极挨打。特别是敌在金山卫登陆后,还只知投入不足之兵力来堵塞突破孔,还企图在松江地区消极防守,而不知急速在青浦、青阳港等地设置收容阵地,在其掩护下,使上海正面部队退守吴福线、锡澄线,进行持久抵抗。

淞沪战役我始终在第一线,深知三个月硬顶硬拼,伤亡虽大,士气并不低落,战斗纪律良好,只要撤下来稍事整理补充,即可再战。唯有大溃退,数日之间精锐丧尽,军纪荡然。如在敌攻占大场时,就有计划地撤退,必不致数十万大军一溃千里。

第十一师同仇敌忾，殊死战斗

林映东※

一九三七年春，第十八军第十一师担任粤汉路护路任务。到八月初，华北日军大举南下，妄图侵占我华中，情况非常紧急。八月九日，我师奉令北上增援华北。将至保定时，日军登陆淞沪，猛攻上海，我师又奉命立即东下。于十八日傍晚到达上海大场郊区，即向宝山方向挺进，在月浦附近与敌遭遇，展开激战。

其时我军第六十七、第十四师亦先后到达浏河以南塘口、广福、陈行、顾家宅之线，与敌人进行非常激烈的战斗。敌海军旗舰"出云"号和其他很多舰船已开进我吴淞口，我军在敌陆海空联合进攻下，伤亡很大。月浦之敌以一部牵制我师正面，其主力绕到我侧背进占罗店。罗店为通宝山、上海、嘉定、松江几条公路的枢纽，极为重要。我师对此改变了部署，以第六十五团和第六十六团进攻罗店，第六十二团协同浏河附近的第六十七师进攻月浦。师长彭善亲临指挥，以劣势装备攻击武器精良的敌人，官兵激于爱国热忱，同仇敌忾，士气极高，勇敢非常，与敌殊死搏斗。我师伤亡很重，全师阵亡营长四人。第六十七师第四〇二团团长李维藩为国捐躯。我是第六十五团第一营营长，亦负轻伤，但我不下火线。我率部抢先占领罗店以南三岔路口和李家集附近的要地，控制了罗店敌军的进出。这一仗虽未夺回罗店、月浦，但敌军遭到严重打击，伤亡累累，不能前进一步，形成了对峙状态。

※ 作者当时系第十五集团军第十八军第十一师营长。

罗店、月浦、浏河以南的敌人为了打通几条公路，消灭我军，侵占上海，不断对我军发起攻击。其战术大同小异，很少变化。在发动攻势之前，总在天蒙蒙亮的时候，以飞机对我阵地狂轰滥炸一阵，再升起气球，指示海军和陆地炮兵作第二次炮击，然后步兵才在坦克掩护下向我阵地进攻。我军制胜的法宝则是利用夜间挖断公路，埋设地雷和集捆手榴弹，设置多种障碍物，纵深配备，埋伏两侧，不断袭击其哨兵，待其战车上来，使之陷入深坑，然后与其车后跟进的步兵拼刺刀，拼手榴弹，拼肉搏。这种歼敌战法，屡试屡效。白天我军则隐蔽起来，其时棉花梗已长得很高，敌人不易发现目标。散开在棉田里的士兵看到成群的敌机来轰炸，不但不害怕，反而说："你看，老鸦又在下蛋了。"但对海军炮击有些顾忌，因为只听隆隆炮声，不知炮弹投落在什么地点。有一次，一发炮弹落在我第三连掩蔽部里，死伤一排预备队，连长被炸得只剩一条腿，惨不忍睹。

罗店、月浦、浏河以南的敌人，想达到预定的目的，经常出动相当兵力攻击我阵地，统被击退，形成了拉锯战。有一次，敌人出动很大兵力，攻击我师正面，在海空军掩护下，来势很凶。我则利用不露头的交通壕隐蔽，待敌接近时，与之肉搏。敌步步进迫，与我军扭打成一团，敌我不分，尸满战壕。顷刻之间，我师八次补充连排长，有的连仅存官兵十余人，但仍坚守，阵地屹然不动。这一战，我团消灭敌人至少有两连，缴获不少枪支弹药，其他各团和友军的收获也大，使敌人不得不承认这一线的中国部队，是中国精锐的部队。同时使敌人所谓三天内占领上海的狂言成为泡影。

十一月五日，敌人迂回进入我杭州湾，在金山卫附近登陆，攻击我军侧背，企图包围上海。我军未能阻止敌军前进，遂逐步撤退。

我师战斗三个多月，四次补充兵员，伤亡营长十八人，连排长大部，士兵不计其数。部队撤至徽州补充整训。我以战功升为中校团附，并授予干城勋章，感到无限光荣，同时也感到惭愧。

第五十一师罗店防御战

邱维达[※]

八一三淞沪会战时，陆军第七十四军第五十一师正集中在陕西南郑、洋县、西乡地区整理补充训练，上级指定为第一期参战部队。

受令开进

第五十一师在积极备战过程中，随时预备整装待发。在待命期间，师司令部工作，也密切注视上海及其他方面敌我动态。

正值淞沪战争战线扩大，战线愈趋紧张之际，陆军第五十一师，于一九三七年八月二十日，接到军委会命令；第五十一师迅速集结宝鸡火车站，使用列车紧急输送，经西安、洛阳、徐州，到达浦口过江转京沪铁路，到达安亭下车，再接受新任务。

部队从陕南开赴上海过程中，也出现一些意外事件。当我部队整装待发时，忽然接到南郑天主教堂请本师营长以上军官赴宴，表示欢送之意。奇怪的是本师驻扎南郑，与天主教堂从未有接触，部队亦无信奉天主教的，但请帖已到，为礼貌亦不能不理。到时我们被请军官都已赴约，该教堂神父、主事们都到大门迎接，礼貌周到，宴席是用法国大菜款待，场面华丽。经交谈我们才知道该教堂是意大利派来的神父。在用餐时，神父们还祈祷祝愿华军胜利归来。表示很拥护华军战胜敌人似的。宴会

※ 作者当时系第十五集团军第七十四军第五十一师第三〇六团团长。

完毕后，神父们请师团长到另外一个小休息室饮茶。在谈话中暴露一些蛛丝马迹，神父们拿出一幅墨索里尼同德国希特勒合影的照片给我们看，并大吹特吹这两位领袖伟大胸怀、伟大抱负等等，事后我们回到部队，就有人向我提出：德、意、日是结为轴心国家，现在我们是去打日本，为什么它还欢送我们上前线？值得注意！这是一个意外。第二个意外是：部队徒步行军抵达宝鸡车站（当时陇海路西端只修到宝鸡），再登列车，但在每一列车开行过程中，都发现列车上空有日本飞机追踪侦察。第三个意外事件：列车经过浦口渡江到下关时，又遭到敌机轰炸，列车是乘轮渡过江，好在夜间灯火管制，目标不明显，炸弹均落在江中，我无损伤。再后一个意外：当本师所乘之列车经过苏州火车站时，补给站在这里换发新兵器、新装备，为办理交接事宜，每列车最少要停留两小时，也遭到敌机轰炸，略有伤亡，连苏州车站房屋均被毁掉。

结合以上四点意外情况，联系起来考虑这个问题，我们怀疑内部有敌方间谍，问题在南郑以及陕南地区，我们提出陕南外国教堂很多，人员复杂，呈请上级通过各种渠道侦察。又经过一年半的时间，部队接到上级通报，汉中天主教堂，是一个潜伏国际间谍组织，查出武器枪支文件以及通信工具人证物证俱在。前事不忘，后事之师。军事保密，何等重要。

参战经过

一九三七年八月二十四日晚，第五十一师各旅团，经过三昼夜紧急列车输送，沿途排除敌机干扰，轰炸障碍，全部按计划抵达安亭车站。人无休息，就接到淞沪战区指挥部的命令：八月二十二日晚，敌第三师团、第十一师，及第八师团之第四旅团、第一师之第一旅团，在川沙口、狮子林、宝山县同时登陆，部队展开后，目标分向宝山、罗店、浏河之线南犯，重点似向罗店通往嘉定公路两侧地区进行攻击，企图威胁战区左翼之侧背。我陈诚部第十一师从二十四日起，对进犯罗店之敌实行反击，尚在激战中。第五十一师的任务是立即出发，星夜以急行军前进，到达嘉定县以后，向罗店我第十一师作战部队切取联系，增援该方面作战，稳定该地区战局。

师长王耀武接到上级作战命令后，即召集本师旅团长在安亭临时指挥所，召开军事会议，授予各旅团任务。经判断从川沙登陆之敌军，总兵力约有三个师团，同时敌利用舰上炮火做掩护，兵力火力均为优势，我参加罗店反击兵力只有一个师，要保守罗店阵地，似难固守。决定以邱维达、程智两个团的兵力，展开为第一线，支援罗店方面作战。部队前进时分两步走，用急行军搜索前进，到达嘉定县稍事整顿，联系友军，第二步加入作战。

我根据师行动方针，命令部队用膳完毕，先派一个搜索队循安亭—嘉定—施相公庙—罗店道搜索前进。我随团先头行进，便于掌握情况。经过三个半小时的急行军，部队已安全到达嘉定县，此时尚未天明，我进入县城想了解一些情况，结果大失所望，全城空无一人，灯火全无，家家户户紧闭门窗，群众都已逃避一空，呈现一派战时紧张气氛。我又登上城墙观察一下，觉得城墙尚坚固，可以临时用作野战工事，此时已经到二十五日拂晓，我命令派一个营利用城垣向罗店方向戒备，其余部队休息两小时，消除疲劳，以利尔后作战。立即派少校团附刘振武向罗店方面联系友军、查明情况迅即回报。又经过两小时，刘团附有报告送回给我说："我沿公路到达施相公庙，即遇上我第十一师一个营长，他讲，一、第十一师昨日反击罗店之敌没有成功，部队伤亡很重，师主力退守施相公庙东西之线，现正在加强防御工事。二、罗店已被敌军占领，仍欲向南进攻。三、希望火速增援。"

我根据刘团附的报告，前方需要部队急速增援，如何增援？我考虑，天明以后，敌机活动频繁，同时川沙口敌舰远射程炮火已能打到嘉定，有的友军在增援中就被打乱，损伤甚重。因此决定：各营从嘉定开赴前线增援，接替第十一师一部分防地时，利用公路两侧排水沟隐蔽前进，官兵一律伪装，不使敌军发现。一律限黄昏以前接替完毕。

二十五日十二时，我已到达施相公庙东南侧顾宅设立指挥所。并到第一线指挥各营增援第一线，陆续进入阵地。午后四时，各营报告都说按计划进入阵地，都很顺利。此时我才松了口气，我认为部队只要第一步站稳脚跟，以后就有办法。

我团接替施相公庙阵地后，考虑如欲对当面罗店之敌立于不败之地，必先吸收上海参战友军一些经验教训。我采取如下措施：

一、巩固阵地：部队有旺盛士气和敌忾同仇热忱，也绝不可以硬拼，上海参战部队伤亡大，一是由于地形平坦，二是与敌硬拼。要维持部队能做长期作战准备，必先构筑好阵地，规定从团指挥所直达第一线，均须构成有掩体的堑壕。交通壕防御体系，限三天完成作业。

二、纵深配备、疏散配置：友军的教训，敌人海军炮与飞机投弹，往往造成我军一个班一个排的损失。故在兵力布置时，采用纵深疏散配置。

三、防空、伪装：在公路两侧阵地，是敌机频繁轰炸目标，必须使用高射机枪构成对空火网，以制止敌机低空干扰。阵地和部队必须伪装。

八月二十九日，我方阵地布置就绪，为欲试探当面罗店之敌的虚实情况，我组织一次夜间强袭行动。使用预备队加强两个连的兵力，由第三营营长胡豪指挥，乘深夜静肃前进，使敌不防之际，一鼓作气冲入罗店南侧阵地，打开一个约二百公尺缺口，对敌阵地内施行猛烈攻击，以各种火力射击，并用刺刀冲杀，敌在睡眠中猝不及防，拿起武器乱射，慌作一团，我因目的已达，待敌以预备队来反击我突击队时，我以机动且战且退，把追击我突击队之敌，引诱到我阵地前二百公尺地带，我发出红色信号，整个阵地守兵，发出最威猛最炽盛火力，歼灭暴露在我阵地前之敌。激战两小时之后，敌军无法立足，也无法前进，正在进退维谷之际，我命令所有轻重兵器，将暴露在我阵前之敌，给以歼灭杀伤。战斗到天明，阵前枪炮声已呈现稀疏状态，敌人被我击溃。我到前沿用望远镜观望，发现阵地前沿击毙敌人甚多，死伤累累。我命令各营连派出小分队清理战场，收拾武器，掩埋尸首。

我团采用夜间突击敌人，初战有所收获，士气大振，把以往之怯敌心理，一扫而光。从此经上级传令表扬以后，上海友邻部队，也纷纷派军官前来观摩吸取经验，我对他们介绍经验说，我们是本着下面两句名言去做的，"先求稳当，次求变化"。没有构筑巩固阵地之前，无把握盲动出击，是毫无把握的。

从九月一日起，日军后续部队陆续向上海战区增援。参加上海作战友军，每个部队都感受压力大，伤亡严重，后备兵员接济不上。有的部队，一个师兵力上战场，到换班时，只剩下一个团的兵力，有的一个团只能编成一个连，其损伤之大，由此可见。上海战场形势，自罗店、吴淞、宝山相继失陷以后，淞沪战场形势，我军与敌军相持在北站—江湾—庙行—蒋王庙—施相公庙—双草墩地带。

淞沪战区作战到九月中旬，根据上级敌情通报所示，已到达上海战区之敌军，计有第一师团、第三师团、第十一师团、第六师团、第八师团、第十六师团，共六个师团，估计总兵力在十万以上，火炮三百余门，坦克二百余辆。敌军并在鸭窝沙高尔夫球场、泗州岛地域，构筑空军着

223

陆场，各种作战飞机已经增到三百余架。说明日本发动对上海进犯，绝非短暂挑衅目的，是与东北、华北整个侵略我国意图相联系的。因此，我参加作战部队，应有充分思想准备。

从九月中旬起，我施相公庙正面之敌，又开始活跃，敌人多次进行试探性进攻，发现我方阵地坚固，一计不成，又想集中陆海空火力，摧毁我防御阵地之后，再使用部队，进行强攻，其目的企图是从罗嘉公路两侧突破我阵地，占领嘉定，以迂回包围我左翼部队，威胁上海战局。我察觉敌之阴谋后，必须加固现有阵地，与敌决战到底。九月三十日，当面之敌发动较大攻势，使用第八师团主力配合台湾派遣军一个联队，先以各种炮火、飞机轰炸，一波又一波不停地进行数小时之久，黄昏以后，展开强大步兵进行攻击，其主要突击方向，仍在公路两侧。此时，我令前线部队，对远距离之敌，不必消耗弹药，沉着等待敌人接近，当敌步兵出现在我步炮兵有效射程内，我发出信号，命令射击，整个阵地前沿形成一道火海，将敌军吞食在火海之中。一直战到天明，战斗告一段落。此役我牺牲营长刘振武，连排长四人，战士三十余人。

九月三十日，友军第七十七师防守之万桥、严宅被敌突破，次日拂晓，敌突破我陆桥、刘家行阵地，经我第五十七师派队逆袭，一度夺回陆桥，阵地未及巩固，敌增援部队反攻，我军向蕴藻浜南岸陈桥、广福、施相公庙、浏河之线转移。

我军转移至新阵地后，敌继续增兵，其番号有第一○二、一○六、一○七、一一四、一一六共五个师团的兵力，另有台湾派遣军一个师团，以上新增援的部队，均已到达上海战场，据估计敌军总兵力，已达到二十万人以上。

十月七日，敌军第三、第九师团向蕴藻浜北岸我第八师正面之黑大、黄定，以及胡宗南部防守之西亦房开始强渡，激战数日，互有伤亡。战至十月十一日，该方面之敌又继续猛攻，并集中火力企图突破我大场阵地，与我军争夺甚为激烈。此时，上级指挥部决定，为恢复蕴藻浜南岸阵地，命令新增援之韦云淞军，由黄港、北侯宅、谈家头附近，向蕴藻浜南岸之敌反攻，以叶馨军由赵家宅向东攻击，以第九十八师由庆福南侧地区向孙家头、张宅之线攻击。并命令原守备之各军师助攻，以策应主攻友军。十九日晚，各部开始攻击，恰遇当面之敌军也同时向我进行攻击，形成了一场大血战。敌我损失重大。二十三日夜，我进攻之部队退至顾宅，大场、走马塘、新泾桥、唐家桥地区。但闸北至庙行方面，及陈行以北各阵地仍无变动。当我军在阵地转移时,敌猛攻大场,二十五日,大场阵地大部被敌炮火摧毁,将我阵地突破。我军因侧背受到威胁,于二十六日向苏州河南岸江桥镇、小南翔之线撤退。

掩护上海总撤退

十月三十日,上海战局有所变化。当面之敌,又在周家宅、姚家宅两处强渡苏州河,占住数要点,我军反攻未奏效。十一月五日到七日,敌后续部队增援,为达到迂回包围我淞沪作战部队之目的,使用日军第六、第十八两个师团,由杭州湾北岸之全公亭、金山嘴登陆。当浦东、枫泾我军奉令夹击登陆之敌,又因联络中断,行动迟缓,未能达到阻击目的,使登陆之敌继续向淞江方面进迫,松江岌岌可危。此时我淞沪战线,侧背受到严重威胁,统帅部决定上海战区全线撤退。

十一月八日下午八时,师长王耀武命令,第三〇六团团长邱维达率领该团为总掩护队,掩护部队安全撤离。我迅速集中全团以急行军向青浦、松江方向前进,阻击杭州湾登陆之敌前进,以掩护部队安全撤退。部队通过京沪铁路时,即遭敌机轰炸。此时我不顾一切干扰,冒轰炸继续前进。九日晨,部队到达青浦以西朱家角镇。此时,得知松江已于八日午为敌占领。我决心以朱家角为据点,一面令部队占领掩护阵地,构筑工事,一面阻击松江方面前进之敌。在敌强我弱之形势下,我只能采取机动防御,以达到掩护部队撤退目的。

九日,尚未发生战斗。十日,从松江向我前进之敌,已接近朱家角我掩护阵地,一经接触,敌发现我兵力单薄,即展开强大兵力向我包围攻击,我以且战且退方式,达到迟滞敌人目的。

十日晚,我团转移到青浦县,此处有城墙可以利用,我团第二营营长尹远之拼力抵抗敌人,不幸阵亡。此时我下令向昆山撤退,行抵距白鹤港尚有五公里时,发现白鹤港已有日军,而且发现通往昆山的公路均有敌军,无法通行。在此无路可退之时,我发现一位军人刚从上海逃跑出来,通过询问,他是友军罗卓英总部的秘书,系上海人,对附近地区均很熟悉。据他说,日军已超越我一日行程,我若要向昆山方向前进,事实上已不可能。他建议我团不如暂留在此地打游击,我可以协助你们。我考虑,我们是国家野战部队,我还负有掩护任务,不能自作主张改变任务。我说你要帮助我的话,请你打听一下,尽可能绕小路向昆山方向转移。于是找来两位本地农民，帮我带路走乡村小道，经过两夜绕小径，有时涉水前进，终于在昆山附近找到师主力部队，我的第一期掩护任务完成使命，以后向南京撤退，第二期掩护任务，交由张灵甫团担任。

浏河口、福山镇、无锡之役

牟龙光[※]

独立第三十四旅的来历

独立第三十四旅的前身是独立第二师，第二次北伐后，被第四集团军总司令唐生智整编。旅长罗启疆，贵州松桃人，其部下官兵亦多贵州人，罗带兵有方，颇得部下信任，从北伐到抗战，转战大江南北。

一九二九年，罗由唐山请假回籍省亲，唐生智批准他带一连人回贵州松桃，在附近各县招兵买马，先成立两团，第一团团长梁轸，第二团团长汪天泽。后由湖北省主席何雪竹保荐，军事委员罗启疆为独立第三十四旅旅长，罗权为副旅长，欧百川为参谋长。一九三二年又成立了一个团（即第七〇二团），到一九三七年参加上海战役时，全旅有第七〇〇、七〇一、七〇二共三个团，加上特务营和干部队，共约六千多人，我任第七〇二团第二营营长。

一开始建立部队，罗启疆就认为将来必与日本打一你死我活的大战，那才不愧为中国军人。因有这种思想基础，所以一听到要调上海抗日，就愿率部做前驱。

参加抗战前情况

一九三七年春，罗启疆旅移驻黔东的铲山、黄坪、镇远、铜仁、松桃诸县清剿，约半年时间。在一九三七年八月初，军事委员会任命罗启疆为湖南常德警备司令，八月十日左右全部集中镇远、王屏、铜仁，陆续向湖南前进，到达常德后，又奉军事委员会命令开赴上海。这时，八一三战役已经开始，与我们一道由贵州出发的第四军、第二十军、第三十六军等部队都先后到达汉口，候船东下。我们独立第三十四旅，乘轮船三日到达镇江，换乘火车到南翔，下车后即向浏河口挺进。到达浏河口以后，罗启疆去南京军政部领来轻重机枪、迫击炮及掷弹筒等武器，增强了部队的战斗力。接着奉战区副司令长官顾祝同的命令，独立第三十四旅归第五十八师师长俞济时指挥，代号为启疆部。

浏河口之役

我们到达阵地时，见江面上停有日本兵舰十余艘，敌正由浏河口登陆。我第四军、第四十三军连续向登陆之敌发起冲锋三五次，结果伤亡三分之二，退到第二线整理补充。在一星期后，他们得到四川的三个保安团的补充，人数约三千来人，又重上阵地参加战斗。

我旅三个团布防在浏河口附近，日本兵舰上的系留气球从早至晚飘在天空，飞机穿梭往来，有时投弹，有时低空扫射，在非湖荡地区，还有敌坦克纵横逞虐。我部无高射武器和战防炮，显然处于劣势，但浏河口一带，沟渠纵横，敌人的机械化部队行动不便。我们在浏河口附近还有一部分钢筋水泥工事可以利用，欧百川、张鹏霄等团长素有作战经验，每日在战壕里检查指挥，坚守阵地。其间日本兵舰上的陆战部队，曾在其炮兵的猛烈射击掩护下，以橡皮船十余只，每只载五六人，七八人不等，带着轻武器强行登陆，靠岸时被我轻重武器猛烈射击，伤亡较大，又退回兵舰。其步兵亦曾数次攻击我第七〇〇团阵地，遭到我迫击炮射击，有较大的伤亡而退回。近一个月时间内，大小战斗十余次，敌人未能得逞，我方阵亡连长鲁建帮及排长十余人，士兵伤亡三四百人。

记得一九三七年十一月十一日，将要对罗店发起攻击前数小时，第五十八师俞济时部有个中校营长童刚，贵州水城人，与我是军校六期同学，私交甚好，他部的防线与我衔接。他找到我的胞弟牟恩光，带他来我的营部见我，近十年不见，握手言欢十分愉快。我留他吃饭，还未吃完，他的副营长就打电话来要他回去，说部队将在夜间出去。当他与我握别时，还对我说："打胜仗回来再见。"不料第二日清晨，他的副营长来电话告诉我，昨夜攻击时，童营长头部中弹伤亡，我闻之潸然泪下，可见这一战役十分激烈，伤亡是惨重的。

这一役，据探报，来犯敌人是近卫师团及板垣师团，都是日本的王牌军，装备优良，兵员充足。我军由陈诚及薛岳指挥，副司令长官是顾祝同，以十一个师的兵力向敌人猛攻，一夜之间，伤亡过半。日军登陆成功，企图利用京杭国道以机械化部队威胁南京，并截断上海战场上我军的退路。十一月十二日，我军开始总退却。

罗店大场之役，独立第三十四旅的任务是严守浏河口，不使敌人登陆。在总撤退的时候，第一夜撤到常熟，因天雨路滑，行到常熟以西的村落即宿营。是夜十时左右，第七○二团奉罗启疆命令星夜向福山前进，次晨八时左右到达。原守军是河南部队第七十六师之王凌云旅，已与日军作战三日，该旅两个团同时参加战斗，也是劣势装备，伤团长一人，阵亡营连长及排长十余人。

福山镇之役

第七○二团行动时，我率第二营为前卫，行动比较迅速，拂晓时即到福山镇街口，王凌云旅长已在等候我们。他告诉我，前昨两天，日军几次进攻，都被我们击退，要我趁江上有雾，迅速去接阵地，避免被敌发现目标。这时江面确实有雾，看不见日方兵舰，我一个营接他两个团的阵地，兵力十分单薄，十分担心敌人来攻。到十时左右，杨在荣的第三营和胡章国的第一营随欧再川团长到达，欧团长立即下令调整阵地，全团除留两个连做预备队外，其余都进入阵地。此时，我与副营长廖大宸到长江边检查了工事，我与廖大宸站在工事上一看，计有十五六艘日本兵舰停在长江中心，水兵正在冲洗兵舰，廖大宸副营长精于射击，命中率高，瞄准一枪，就将一名水兵打掉在江里。日兵舰十余艘都向我营阵地发射，为时近两小时。福山镇到江边有二三华里的树林，被打成光秃秃树干。日本兵舰上的水兵在炮火掩护下，以橡皮船近十艘载着五六十名士兵携带着轻武器强行登陆，我营官兵沉着地以轻重机枪猛烈射击，打死日军十余人，伤二三十人，其余都撤回兵舰。可惜我无炮兵，无力对日本兵舰进行轰射。

我第七〇〇团和七〇一团在常熟附近阻敌西进，计时三日。以友军大部向南京方向撤退，留有一部在常州、无锡一带据守，此时旅部及第七〇〇团、七〇一团及直属队奉命沿铁路向无锡撤退，第七〇二团奉令放弃福山，撤至江阴，然后由江阴撤至无锡。福山之役到此结束。

无锡之役

独立第三十四旅三个团在半天内先后到达无锡市后，奉命在无锡东北角的日本纱厂附近至北门一带构筑工事，右翼是第四军，正南面为第四十四军，城内是第一师。他们的装备较我们好，但负责防御的阵地线是一样长。我们官兵都有一股爱国热忱和奋勇杀敌的勇气，没有命令绝不擅自撤退，奉命攻击就匍匐接近敌人阵地，以手榴弹投入敌人阵地，然后全面发起冲锋。

拂晓，我军到达阵地之前，日军就占领了日本纱厂，但不到百人。罗启疆旅长命令我营负责攻下纱厂。我第八连看到纱厂右侧有棵大树，就选派一个班长带三个士兵背起两挺轻机枪爬上大树，猛烈向日军扫射，使敌受到很大损失，不得不往后撤退。我第八连立即冲入纱厂，并击退了敌人的反扑。中午，敌机临空投弹，又有大炮猛烈射击，无锡城内外居民纷纷往惠山逃避，又遭敌机低空扫射，一时尸体遍野。官兵亲见此惨状，无不义愤填膺，更增加了杀敌的决心。

下午三时，敌机轰炸，炮兵射击更烈，官兵伤亡二十余人，仍坚持固守。入暮后，有秩序地撤退出来。下午五时左右，各部向西转移，俞济时师长命第四二〇团掩护全军撤退。当我军开始撤退时，敌坦克十余辆沿马路向西冲来，十余架敌机狂轰滥炸，罗启疆旅长命第七〇一团第二营连长牟恩光率士兵五人，以手榴弹炸毁敌坦克三辆，牟恩光头部中弹，光荣牺牲。过了约一个小时，敌坦克十辆又沿马路冲来，快要截断我军退路，守在城内的第一师，立即派出一排士兵，用轻机枪作掩护，十多人每人提十多枚手榴弹，匍匐出城，沿着居民住宅的墙脚，接近敌坦克，几十枚手榴弹齐响，敌坦克四辆顷刻翻倒在地。这时，我部正退到通向惠山的路口边，敌坦克虽倒在地上，仍由射击孔射击，我部行动受阻，当即派排长周天柱钻进民房楼上，将一些铺板和垫床稻草投在坦克上，再投十枚黄磷弹，草及木板燃烧起来，敌坦克像火中乌龟，不开枪了，我部才安全退出无锡。是夜，我旅宿营太湖附近的直塘镇，无锡战役到此结束。

广德泗安改编

独立第三十四旅所辖三个团，在上海战役虽没有参加大场、罗店的攻击，而是守浏河口，但在福山镇、无锡两役打得有声有色，完成了上级下达的任务。第一师及第五十八师均向最高统帅部反映了独立第三十四旅是有战斗力的部队，因而军事委员会奖大洋二万元。俞济时向蒋介石报告说，罗启疆部只要补充些兵员，换些新的装备，会是一支强有力的部队。罗启疆也向陈诚、顾祝同建议将部队整编，补充他部，他另外到贵州东部成立一个师，三个月就可以招集万人。陈、顾向军委建议，得到批准，于是罗启疆部经宜兴、溧阳、句容、芜湖等地，到达安徽省的广德、泗安，将部队编成一个加强团，以张鹏霄为团长，陈式沄、胡章国、黄挺生为营长，赵伯雄为副团长，沈伯诚为团附，士兵二千余人，补充第四军第九十师。

罗启疆选了一部分老部下，由副旅长欧百川率领经南昌到湖南转贵州松桃，另外成立部队。罗启疆本人到武汉会见蒋介石，蒋当面嘉奖，委罗为预备第十三师师长，欧百川为副师长，王德安为参谋长。罗启疆自一九二九年在贵州一手组成独立第三十四旅，至上海战役结束，换来一个预备第十三师。

第七十七师参战简记

赵可夫※

八一三淞沪战争开始时，我在陆军第七十七师第四六一团任团长。该师系两旅四团制，下属第二三〇旅与第二三一旅，分辖第四五九、四六〇、四六一、四六二团，师长罗霖。

第七十七师原在江西宜春、万载、铜鼓各县担任"围剿"红军任务。一九三六年秋移驻湖北当阳整训。一九三七年九月，奉命东开，九月十七日深夜在南翔车站下车，到蕴藻浜、罗店接防，与第九十八师第二九二旅第五八三团相接。接防后积极修筑工事，与敌人朝夕拼战。当地土质疏松，又以连日阴雨，加固工事不易。敌军炮火轰击时，往往将工事击毁或全崩塌，甚至将工事内部执勤官兵震压致死。此外，敌方凭借高楼大树用望远镜窥测，我军地势低下，容易命中，即使一人单独行动，也常受敌炮连续轰击。白天行动极感困难。

九月三十日至十月一日，敌人向万桥、严宅我第四五九团猛烈攻击，阵地被突破，全师死伤颇大，被迫转移。我团从九月十八日拂晓进入阵地起，到十月一日撤离，共计参战十四天，三个营长阵亡二人，十五名连长仅一人未伤亡，全团士兵健存者仅五百七十三人，可见战斗之激烈。回忆当年，凄然泪下，先烈为国增光，为世界和平争做贡献的壮烈事迹，将永远留在人们心中。

※ 作者当时系第十五集团军第七十七师第四六一团团长。

第 五 章
第十七军团（中央军）

血溅杨行、刘行记

王应尊[※]

一九三七年春季，胡宗南的第一军由甘肃开至江苏徐州，接替了郑洞国第二师在徐州和归德一带的防务。八一三上海抗战爆发前夕，派第一师第一旅旅长刘超寰辖第一、第二两个团接替黄杰税警总团在海州连云港和赣榆一带的防务。各部队一面担任防务，一面积极备战。

七月十七日，蒋介石在庐山发表谈话，确定了准备抗战的方针。在上述情况下，胡宗南部的第一军官兵抗日热情沸腾，积极要求开往前线，与日本侵略军决一死战。

开办抗日将校训练班

胡宗南在徐州将第一军团营长以上干部集中学习，专门派第七十八师参谋长吴允周到陆军大学聘请了几位教官，如伍培英、曾继远等前来训练班讲授抗日战术。在学习中，以日军为作战对象，根据我军的实际情况，研究对敌战术，特别是对付海陆空联合作战的敌人的战术。在学习中，不但学习战术原理和图上作业，而且频繁地进行了大规模陆空联合作战的实兵演习，提高将校的指挥能力和士兵的作战能力。这一学习一直进行到八一三淞沪会战前夕，胡宗南从庐山开会回来才结束。在学习班毕业典礼上，胡宗南传达了庐山会议的情况和对日本侵略军进行坚

※　作者当时系第十七军团第一军第一师第一旅第一团团长。

决抵抗的决定，希望大家迅速回部队，鼓励全体官兵积极完成一切作战准备，随时准备开往前线，参加抗日救国战争。这实际上是对全军下了动员令，学员们受到极大的鼓舞，感到无比的高兴。

第一军同仇敌忾，奋勇抗敌

所谓胡宗南部，实际上在当时就是第一军，胡宗南任军长。该军辖两个师，第一师（师长李铁军）和第七十八师（师长李文），每师两个旅，每旅两个团。当时我是第一师第一旅第一团团长。

一九三七年八月底，八一三淞沪会战打得十分激烈时，第一军奉命从防地用火车输送到上海附近的昆山和南翔一带。由于日本空军白天不断空袭，我军活动异常困难，只能利用夜间行动。九月初，始陆续到达刘行、杨行一带。原来的任务是增援在宝山作战的第六师。当我团到达刘行附近时，宝山已经失守，第六师残余官兵被日本空军低空追逐扫射，溃不成军。我因无法前进，当即就地占领阵地，阻击日军，以掩护我军主力的到达。在这种情况下，全军奉命担任杨行、蕴藻浜和纪家桥之线防御，与右翼罗卓英的第十八军取得联系。各部队利用黄昏和夜间到达指定地点，连夜构筑工事。

翌日拂晓，日军先是用空军轮番侦察和轰炸，又以黄浦江的军舰猛烈炮击，接着以步兵进攻。日军虽是陆海空联合作战，火力比我强大，但我军官兵具有同仇敌忾，不怕牺牲，誓与阵地共存亡的决心。战斗不断发展，形成了艰苦的阵地战，几乎每一阵地都经过反复的争夺，使日军付出巨大的代价。但我军由于防地狭窄，又无既设工事，而日军陆海空的联合作战，特别是黄浦江敌舰的炮火对我军的威胁太大，经过几昼夜的激烈战斗，我军第一师和第七十八师遭受了重大伤亡。据我所知，仅第一师李铁军部即伤第一旅旅长刘超寰和我二人，第二团团长杨杰和第四团团长李友梅二人阵亡，营长以下军官和士兵伤亡约达百分之八十。第七十八师官兵的伤亡基本上与第一师差不多，严映皋就是当时第七十八师仅存的一个老营长，后来提升为团长的。

根据这种情况，为了减轻日本海军的威胁，我军奉命撤到刘行、顾家宅和罗店之线，继续作战。战线虽然后撤了一些，但仍没有脱离日海军火力的威胁。随着战争的激烈进行，我军的伤亡日益增加，战斗力大减，继续坚持下去显然是有很大困难的，于是由陶峙岳的第八师接替了我军防务。第一军开到昆山附近进行第一次补充。在补充的同时，胡宗南部奉命扩编为第十七军团，胡宗南任军团长，所属部队除原第一军两个师外，增加了陶峙岳的第八师，共三个师。

勠力同心，浴血抗战

在昆山附近整补和扩编以后，即奉命到蕴藻浜、陈行、大场之线。这次战斗较前更加激烈，经过几天的战斗，全军官兵伤亡竟达百分之八十以上。这次战斗，因为吸取了前次的经验教训，重要指挥官伤亡比较少些，团长阵亡二人，文于一就是这次负伤的。但营连长以下的干部所剩无几，士兵更不用说。后由广西部队接防（事后听说广西部队接防后，打了三天就打光了），第一军又调至黄渡附近进行第二次补充。这两次补充，官兵的素质比较好，都是从后方未参战部队中自愿要求上前方抗日的官兵中调来的。因此，补充之后，不仅能作战，而且都很勇敢，很快恢复了部队的元气，增强了部队的战斗力。例如贾亦斌就是第十军组成的参战营的营长，整营补充到第一军的。这个营官兵非常勇敢坚强，给敌以重创，贾亦斌负伤不下火线受到表扬，后调为旅参谋主任。这是胡宗南集团在上海抗战中之所以能够从九月上旬一直坚持到全面撤退的主要原因。

十月中旬第一军又调至苏州河南岸继续作战，担任南纪家桥，北新泾之线的防守任务。这次作战没有前几次激烈，伤亡也不太严重，一直坚持到十一月初，由于日军从金山卫登陆，严重地威胁到我军侧背，不得已我军从上海全线撤退，胡宗南第十七军团奉命经南京转到汉口。

自告奋勇参加淞沪会战

贾亦斌[※]

　　八一三淞沪会战爆发不久，正在湖北荆州整训的原国民党第十军（军长徐源泉）第四十一师（师长丁治磐），奉命抽调一个团增援上海前线的作战部队。九月初，这个团开到上海后，编为第一军第一师第二旅第四团，军长胡宗南，第一师师长李铁军，第二旅旅长严明，第四团团长先是李友梅，后是刘楚人。我当时任该团第一营少校营长。这个团的官兵大都是自告奋勇前去参战的。

　　我们到达上海之前，第一军在刘行、杨行一带与日军展开激烈战斗，伤亡很大。我们从荆州坐轮船到南京，又由南京乘火车赶到上海附近的南翔。敌机轰炸刚过，南翔车站弥漫着火光、硝烟，变成了一片废墟。我们都非常愤怒，在刘团长的带领下，连夜步行赶到了刘行、蕴藻浜一带，接替了赵家楼的防务。天刚亮，日军就升起了装有仪器的气球对我阵地进行观察，把机枪架在屋顶和树上向我们扫射。我带着刘光前营附和一名传令兵到阵地前沿侦察。我正举着望远镜向前瞭望，日军发现了，立即打来了一阵炮火，传令兵当场被炸死，刘营附负重伤。我的帽子被气浪掀掉，上身军服被炮弹片炸破，头部负伤，鲜血不停地流了下来，一时昏倒在战壕里。当时不少人还以为我被打死了。苏醒过来后，我继续带领全营官兵坚守原阵地，打退了日军的进攻。

　　我们在这个阵地上坚守了二十多天，与日军展开了阵地战。上海

　　※　作者当时系第十七军团第一军第一师第二旅第四团第一营营长。

的地下水位很高，挖不多深就冒出水来，上海人民给我们送来了许多有钢板面的木板子，派上了大用场。见到我们在阵地上无法烧饭，又送来了许多饼干等食物，使我们深受感动。那些日子，白天日军放出气球监视我们的一举一动，我们成了日军海陆空军的活靶子，天上飞机狂炸，水上黄浦江面的军舰乱轰，陆上步炮兵不断发起强大攻势，每天我营都有许多官兵牺牲在阵地上，连尸体也运不下来。白天难以活动，我就晚上带着官兵爬进战壕，搬开官兵的尸体，腾出地方，连夜抢修战壕，以便第二天继续与日军对抗。我对官兵们说："弟兄们，要趁着夜晚，赶快挖好战壕。我们胜利了，这就是我们民族的复兴地；如果我们牺牲了，也是为自己准备好坟墓。"大家都抱有必死的决心。

尽管我们同日军相距仅几十米，日军却一直无法突破我们的阵地，就朝着我们挖战壕，不断接近我们阵地。我们就用绑腿带子把手榴弹捆成一束一束向日军战壕投去，阻止了日军的进攻。二十多天下来，我营原来四百多人只剩下一百多人了。旅长严明曾电话问我需不需要部队增援，我回答说："我们还顶得住，增援别的部队吧。"严明对别人说："这个贾营长，受伤不下火线，部队伤亡很大，不仅不要求增援，当我们想要给他增援时，他也不要，真是个怪人。"

十月下旬，第一军第一师退守苏州河南岸，我营奉命守北新泾。当时，这个小镇几乎被炸平了，苏州河上的一座公路桥也被炸断。我们营的防务就在这座桥附近，沿苏州河南岸构筑工事，阻止日军渡河。我的营部设在河岸附近上海保安司令蔡孟坚留下的防空洞里。为了有效地阻击日军，尽量减少我方伤亡，我指挥官兵沿河岸挖掘战壕，深于河平面掏出射击孔，我们的人荫蔽在里边，对岸日军难以发现。我们刚布置完毕，对岸的日军抓来了两个老百姓从断桥的那头向我方走来，试探我们这边的虚实。我严令官兵不要射击，使我阵地没有暴露。当日军乘汽艇、木船开始渡河，起初我们也不射击，当他们渡到河中间，我们的机枪、步枪一齐开火，把日军打得人仰马翻。由于双方短兵相接，日军的飞机无法轰炸，大炮不能射击，其优势无法发挥，几次渡河都是这样被我们打退的。有一天，我们侧翼的上海税警总团的一位副团长到我营阵地联系和参观。我从小防空洞里出来接待他，正说着话，日军飞机前来轰炸，炸弹破片炸伤了我的右腿，我仍坚持带伤指挥作战。在这期间，我们从报上看到了平型关大捷的消息，深受鼓舞，进一步坚定了抗战到底的决心。

十一月一日，日军从我营友邻部队阵地附近强渡过苏州河。五日，日军又在杭州湾北金山卫登陆，我军的侧背受到严重威胁，于十二日开始从上海全线撤退。刘楚人团长向我们传达了李铁军师长的命令，要我们营到黄渡附近的一个村庄集合。我们找了一夜也没找到这个村子，天快亮了，才赶到虹桥附近上海到青浦的公路上。几十万国民党军队和难民挤在这条路上，潮水般地向前涌流。住在虹桥附近别墅里的外国人，从窗户里伸出脑袋，做着各种嘴脸，我真是愧恨交加，抬不起头来，带领部队继续前进。

天刚亮，一架日军飞机飞到我们头上狂轰滥炸。离我不远的一个孕妇，身上背着一个孩子，怀里抱着一个孩子，而且挑着一副担子，一头还装着一个孩子，非常吃力地向前奔逃着。一架飞机向她及周围的一堆人俯冲下来，我连忙喊她赶紧趴下，话音未落，一颗炸弹已在她身边爆炸，她和四个孩子都被炸死，她腹部被炸开，腹腔里的胎儿还在不停地蠕动，血流满地，真是惨不忍睹，至今想起，尤为痛心。

当天晚上，我们到达了方家窑附近。我营奉刘团长的命令掩护部队撤退。在方家窑附近的一条河上有座公路桥，我方工兵在桥上埋下了许多地雷，目的是阻止日军追击，哪知我军很多部队尚未撤完，这一举动竟成了我们自己的灾难。我们营只剩下八九十人了，重机枪在撤退时，是把枪身与支架拆开背运的，人一被冲散，枪身与支架也就分了家。其他武器也都残缺不全。刘团长命令我们坚守到第二天天明，等大部队撤完我们再撤。

那天夜里，炮兵第十四团开到了河对面。这个团是当时国民党唯一的用德国大炮装备起来的、拥有口径十五厘米的现代化的重炮团。团长彭孟缉听说桥上埋下了地雷，大炮无法通过，在对岸痛哭失声，对我说："中国就只这个像样的炮团，怎么办呀！"我听了也很痛心，但也想不出挽救的办法，眼看他们忍痛把大炮全都推进河里去了。当炮兵们小心翼翼地走到桥上，刚走不远就踏上了地雷，很多人被炸死了。

我们营坚守到第二天早晨，完成了掩护大部队撤退的任务。我们撤到了青浦县城，看到地方保安团在那里防守。但刚进城就听到对面响起了一阵枪声。我察觉出这是日军的枪声，为了稳住军心，就说："我们走错了，马上向后转进！"与日军脱离了接触。随后，我们经过苏州、无锡，在镇江渡口，直至到了江苏六合县，才赶上了第一军第一师的大部队，并在那里进行了整编。由于作战有功，旅长严明力保我当上了第二旅中校参谋主任。之后，我随着部队出发，经安徽、河南，到陕西潼关守备黄河去了。

与蕴藻浜阵地共存亡

严映皋※

蕴藻浜的反攻战

八一三淞沪战争爆发时，我是第一军第七十八师第四六七团第二营营长。第一军原驻在徐州一带，此时奉命开赴上海。京沪路上，沿途车站老百姓自发组织的慰劳队，为我们担送茶水，亲如家人，使我官兵受到极大鼓舞。八月二十三日到达刘行附近。第二天，营长以上的军官到刘行至杨行间及刘行至罗店间侦察地形。第七十八师（师长李文）自刘行东南沿蕴藻浜南岸部署兵力，构筑工事，威胁敌人侧翼，因而敌人集中海陆空力量，向蕴藻浜南岸我军进攻。守卫在该地区的部队是第四六八团第一营（团长谢义锋、营长戴介楠），同敌人激战两天，伤亡很大，纪家桥、杨宅、老宅等地均被敌人攻陷。

八月三十日午后三点钟，师部命令第四六七团（团长许良玉）反攻纪家桥，团部命令我第二营和第三营（营长高维华）夺回被占领的阵地，晚上八时开始行动，第二营攻纪家桥、杨宅等地，第三营攻老宅。当时情况紧急，我即召集连排长交代任务，第四连攻杨宅，第五连攻纪家桥，第六连和机枪连为预备队。并规定在夜间作战不准有声响，不准有火光，接近敌人时投手榴弹，用大刀消灭敌人。晚上八点钟我营开始行动，秘密接近敌人。当时第五连搜索班一到敌人警戒线，即将敌哨兵一刀劈死，

※ 作者当时系第十七军团第一军第七十八师第四六七团第二营营长。

全连冲进纪家桥村内，投手榴弹，用大刀砍，敌人措手不及，仓皇逃跑。第四连攻到杨宅，敌据屋顽抗，我第五连迅向杨宅侧后攻击，敌人前后遭我攻击，慌张逃退，我收复了原来阵地。

进攻老宅的第三营还没有接近村边，就大声喊杀，暴露了目标，敌人集中火力射击，伤亡很多，垮了下来。到晚上十一点钟，再次发动进攻，敌人火力更猛，仍未成功。营长高维华亲率第八、九两连向敌冲锋，敌人炮弹如暴雨般打来，营长阵亡。

凌晨三点钟，团部来电话，要第二营同第三营在天亮前撤到钟宅。第二营掩护第三营先撤，等第二营撤到指定地点，天已大亮。次日上午七点钟，敌海军炮火集中轰击我第四六六团（团长文于一）阵地，硝烟蔽空，但该团官兵不畏艰险，不怕牺牲，同敌人作殊死战斗，使日军为之震惊。下午六时，师部命令，为了避免无谓伤亡，脱离敌海军炮火威胁，撤到顾家宅附近待命。

敌后续部队源源不断调来，向蕴藻浜以南以西扩张。我第四六六和第四六八两个团在顾家宅东南地区阻敌进犯，第四六七团开赴昆山整补。九月中旬又调回顾家宅一带待命。

上宅争夺战

九月中旬，敌人攻占蕴藻浜东端及南岸我军阵地以后，不断向南向西扩张，推进到顾家宅东南，攻我第四六八团第三营（营长唐明德）上宅紫藤海一线防御阵地。经过两天激战，上宅一半房屋被敌人攻占，此时，上级命第二营去增援。第二天下雨，没有发生大的战斗。第三天清晨，敌人攻我右翼据点，十点钟左右，据点被敌攻占，危及第二营主阵地，情况十分危险。我命第四连反攻，以很大的代价夺回了据点。

第四天上午八时，敌人在其炮火掩护下，再次攻我第二营据点，被我军击退。下午一时许，第二营主阵地和据点之间的交通壕被敌攻占，主阵地和据点我军都向交通壕投手榴弹，激战了半个小时，将大部分敌军消灭在交通壕内。此后几天中，敌人向我进攻都未得逞。于是敌军就用飞机炸、大炮轰，整个战场终日炮火连天。

第六天上午，发现敌人在杨行上空放出一个系留气球，我们的工事和我们的行动被看得清清楚楚。因此，我们吃饭，补充弹药，运送伤员，都要等天黑才能进行。就在这天上午，敌人凭借气球引导，用重炮在我阵地周围整整轰了一天。

第七天，敌机对我轰炸，弹落在竹林里，没引起大的火灾。这次战斗，我们第二、第三两个营伤亡百分之七十以上。下午七时，第八师（师长陶峙岳）接替防务，我团开到黄渡整补。

塘北宅激战

艰苦的拉锯战打了一个多月，日军的兵力逐渐增加到十二个师团，另有近百艘军舰和几百架飞机配合，对我军压力很大。我军放弃罗店后，敌人企图切断京沪线，把我军包围在上海西郊苏州河北岸，然后一举歼灭。九月底，敌人从大悟寺过蕴藻浜向守卫在塘北宅、赵家角一线的税警团进攻，该团同敌人激战两昼夜，伤亡惨重，于是由第四六七团接防。第三营（营长张炎）接塘北宅，第一营（营长周发进）接塘西宅，第二营为预备队，位于丁家桥。

第二天上午，敌人在炮火掩护下，向我塘西宅、塘北宅、北赵家角等地进攻，被我军击退。下午又来进攻，炮火更加猛烈，我军伤亡很大，第一营营长周发进阵亡，塘西宅被敌占领。我派第五连前去增援，不到十分钟全体阵亡，北赵家角也陷入敌手，致使塘北宅三面受敌。防守该地的第三营顶住了敌人的连续进攻，但活着的已没几个人了。团部命第二营去接第三营防务，在第二营未到达防地之前，有四五十名日军，手持太阳旗大模大样地向已是一片废墟的塘北宅前进，这时我工事内只剩下一个山西兵，他毫不退缩，瞄准敌人连打五枪，敌人一时摸不清虚实，退回去了，等我营赶到，日军已退走。这个士兵告诉我刚才发生的情况，我对他说："你立了大功，是了不起的战斗英雄！"并把我们的慰劳袋给他，表示慰劳，后来这个士兵也在战斗中牺牲了。为了保卫祖国，抗击日军，官兵们的士气旺盛，像这类事是不少的。

一个多月的作战，我们摸清了敌人的一些规律。敌人每次进攻时，总是集中大量炮火杀伤我们，然后用步兵来占领，很少同我军进行白刃战。敌人飞机与气球的侦察和监视，使我们活动很困难。下雨时敌机活动较少，官兵们才能吃顿安全饭。

上海是河网地带，海拔低，挖一公尺的战壕就有半公尺的水，士兵身上手上沾满泥土，连枪机都打不开。敌人是飞机大炮，我军全靠大刀、手榴弹，部队就吃亏挨打。

那些天中，敌人还是以大量大炮轰击我交通线，妄图使我伤员下不去，给养、弹药和增援部队上不来。在这种情况下，上海各人民团体和大、中学生组织的战地服务团，冒着敌人的炮火，奋不顾身地进行支前工作。他们不仅捐募了大量物资，还收容医治了许多伤员。在战火中，许多青年学生光荣地为国捐躯。

敌人为了包围上海，消灭我军，对大场、塘北宅这些主要目标攻击越来越猛烈。我营接防塘北宅的第二天，天一亮，就发现敌人在我阵地前沿筑起了一道工事，构成很大的威胁。这天敌攻势猛烈，我工事大部被摧毁，我把前进阵地的部队撤到主阵地继续战斗，但后面交通为敌火力控制，给养、弹药补充不上来，形势十分不利。团部即命我营撤到丁家桥，并把第四六五团一个营拨归我指挥。又调来第三师的两个连，加强战斗力，在丁家宅北面与塘北宅之间构筑两个前进阵地。

第二天上午，敌人向丁家宅前、后、左、右四面炮击，多数官兵震得耳聋失听。六七十家老百姓的房屋全部被毁，大片竹林化为灰烬。下午敌机六架轮流轰炸扫射，阵地内士兵被炸得血肉横飞。在交通壕掩蔽的预备队遭敌机轰炸，沟墙倒塌，几百人被压死在沟内。

下午八点钟，翁照垣的广西部队来接替我们的防务，我团开到黄渡整补。

沪西撤退

十一月五日，敌人从金山卫登陆，威胁我军背后，于是我方全线撤退。在苏州河以北的部队沿铁路线西撤，苏州河以南部队自沪青公路撤退。沪青公路上有两座桥，部队才过了一半，工兵就将桥炸毁，只能过人，炮过不去，路被阻塞，队伍越集越多，天一亮十几架敌机扫射轰炸，队伍被炸散，直到南京才被收容。

第七十八师血战蕴藻浜

李日基※

　　抗战开始前，胡宗南是第一军军长，只有两个师，即第一师和第七十八师。一九三七年初，第一军由陇东开到陕西咸阳、武功等县整训补充。这时我是第七十八师第四六七团第三营营长。不久，第七十八师开到商丘附近。七七事变发生，我营正在夏邑县训练，大约是九月，第一军在徐州九里山营房集中，这时我已升任本团副团长，部队乘火车向上海输送。

　　我团在黑夜到达南翔，利用夜幕掩护，向吴淞、刘行、顾家屯前进。在陈家行南边占领阵地，准备迎击日本侵略军。这时宝山已经沦陷。第二天，阻止了敌先头部队的进攻。过了两天，乘夜后撤到蕴藻浜北岸一个大村庄，团部位置于老宅，阵地右翼和中央面向东，左翼向北，形成钩形守势。天明后，第三营毕营长被敌机扫射阵亡，该营一部分阵地在团部前面的一个村庄，被敌侵占。团长徐保不采纳意见，坚持要马上反攻夺回失守的村庄，结果，第二营反攻不成，伤亡一半以上。原因是我们没有炮兵支援，敌人利用房屋和村庄周围的水壕做障碍，等到我军接近到两百米后才开始射击，以致我军进退两难，许多重伤兵无法抢救。经过一星期左右的战斗，全团伤亡三分之二以上。在友军接防后，第七十八师撤到昆山县补充，补充我团的是江西省保安团的两个营。

　　过了几天，又奉命开到郁公庙附近去接替第八师防地，旋又改变命

　　※　作者当时系第十七军团第一军第七十八师第四六七团第三营营长。

令，开到罗店附近，对由浏河偷渡之敌作战。由于战斗激烈，第三营已三易营长，新任营长姓易，他也在一次战斗中阵亡，丢了前沿阵地。正好我去该营防地，带着一排人，力战夺回阵地，我也负了轻伤。二营许营长带领全营坚持战斗，伤亡很大，只剩百多人。我建议准他撤到后面的村庄，团长不听，过了一天敌人进攻，全营牺牲。

又过了几天，部队转移到苏州河南岸八字桥附近防守。这时敌步兵并没有猛攻，伤亡全是敌海陆军炮弹以及飞机炸弹所致。大约守了一个星期，由于日军由金山卫登陆，占领了松江县并向青浦县挺进，我上海郊区守军有被包围全歼的危险。被迫全线撤退。虹桥飞机场附近，由上海到青浦仅有一条公路，但事先已经挖断，只搭一块木板供单人通行，夜里撤退部队因此被阻，部队一拥挤秩序就混乱，一混乱谁也掌握不住队伍。第二天在青浦县西北，看到胡宗南也带了几个人，几乎成了光杆司令。

青浦到苏州一带，水渠很多很深，桥很少，就是有桥也多被敌机炸坏，不能过人，全靠泅渡，不会游泳的即被淹死，胡宗南亲信的小同乡第一师特别党部书记沈上述就是这样淹死的。撤退的部队一直到苏州才陆续收容。我军在上海的战斗就此结束。

这里必须指出，老百姓和士兵没有一个怕死的，记得第八连因伤亡一天就换了三个连长，尽管排连长伤亡殆尽，武器不如敌人，士兵照样坚持战斗，轻伤不下火线的何止千百。据兵站统计，在整个上海战役期间，平均每天要收容伤兵一万名，绝大多数都是被枪弹、炸弹碎片杀伤。原因是地下水位高，挖一二尺深的掩体，很快就变成一个小水井，加之又无钢盔，全身暴露在地面上，而造成这样多的伤亡。另一个原因是，战役布局不当，只盯着正面敌人的进攻，没有注意敌人迂回包围。在战略上的错误是希望九国会议制止日军的进攻，因此把所有能作战的部队全部用到上海第一线，后面没有兵力占领事先构筑的福（山）嘉（兴）线的国防阵地，掩护部队撤退，以致溃不成军，最后连防守南京也没有力量。

第八师在蕴藻浜的日日夜夜

陶峙岳※

一九三七年七七事变时，我任国民党陆军第八师师长，正在庐山军官训练团受训。闻卢沟桥战讯，我即赶回陕西防地，准备参加保卫祖国的战争。我少年从军，原也有一点抱负和理想，可是自离开保定军官学校踏入社会之后，长期处在内战烽火之中，实非所愿，思想上十分迷惘和苦闷；西安事变和平解决，国共两党再次携手合作，抗日民族统一战线终于形成，这对我是一个很大的鼓舞。

我每想到日本军国主义者践踏东北数省，复入侵中原，杀我同胞，焚我庐舍，掠我资源，激愤之情不能自已。回到部队后，经常以明代抗倭名将戚继光的大无畏精神教育和鼓舞官兵。当时士气振奋，真是闻鸡起舞，枕戈待旦，无不以先赴战场杀敌为快。

不久，我师由凤翔开赴安阳，准备北上抗日。旋以淞沪战局吃紧，复奉令南下增援上海。部队经过南京那天，正是九一八事变纪念日，到处有青年男女在作抗日宣传，群情甚为激愤。我师官兵也沿途高唱抗日救亡歌曲，歌声此起彼落，气壮山河。

部队于当晚乘京沪火车赴上海，十九日下午到达南翔车站，随即接蕴藻浜友军之防，归胡宗南指挥。当时，官兵求战心切。我乃派出两支小部队，摸黑对敌人滩头阵地进行偷袭。敌人猝不及防，被我迅速攻克一据点，尽歼守敌，并缴获机、步枪十几支和弹药装备等。旗开得胜，

大家非常高兴，但区区小胜只是未来大战的序幕，艰苦的战斗还在后头，我们也有思想准备，不敢盲目乐观。

次日，敌即挟海空优势，首先对我阵地狂轰滥炸，然后以步兵轮番进攻。我军凭借工事，奋勇还击。官兵有必死之志，轻伤者多不肯下火线，稍事包扎，继续坚持战斗。这一天，从早到晚，打退了敌人多次进犯，给敌人以重创，我军亦颇有伤亡。

这时，整个淞沪战线均处在激烈争夺的相持态势。敌我双方不断增兵，敌人势在必得，我军志在死守。我知道任何局部的挫折，都会牵动全局，我们必须与阵地共存亡。无论官兵，思想上只有国家民族，个人安危均已置之度外。因此，在敌强我弱的情况下，我们在蕴藻浜与敌人周旋了二十一个日夜，阵地安如磐石。部队每天处在战火硝烟之中，休息和进餐只有在战斗的间隙里进行。战斗之频繁激烈为前所未见。我们由于缺乏空军和重武器，除偶然夜袭外，主要是防御，以免消耗实力。后来有人问我，在当时那种艰苦的条件下，怎么能坚守二十一个日夜的？我说："就是两个字，'死守'。"

二十一个日夜的战斗，敌我双方都付出了重大代价。十月十日，我师奉命撤下火线时，除后勤人员外，战斗兵员仅剩下七百多人。胡宗南看见我，颇为满意地说："想不到你们几杆破枪，还打得这样不错！"

这话从何说起呢？原来，第八师是北伐初期一支湘军改编的，不是蒋介石的嫡系。虽然长期受着蒋介石的指挥，却老是遭到排斥和歧视，除发给仅够维持官兵生活的薪饷外，从来不补充武器装备，任其自生自灭。这支部队开到上海战场时，使用的还是二十年代的汉阳枪以及各色杂牌枪支，根本没有重武器。以这样一支劣势装备的部队，要与拥有海军优势、装备精良、训练有素的敌军交锋，其困难是可想而知的。我与副师长向超中、参谋长骆斌等估计敌我情况，深知这一仗很难打，我们唯一的优势，是具有民族自尊心和爱国心的高昂的士气。我师能在顽敌猛攻下坚守二十一天，不仅出于胡宗南预料之外，也是我们自己所始料不及的。这是第八师广大官兵用鲜血换来的结果。回首当年，不胜感慨，对于那些为国牺牲的英雄们，我永远不能忘怀。

回顾淞沪之战，在蕴藻浜一线，也和上海其他战线一样，得到不少男女爱国青年的热情支持。他们补部队后勤之不足，不顾生命危险，为部队送茶送饭送食品，为部队救护和抬送伤员，为部队输送弹药。他们同仇敌忾，不辞辛劳，日夜出入于炮火纷飞的战场，给官兵增添了杀敌的勇气。

第八师撤下战场，初至昆山休整，后淞沪全线转移，我部复撤往芜湖对岸之裕溪口。到裕溪口后，部队由参谋长骆斌率领，沿津浦线经河南转赴湖北钟祥。我与参谋处长陶晋初率基干回湖南招募补充新兵。这次援沪之役就此结束。

以我当时的地位，不可能知道国民党最高当局的军事决策，但深悉上海是港湾交错的地带，无险可守，而国防工事也修建在苏州一线，说明蒋介石原来并不准备在上海决战。据传，后来他所以把全国军队的精华大部投入淞沪战场，主要是考虑上海是一个国际观瞻所系的大城市，企图显示一下军事实力。争取时间，以期英美进行干预，或给我国以更多的支持。初未料徒然付出了巨大的代价，损伤了国家元气，给后来的抗日军事带来了更大的困难。

车运上海参战记

罗文浪※

笔者当年曾参加上海之战，但为时不长，所见不广，然对京沪杭民众之有力支援，军民团结，将士用命，全国一致抗日的中华民族精神印象很深。现就回忆所及，加以记述，聊存史实。

参战前的准备

上海战争开始之初，第三战区战斗序列为三个集团军，第八集团军总司令张发奎，第九集团军总司令张治中，第十集团军总司令刘建绪。第八、第九两集团军均在上海前线，第十集团军则驻杭州虎跑，任东海沿岸要地的防守。

第十集团军为原第四路军总指挥部改制，所属部队有第十五师（师长王东原）、第十六师（师长彭松龄）、第十九师（师长李觉）、第六十二师（师长钟光仁，后为陶柳）、第六十三师（师长陈光中）等五个陆军师（其中第十六师已于第一期调整），并指挥东海部分舰队和闽浙团队。九月上旬第十六师、第十五师先后调上海参与战斗。笔者所在部队为第十九师，系丙种编制，是两旅四团制。第五十五旅旅长唐伯寅、副旅长汤固，参谋长黄聚杰（后调保安团长，参谋长职务由我以少校参谋代理），第一〇九团团长刘湘辅，第一一〇团团长邬乐知。第五十七旅旅长

※ 作者当时系第十七军团第十九师第五十五旅代理参谋长。

庄文枢，第一一三团团长秦庆武，第一一四团团长周昆源。八月中旬，由浙江平阳开永嘉，旋开鄞县。下旬，第五十五旅开海门，配属海军炮艇任台州湾海峡防守。

九月上旬，奉第十集团军电令，为使各部了解上海战场敌我情况，以第十九师参谋长宋英仲为团长，指调各师旅幕僚及各团校级军官组成第十集团军战地参观团，赴上海第一线参观学习。九月十六日，参观团由杭州到苏州，因京沪铁路军运繁忙，在旅社候车，目击苏州人民支援抗敌工作印象颇深。苏州距上海火线不到百公里，但人心稳定，以文化界为骨干组成的各界抗敌后援会，做了许多宣传鼓动和后勤支援工作。在候车期间，我与同事陆君在苏州图书馆曾邂逅中国基督教青年会总干事刘良模，他见青年军官在阅读进步刊物《生活》，十分赞许，为我们二人拍照，投寄《抗战画报》予以宣传，这也说明文化界知名人士对抗战官兵的支持。特别是苏州的男女青年、学生，对参战军队热情送茶送水，给将士以莫大的鼓舞。

九月十八日参观团由苏州去上海时，在车站突遭日机临空轰炸。我方既无空军拦截，又无对空射击部队，任凭敌机逞凶，投下重磅炸弹十余枚，弹坑如小池，估计重量在五百磅以上。所乘列车因路轨受损停开。参观团于次日去沪，先到第八集团军总部，请求介绍到第一线参观。因前线战况紧张，未能如愿，改由总部介绍到某部参谋处，听战况介绍。所谈不外某部如何死守阵地，与敌军争夺要地和一些官兵壮烈牺牲事迹。对参观团所要求的敌军惯用战术和作战特点、我军采取什么对策、某一战役的经验教训和总结，都未涉及，我们这次参观学习的目的，没有完全达到。

在上海约三天，归途经昆山，参观该处及其附近的半永久性国防工事。这是中国政府与日军签订《淞沪停战协定》后，在太仓昆山之线，花了大量物资人力构筑的淞沪第二线阵地。掩蔽部均系水泥钢骨结构，外面以草皮被覆伪装，惜偏重隐蔽，轻重火器掩体一般射界狭小。最大缺点是掩体内均无炮架枪座，又无交通壕连接，如临时掘壕，则火力点完全暴露，此实负责计划者之疏忽。参观团回杭州总部，第十九师已奉令开上海参战，交代海防后向杭州集中。总部令参观团成员在杭州等候部队到达后各归原部。

由杭州车运上海

　　约在九月底，第十九师交防后，陆续开来杭州，因上海战场吃紧，不待全师集中，即令第五十五旅旅长唐伯寅率第一一〇团为先头部队，由沪杭甬铁路经嘉兴改乘苏嘉铁路到苏州转上海。由杭至苏行车正常，到苏州后就发生困难。京沪铁路为南京通上海战场主要运兵和补给线，前线后运伤兵很多，车皮缺乏，通道拥塞。在苏州车站经一昼夜坐催，始得铁皮车二十辆、客车二辆，以装载旅部和一个步兵团确实困难，官兵拥挤，无法休息。以后几次停车疏散，都要手攀高车帮上下，行动迟缓。列车刚到唯亭，即被阻等候伤兵车，一停几小时得不到开车信号。我空军没有掌握制空权，列车只能晚间开行，如晨四点不能开出，即须停开，人马下车，将车辆分散，以待次日黄昏后组装。我旅限期到达，不敢擅自停留。用电话向长官部请示，得参谋长指示："部队下车休息，次日黄昏续行。不得再有延误。"次晚由唯亭开往正仪，又不能前进。午夜向长官部报告，参谋长亦不敢做主，叫醒已入睡的顾副长官请示，准许再停。在正仪候车两天，于晚十二时到达南翔。我先下车联系驻地，在车站碰到一军官，他知是第十九师部队，即将通报一件交我签收后匆匆出站。通报封面写："第十九师指挥官收。"内有便条一纸："奉副司令长官电话谕：第十九师先头部队到达南翔后，即时开赴大场，归胡军团长区处，并须派员先与胡军团联系。"末署驻南翔联络参谋高玉珑。通报很笼统，旅长嘱我向高询问，在车站内外遍找不见，估计此君已等候几天，一旦交差，便轻松而去了。我军官兵多系三湘子弟，初到上海，地形不熟，友军情况不明，只知南翔距大场三十华里。三秋风雨，道路泥泞，估计徒步行军须天明始可达到。旅长令第一一〇团向目的地前进。交涉到一辆运伤兵汽车，他、副旅长和我先去大场联系。上车后，见司机为十八九岁少女，身着黄色棉军大衣，初以为是交辎兵团女兵，交谈始知是上海市童子军义务协助接运第一线伤兵的。沿途所见汽车均系童子军驾驶。这些青少年冒生命危险到第一线直接运伤兵的义勇行为，对官兵产生很大影响，纷纷谈论受国家供养的现役军人，值此民族危亡之际，若不能奋力杀敌，真有愧于这些热血青年。

　　车行约一小时，到一残垣败瓦之处，司机停车说已到大场。我们原以为大场重地，也会如南翔有驻军宪警，可是眼前一片漆黑，全镇为敌炮火击毁，无一栋完整房屋。大场是酱园集中地，被毁酱缸散发一股浓烈刺鼻气味。沿途遇到一些查线兵和轻伤兵，都不知胡军团所在，或因战场保密，纵有知者亦不肯告知。几经往返，才找到一查线所，班长是湖南人，乡音乡情近，比较亲切，问知为第三十六师第一〇八旅查线所。通过电话，由第一〇八旅彭戢光旅长电话报宋希濂师长，请示胡宗南军团长，转来要我第十九师先头部队在大场以北集结的指示。拂晓，第一一〇团到达，无房住宿，官兵隐蔽于棉花田里，枵腹终日等待黄昏后饮食。旅部商得彭旅长同意，与他同住一小屋内。

苏州距南翔不过七十公里，长官部如对京沪铁路运输情况有所了解，令部队沿铁路夜行军，两天可以到达。现用铁路运输，费去四天四夜，既增加铁路负担，也影响其他方面的输送，费时误事，实在失算。特别是人员装备几次上上下下，增加官兵体力的消耗，也影响了今后战斗力的发挥。

战斗概况

十月七日前后，第十九师全师到达大场附近，师部与兵站联系，才正式得到粮弹补给。第五十五旅率第一〇九、一一〇两个团，集结大场以北，蕴藻浜以南，真（如）太（仓）公路东侧，在第三十六师后面为三线控置部队。第一线沿蕴藻浜南岸守军为税警总团第一旅；税警总团直后为第三十六师。税警总团原属财政部，第三十六师为第一期调整师，这两支部队武器装备远较第十九师为优，官兵素质亦较好。第十九师是湖南省主席兼第四路总指挥何键的基本部队，北伐时属国民革命军第八军，曾首先攻占汉阳，以后东征，进军安徽颇著战绩。虽然历史久，官兵具备实战经验，但武器装备落后，不但没有钢盔，连雨衣都没有，官长打伞，士兵戴斗笠，当时颇受中央军的轻视。官兵受到奚落，内心愤愤不平，大都怀着"及锋而试"的思想，让战功来改变友军的轻视态度。

日军利用上海港发挥其海军优势，加以步炮协同，在阵地后，设置高空系留气球，上坐观测军官整天监视，对我阵地方圆数十里内，发现目标，即以电话指示炮兵射击，或召来飞机轰炸，给我军很大威胁。白天我军除第一线守兵固守阵地外，后方部队均疏散隐蔽，以减少损失。上海近郊无山可倚托，亦无草木可隐蔽，小河小港纵横交错，部队运动困难。官兵白天伏棉田，夜晚始饮食。日军轻型战斗轰炸机三架编队，整天轮番轰射。我军受德、意防空教育，禁止步兵射击飞机，任令敌机低飞轰射，更助长了敌机气焰，影响了我军士气。这种消极防空一直延续到抗战后期，得盟军空军支援后才有所改变，实属最大的失策。

自十月八日（或九日）第五十五旅两个团作为控置部队，距第一线蕴藻浜不过数华里，白天可闻双方枪炮声。我方重炮兵排列在公路上，做一次连射数发后，迅速转移他处，名曰"游动炮兵群"。因为敌军炮火占优势，测量器材精密，能从我军夜间发射炮火测出准确位置，即用强大炮火进行压制。我方采用游动炮兵方法，可避免或减少损失。这也是劣势装备对付强敌的特殊战法之一。

十一日，旅部官员突然听到真太公路上紧密的机枪、步炮声，见到税警总团守兵沿公路向南溃退，日军紧紧尾追。因事由仓促，第三十六师没能及时展开进入阵地，公路上我方的游动炮兵也来不及后撤，重炮和弹药车都遗弃在原阵地上，炮手和弹药兵无力抵抗，随步兵后退。眼见日军大队向真如国际无线电台方向突进，这时唐旅长接到邬团长书面报告敌情，并请示行动，乃口头命令迅向突入之敌侧击，支援友军。当我随唐旅长驰赴第一〇九团，令其向敌出击时，刘湘辅团长已指挥全团各就隐蔽位置，以十几路纵队高喊杀声，向日军侧背出击。官兵几天伏卧在棉田里，遭受敌机轰炸不能还击，又受中央友军轻视，一股愤怒之气，一齐迸发出来，变成杀敌意志，一千五百多斗士，人人奋勇，个个争先，以排山倒海之势，向入侵之敌猛冲猛打。日军正以主力向纵深突入，扩张战果，后续部队也跟随深入，满以为可以一举攻占真如电台。突然遭我大部队侧击，以为中我埋伏，一时慌乱，纷纷向来路溃逃。刘团长率部乘胜追击，直抵蕴藻浜南岸，日军以橡皮艇渡河逃脱。税警总团亦收容所部并动用预备队赶到，占领原守阵地，与北岸之敌对峙，炮兵团官兵也回原阵地调整部署。由于刘团长出击迅速，日军逃窜时来不及拖走和破坏我大炮，因此我炮兵阵地虽一度失陷，但火炮弹药均未受损失，还缴获了一些敌军来不及撤走的大炮。友军对刘团的迅速支援深表感谢。特别是彭戢光旅长在我旅反击战斗刚结束，即用电话向宋希濂师长报告，宋师长盛赞第十九师部队当机立断，主动支援友军恢复阵地的战斗精神，彭戢光旅长在电话中高喊："今天要不是十九师的部队出击得快，后果很难设想，这种战斗精神师长要报请上边嘉奖。"不久，即传来胡军团长电令："第十九师部队当机立断，主动支援友军恢复阵地，应予传令嘉奖。"这是我师到上海前线第一次取得的胜利，对士气鼓舞很大，也给以后的战斗树立了信心。

由于阵地狭隘无回旋余地，倚河消极防御，只能是被动挨打。防守蕴藻浜的税警总团在敌空军优势炮火轰击和步兵强攻下，战力逐次消耗，特别是中下级干部伤亡大，阵地到处呈现弱点，河防于十六日前后被敌突破，守兵奉令撤至大场附近休整。第二线的第三十六师部队占领阵地，掩护税警总团撤下后，即与进犯之敌展开激战。第十九师奉令在第三十六师后，横贯真太公路东西之钱宅、湖里宅、黑大王宅区郭家牌楼之线占领阵地，构筑工事。长官部强调纵深配备，防敌深入突进，一个师的战斗正面不过两公里多，虽然阵地坚固，但前后重叠密集，在敌军优势炮火轰击下，增大了伤亡。上海近郊地下水位高，掘进不到一米，水涌出无法排除，官兵日夜处于泥水之中。在战斗时，有些班长老兵不愿待在泥水壕沟里，常爬伏壕口射击敌人，目标暴露，更加增大伤亡。阵地无可供筑掩体和掩蔽部之树木，掩体无坚固支撑，抗力甚小，若被敌弹击中，官兵压在下面，不死即伤。虽然环境如此艰苦，补给又不能及时送到，但是官兵在保家卫国的精神支持下，从无怨言，更无逃亡，一心以杀敌守土为荣，表现出中华儿女的英雄气概。虽然在战术上战斗上发挥最大效用，阻止了敌人的长驱直入，但是战略上的失误，逐次消耗有生力量，终不能达到挽回战局的目的。第三十六师在既设阵地上与敌展开战斗，虽装备优良，官兵效命，但阵地多处为敌军突破，形成犬牙交错，指挥联系均受影响。约一周左右，在第十九师的掩护下，转移到阵地后休整补充，以备再战。

第十九师在第三十六师撤出后，即与进犯之敌展开激烈战斗。全师装备虽陈旧，但老兵宿将战斗经验丰富，斗志旺盛，若作运动战则为所长，但现任阵地防守，甚感装备不足。第十九师当时每连只配轻机枪六挺，重机枪半为汉阳兵工厂造老三十节式，步枪除了口径均为七点九毫米外，老汉阳造、湖南民生工厂自造都有，可说是五花八门。枪炮钢质差，零件缺，故障时生，不能利用既设阵地，发扬火力杀伤敌人于中距离以外之战术优势。所恃者官兵必死的决心，手榴弹的显威。战斗两三天，中下级官长和班长伤亡大，特别是营长一级，如肖蔚云、范锡连等数人重伤转院，严重地减少了战斗力。日军开战之初所部均为现役，官兵素质好，武器精，在空军重炮掩护下，甘愿为日本军阀卖命，以所谓"武士道精神"，更加疯狂残暴，每攻击一点，一日之间冲锋不下一二十次。如此艰苦战斗约近一星期，人员伤亡过半，有的连仅存二三十人，但阵地仍须保持不被突破。正当这困难时刻，从湖南开来了部分保安团队以补充第十九师。湖南省保安部队当时有二十四个团，装备武器虽较陆军师团差，但是湖南省主席何键赖以保卫地方的一支可靠力量，团营长大多为第三十五军旧部，连排班长均在湖南陆军干部学校受过严格军事训练。在战争全面爆发之初，已由当时保安处长刘膺古编成一个军，开赴前线作战，其余各团先后向第四路军参加上海抗战的第十五、十六、十九各师补充，有力地支援了前线。

我师得到补充后，继续抗击顽敌。大约在中旬以后，我第五十七旅第一一三团郭家牌楼宅阵地工事为敌炮火摧毁无遗，阵地一度失陷。团长秦庆武收集残部，乘黑夜夺回阵地，所余官兵不足两排。阵地被敌摧毁，但仍利用弹坑固守待援。此时师旅预备队已用尽，无力支援。次日拂晓后，在优势敌人反复猛冲之下，秦团长与所部官兵全部壮烈牺牲，写下了抗战史上可歌可泣的光荣一页。秦庆武湖南浏阳人，出身行伍，以战功历升至上校团长，每战身先士卒，以勇将见称，平日爱惜士兵，经济公开，深得部下爱戴，战场殉职，闻者无不惋惜。

第十九师到上海战场时，是两旅四团，开战不久，师长李觉晋升为第七十军军长仍兼师长，但无部队编入建制。全师在阵地支撑约十余日，第五十七旅旅长庄文枢负伤转院。到十月二十五日，敌军突破真太公路，二十六日攻陷大场，守军第十八师师长朱耀华自杀。

敌第十军团柳川平助率领第六、第十八、第一一四师团在金山卫附近登陆，防守杭州湾北岸近海之第六十二师被敌击溃，金山卫陷于敌手，上海战场右侧背受到威胁。长官部于十一月八日下令全线后退，占领第二线既设阵地太仓、昆山南北之线，阻止敌军深入。各部队在上海近郊苦战三月，多数师在阵地上几次补充，有作战经验的中下级干部伤亡很多。当时防守阵地前后重叠，尚能维系，一旦被迫仓促后撤，各级指挥官难于掌握。上海至昆山百余华里，从火线撤下已很混乱，到昆山时，当地军政机关大多撤离，粮弹补给无着。许多部队虽找到国防工事位置，但找不到钥匙不得其门而入，只得在掩体外临时挖掘战壕，防区广，军队乱，在昆山第二线阵地战斗不到两天，又向苏州撤退。

第十九师由上海撤下后，官兵伤亡四分之三，将余部编成一个团归第一一〇团团长邬乐知指挥，转至浙江富阳附近继续战斗。

第 六 章

第二十一集团军（中央军）

寸土不让，尺地必争

沈　治[※]

卢沟桥事变时，我是桂军第七军第十九师第五十六团团长。淞沪战役前夕，白崇禧飞赴南京，决定广西部队照中央编制改换番号，将原来一师三团改为一师两旅四团，第七军第十九师改称第一七〇师，师长徐启明，下辖第五〇八、五一一两旅。调罗活为第五〇八旅旅长，旅辖两团，原第五十五团改称第一〇一五团，团长黎式谷，原第五十六团改称为第一〇一六团，我任团长。当时桂军的装备相当完善，每团约一千五百人，大多数是老兵，班长以上都久经训练并参加多次战役，乃广西的精锐部队，战斗力很强。

我所在的第一〇一六团原驻广西宜山，奉命北上抗敌，由宜山步行到全县，沿途都由各县征调民夫，搬运行李辎重。过了全县，辎重由船运至衡阳，部队仍徒步前进。到衡阳后，乘粤汉铁路火车继续北上。沿途所经各地，群众都组织了慰问团，男女青年学生到车上热烈慰问，与各官兵亲切握手，赠送鲜花、罐头、水果、饼干、香烟等慰劳品，官兵颇受感动。有些士兵说："我当兵十多年，内战打了几十仗，都是自己人打自己人，实在没有意思。现在打日本侵略者，保卫国家，这是我们最大的光荣，我们一定要痛痛快快地打，把敌人赶出去！"从这些事情来说，当时的民气士气都很激昂，因此沿途虽受敌机轰炸骚扰，士兵中无一贪生怕死的。

※　作者当时系第二十一集团军第一七〇师第五〇八旅第一〇一六团团长。

　　部队经徐州到海州，在连云港构筑工事，约半个多月，即奉调到上海参战。我团是先头部队，于十月十一日到达上海，归胡宗南指挥。我见了胡宗南，他说："桂军打仗，冲锋很勇猛，但无持久力。现在对日作战，敌人火力占优势，我们不能单凭勇气，必须在白天少活动，利用夜间修补、加强工事，才能减少损伤，持久与敌周旋。"并告诉我，守张华浜的部队打得很好，两个月来阵地很少失守，他们的作战方法是在阵地前面派遣战斗群，用少数兵力固守据点，待敌人突破据点向我阵地攻击时，就容易将敌击退。他鼓励了我几句，即将我团拨归第一师李铁军指挥。当我团到达前线时，我军阵地和敌阵地接近，中间地带狭窄，已不能派出战斗群作据点固守，只好按阵地作出部署。

　　我由胡宗南指挥所回团后，即召集全团官长讲话，要求各部特别注意做工事。当晚由军部派人带我们向洛阳桥前线出发，夜间二时到达洛阳桥前第一师指挥所，见了师长李铁军。李对我说明前线一般情况，并告诉我，敌人开始攻击必先用炮火和飞机轰炸，然后步兵攻击。我们必须在敌人用火力攻击时，尽力隐蔽，减少损伤，注意监视敌人行动。敌步兵攻击时，即以火力加以歼灭，万一阵地被敌占领，必须乘敌立足未稳，即时反攻，夺回阵地。还说，你们刚来参战，准备暂不使用你们，让你们见习几天，随即由师部派人带我团到达前线。

　　当时上海市郊所有村庄都被敌机炸毁，断墙颓垣，无一间完整房屋。我团到达指定位置（距洛阳桥约五六里，小地名已记不起），即分班利用坍倒房屋的木梁木柱架设掩体，上覆泥土，星夜工作，天明前全团进入掩蔽部休息。

　　敌机整天在上空盘旋，每天从上午五时左右，直至下午八时。晚九时以后才是我军活动时间，调动部队、煮饭、烧茶都在夜间进行。

　　第二天，我在村外视察敌人活动情况，敌机一发现我后方部队目标，即轮回俯冲投弹。我炮兵威力微弱，射击时被敌军发现，即在上空投下黑布带，敌人炮火集中向这回击，我炮兵遂被压制。我在上海作战前后十天，只在第二天中午见我军飞机五架飞到前线上空，当时所有敌机均升空迎击，我机在高空周旋了几转，就飞走了，此外只于夜间听闻我机飞到黄浦江面攻击敌舰。上海战场的制空权完全操在敌手，炮兵也完全受制于敌。

　　我到前线的第二天（约是十月十三日）上午十时，接李师长电话，说湘军某处（忘其名，作战地图上有记载）阵地被敌人突破，命我派兵两连即刻增援，夺回原阵地。我接电话后，即派第三营第八、九两连，由营附率领，向该阵地攻击前进。中午后，据该连派人回报，与敌激战约一小时，已将敌人击退，夺回阵地，九连连长负伤，士兵伤亡十余人。下午四时，湘军部队仍派人接防，我团官兵撤回待命。

次日下午，第二十一集团军总司令廖磊率第七军到达上海，我与军部通话，将上述经过报告廖磊，廖很高兴，在电话中说："我军第一次与敌接触，即夺取阵地，很好！很好！第九连连长即升少校，传令各部，以示鼓励。"

第三天（十月十四日）下午一时左右，接李师长电话，谓该师正面情况不明，电话线被炸断，阵地恐已守不住，要我派兵一营增援。我接令后，即派第一营前往，以疏开队形，一连接一连前进，敌机轮流向我部投弹扫射，我部士兵不怕危险，继续前进。该营到达前线后，了解阵地并无变化，于黄昏后仍归还待命。

十月十五日，桂军开始接受战斗任务。是日上午，廖磊派人来找我到前敌指挥所（在上海作战时，廖磊被任为前敌指挥官）。他在地图上指示了一般形势和第一〇一六团的作战地境，接着对我说："我们现已奉命参加作战，今晚接守胡宗南军防地。你这一团就守这一线阵地，左边与黎团（黎式谷团，即第一〇一五团），右边与颜团（颜僧武团，即第一〇二二团）衔接，必须坚守阵地，与阵地共存亡，你们生在这个范围里，死也在这个范围里，若无命令，有敢擅自脱离阵地的，无论任何官兵，只有拿头来见我。"

是夜我团进入洛阳桥前面约五六里胡宗南部的原阵地，敌人并未发觉，胡宗南部撤出和我部换防，只有敌人的曳光弹不时一连串地发射，前线枪声沉寂。

自十月十六日到十月二十日这几天，敌人每天发动数次攻击，都是先以炮火炸弹向阵地猛攻，然后步兵前进。每次攻击兵力并不大，只是一个排，最多不过一个连，都被我守兵击退。二十日，敌人连续发动五次攻击，最后一次，敌军已接近我第二营阵地前，我营士兵顽强固守，以炽盛火力向敌射击，敌不敢前进，相持至黄昏。入夜后，第二营派队出击，敌已于黄昏后撤走，仅有少数兵力在第二营阵地前活动，被我驱逐。

二十一日拂晓，敌军炮兵集中火力向我第二营阵地攻击，飞机轮回投弹，阵地被摧毁很多，掩蔽部也有被炸塌的。天亮前至上午九时，敌军炮火从未间断，接着敌人步兵出击，我第二营守兵仍沉着应战。该营营长王有清是跟白崇禧当卫兵出身，过去作战一向勇猛，所以我派第二营固守阵地。

约一小时后，接王有清电话说，敌坦克五辆向第二营阵地突击，掩护大队步兵前进。王营长亲到前线指挥，当时我团步兵平射炮已被军部调到别处使用，我以电话报告旅长，请求将平射炮排调还我团，然一时无法调回。过了约四五十分钟，前线枪声沉寂。敌炮火延伸射击，敌机亦向我后方投弹轰炸。我团通信排掩体被敌机炸坍，电话中断，特务排部分掩体也被炸坍。我除派传令兵到前线联络外，到村外用望远镜观察前线情况。不一会儿，第二营司号中士由前线跑来报告，敌人坦克冲至我阵地前，我军与敌战车混战，打成一团，阵地全被炸毁，第二营营长阵亡。正说话间，又有数名士兵由前线跑来，询问情况，知第二营阵地已陷敌手，我遂令第三营李营长率步兵两连、重机枪一连，驰赴前线反击，第九连做团预备队，随我跟进。第三营即以疏散队形，一连接一连前进。这时敌机向我出击部队轰炸，我部置之不顾，跑步前进。敌人炮弹连续在村边和树林上空爆炸，树枝树叶被榴弹打断，纷纷飞落。

第三营出动后，我率特务排赴前线督战，第九连暂留原地待命。在前进途中，团附徐图被流弹所伤，激战中团附李寿民阵亡。第三营几次冲击，战斗极为激烈，终将第二营阵地夺回。阵地前躺着敌战车三辆，第二营司号中士指着对我说，他随营长到前线指挥，当敌战车冲入我阵地时，某连附、连长率领士兵向敌战车冲击，用手榴弹轰炸战车履带，向战车展望孔投掷，我官兵用肉体与敌战车搏斗，全部牺牲。

第二营阵地夺回后，阵地一时寂静，我即转移到第一营与第三营的后方，以便指挥。这时已到正午，我一面派人报告旅长，一面收集第二营失散官兵，只剩士兵二三十人。

下午二时左右，敌人发动第三次攻击，坦克四辆向我阵地冲来，战斗又复猛烈。右翼第一营阵地动摇，谢营长退下火线，我命他仍回原地固守，不得后退。不久，第三营营长又由火线退下来，班长也有退下的。我见情况危急，亲往督战，激战中我两足负伤，第三营阵地被敌占领，第一营阵地后移。当时的情况，若我因伤脱离阵地，则第一、三两营阵地恐不能守。敌人坦克一辆距我不过三百米左右，我如要人背负，目标显著，亦难脱离敌人火网。遂决定暂时不下火线，一面包扎伤口，一面交代第九连归还第三营建制，以特务排监督前线官兵，一律不准后退。

就这样支持到天黑后，我才由特务排黎排长背下火线。

那天敌人发动总攻击，战况剧烈，洛阳桥附近公路两侧，满地都是伤兵，竟至上海开来的救护车也无法开动。我负伤后，师部曾两次派车要送我到上海，因我不下火线，所派汽车改由其他负伤高级人员乘去。后我到旅部报告战况，即用担架抬我去上海，途中又遇空袭，直至第二天黎明始到上海。先在野战医院施行手术，后迁入法租界广慈医院医疗，经过四次手术，卧床两个多月，才能勉强行动。后回柳州军医院医治，虽已痊愈，但行动不甚方便。

我离开阵地后，是晚我军反攻，所失阵地完全夺回，仍由我团第一、三两营固守，团长职务由第一营谢营长代理。上海撤退时，谢代团长担任掩护队，与敌作战阵亡，第三营李营长于撤退时被敌机炸死。部队退至孝感后整编。

在上海抗战时，桂军的伤亡是重大的，壮烈阵亡的军官计有旅长庞汉祯、夏国璋、秦霖等六七人，团长廖雄、谢鼎新、褚兆月等十多人。部队经过这次损伤，影响作战能力，此后对敌作战，都没有打过一次好仗。

淞沪会战历险记

蓝中民※

七七卢沟桥事变后，八月间，我团奉命由广西河池出发，经柳州到桂林集中，首先步行到湖南衡阳，乘粤汉路火车到汉口，再乘平汉路火车出武胜关入河南，经信阳到郑州。由郑州转乘陇海路火车经开封徐州到连云港布防。这是一九三七年九月间的事。

十月初，我团奉命开赴上海参加对日作战，即由连云港乘火车到徐州转津浦路经南京至镇江，改步行到常州，住一晚，继续向上海前进。我第七军全部到达上海后，在南翔车站分配先上大场参战。敌机群、大炮对我阵地猛烈轰炸扫射，坦克配合敌地面部队向刘行蕴藻浜一带友军阵地猛攻，企图突破我方防线，战斗至为激烈，我友军伤亡惨重。我第七军不顾一切危险，即于十九日白天增援友军，在前进战斗中，受敌机狂轰扫射，浓烟蔽天。我军旅长庞汉祯、秦霖、夏国璋三人牺牲了，我团团长黄法浚受伤了。这时全军愤慨，都抱着与阵地共存亡的决心，与敌血战到底。

第二十一集团军提升我团第一营营长谢志恒接团长职，兼第一营营长。于当天下午三点，我第五〇八旅急进到达刘行蕴藻浜一带部署战斗任务，我团第一、二两营为第一线，第三营为团总预备队。开始挺进时，敌飞机大炮猛烈轰炸扫射，第一、三两连长和我连黄排长受伤了。部队

※ 作者当时系第二十一集团军第七军第一七〇师第五〇八旅第一〇一六团第三营第十连排长，第一营第二连连长。

虽伤亡惨重，但仍不顾一切前仆后继冲上火线，和友军协同对敌战斗。黄昏后，友军奉命撤回后方整理，由我旅负责固守阵地。

次日（二十日）上午七点左右，敌气球升上空中，观测我方情况，继用飞机大炮狂轰滥炸，不断地摧毁我军阵地，至下午两点钟左右，敌用坦克三辆掩护步兵向我阵地猛攻。当时我第二营营长王有清，见敌坦克冲来，后续部队未到，即指挥全营官兵向敌坦克逆袭，结果被敌坦克上面小钢炮击中牺牲，全营动摇。第三营赶上增援，中途被敌炮火和飞机用机枪扫射拦阻，第三营官兵不顾一切，前仆后继，伤亡惨重。第二营官兵溃退下来，阵地失守。该营左翼第一二六团连长吴汉强（上林人，我同期同学）阵亡，该连阵地同时失守。我阵地前面幸有一条小河，天然障碍，敌坦克冲不过，阵地未失。敌占领第二营阵地后，受我营火力侧击，再不敢深入。但敌机仍在我阵地上低空扫射，使我部队不敢抬头，我恼火了，令士兵除对地面敌人射击外，其余步枪轻重机枪对空射击，敌机才不敢再低空威胁我们。当时我第一七一师击落敌机一架。

黄昏时，谢团长和第三营黄营长到前线来，我把当天战斗经过情况，向谢团长汇报。谢团长说："罗旅长对今天战斗很不满，他说我们第七军在国内外素有钢军声誉，守这个阵地不到两天就失了，成什么样子，今晚如不把第二营阵地夺回来，从炊事兵到团长都要杀光。"黄营长当时答复："我们一定想办法收复阵地。"谢团长说，第二、三两营今天官兵伤亡和被冲散了很多，集中起来，不知有多少？我团三个营十二个连长已伤亡九人，只三人幸存。第一二六团吴连一个周排长，带两班士兵（二十多人）到我处说："该连吴连长阵亡，阵地失守，怕罗旅长怪罪，特来汇报，看如何发落我吧。"我说不会的，你暂时安心在这里，待我团长回后方，用电话与你团联系，通知你再回去，我连剩的饭菜，你们拿去吃，就地休息。黄营长也把第二、三营官兵集合到我营附近。这时，谢团长说，我们现在决定，第一营阵地由黄营长指挥，第一、三连，机枪连和第一二六团周排长负责防守。今晚，由蓝连长率领本连及指挥第二、三营现有官兵向敌夜袭，收复第二营阵地，不准任何人畏缩不前，违者军法从事。问我有什么意见。我说军人以服从为天职，绝不推辞，不成功便成仁，以报答国家民族的期望，回去请旅长放心。

团长和黄营长各自回去后，我即问各营有多少人，归哪个负责。第二营有个排长说，我营现在尚有七十多人，武器全，暂由我负责。我说，你暂编为六个班，你自己负责指挥三个班，选一个上士班长负责指挥三个班，六个班统由你指挥。第三营有两个排长，士兵九十多人，武器全。有个排长说，我们统归李排长（名不记）指挥吧。我说，那你们可编两个班，现在我们就要部署进攻。进攻时，要注意几点：一、要肃静，不准发出音响；二、要注意联络；三、要听指挥不准擅自后退。第二营在右，第三营在左，我连在中间，部署定后，排成一线匍匐前进。

我连前进到一个水塘附近，利用三个坟堆暂时休息，派传令兵向第二、三营联络。回来说，第三营与连距离四五十米，中间一段无人，第二营官兵集成一堆停止在一个洼地内不动。我便亲自过去对他们说，我们今晚的任务，要向敌人袭击，收复第二营阵地，如果作一堆停止在这里，不但不能完成任务，还可能被敌人歼灭，请大家起来排好队伍，取好联络，共同前进，你们向左延伸同我连联系。我匍匐回原地，再令第三营官兵向右靠，与我连联系，一同在棉花地匍匐前进，前进一段停止一会儿，听取情况，观察地形。当我军匍匐前进距敌不远时，天差不多快亮了。不能再犹豫不决，我即发出冲锋口令，撼天动地冲上敌阵，投掷手榴弹，用刺刀与敌人拼搏。冲到敌壕时，碰着一个敌队长，他用左轮手枪向我射击，弹由我左边耳朵飞过，我手枪同时发射，弹从他小腹穿过，他倒地了，我士兵在他身旁拾得左轮手枪一支，战刀一把，又从他身上搜到未婚妻及他妹妹相片、手表等东西。敌人经过我军这样猛攻冲杀，天亮时，狼狈逃窜。我们即用火力追击，夺回了第二营阵地。

在战壕内外，见敌我阵亡官兵尸首混在一起，血流遍地。我王营长（有清）尸体，胸部受刺多处，惨烈之状，目不忍睹，泪水不禁夺眶而出。

当时，我派传令兵去通知黄营长，即用电话报告团部，告以第二营阵地已夺回来了，但士兵伤亡过多，速增派援兵，否则很难守住。团长严厉地回答说，无论如何要固守，绝不能再放弃，现只能先派团特务排增援。增援时，该排跑到半路，被敌机轰炸扫射，仅有一班人一挺机枪到前线增援，余皆伤亡或被冲散了。敌反攻激烈，正在危急，再报请团部派兵增援，否则功亏一篑。答称由第一二六团派一步兵连赶来增援。该连来时，途中又被敌陆空炮火截击，结果来了一排人，轻机枪两挺。激战至下午两点钟左右，敌再次用飞机大炮坦克掩护敌地面部队向我阵地猛攻。我方官兵伤亡殆尽，斯时无法支持，所余残兵溃退下阵来，镇压不住，我撤出战壕，敌弹如雨，纷纷飞过身旁头顶，我左手受了伤，剧痛难堪。士兵跑到原第一营阵地前跳下小河，得第一营火力掩护爬上河岸。我当时已力竭，加上河边滑，爬不上，幸得一名士兵把一根竹竿放到河边，我拉着竹竿爬上岸。稍为休息后，查点人员，我连有两个排长都牺牲了，幸存士兵四十九名，第二、三营特务排和第一二六团幸存的也不多。黄营长先带第二、三营特务排残部回团部，第一二六团由周排长率领该团少许残兵归回原部，我仍率领第一、三两连和机枪连守原阵地，监视敌人。到半夜才接团部命令，把全部带回后方休整，阵地由友军重新部署作战。我撤退时，就有不少士兵哀求说，我腿断了，走不动了，请求连长设法带我们回去吧！不然就给我们加一枪，免得受苦。我难过地对他说，我自己背不上你们，各弟兄们都带有弹药武器，怎能扶你们走，请你们安心在此，待我回去请团部派担架来抬你们回去吧！此时真有"古来征战几人回"之感。后来有没有担架去救他们，不得而知。

我回到后方时，就有很多同事来为我祝贺，有的把我拥抱起来，说："你几天来日夜在战场上和敌人肉搏拼战，今得安全归来，真是万幸。你连上人员武器损耗，由特务长调查报请团部处理。"大家热情地劝我找个地方休息，同事们要我把战场上亲身经历的情况谈谈。我说战场的事，慷慨悲歌，一言难尽，可以简单谈如下几点：

一、敌人对我们作战，是有计划有步骤的，每次对我们进攻，都利用白天进行，敌陆海空机械化部队配合作战，发挥其优势。每日上午八九点钟，先用气球升上空中观测我阵地，后用飞机大炮狂轰滥炸，尽量摧毁我方阵地，继用坦克掩护其步兵向我方阵地猛攻，如被我方强有力还击，敌方不得逞时，即迅速撤退，停止攻击，到夜间，又使用照明弹照明伞探照灯等光带交织四射，照耀天空，如同白昼，然后陆空配合不断轰炸我阵地。

二、不管敌人如何猛烈攻击，但我官兵在战场上都很勇敢，视死如归，每次上火线，遇敌炮击，飞机轰炸，仍不顾一切，前仆后继，向前直冲，有的攀上敌坦克投手榴弹，以血肉之躯和敌优良武器搏斗，悲壮激烈，撼天动地，充分体现了他们忠勇爱国的崇高精神品质。

三、战场上我方后勤工作太差，简直不见一个医务人员为伤员包扎，担架队也寥寥无几，有很多重伤官兵丢在战场，沿途流落，任其自生自灭，"伤无人抬，死无人埋"的怨声，不绝于耳。

四、我方飞机大炮居于劣势，白天不敢出动，飞机有时夜间出击，但大都盲目投放，收效不大。

五、云南部队王甲本副师长在前线视察阵地，经过我连防地时，和我交谈彼此战斗情况。我说几天来，我广西部队损失很大。后来王副师长说，他们的部队伤亡更惨，将士尸体，填满战壕。

六、由江湾大场蕴藻浜刘行至罗店一带，一百几十里战场上，所有村庄庐舍，皆被敌机大炮轰炸摧毁，夷为平地，一片焦土，人民流离失所，凄惨之状，罄竹难书。

我和大家交谈到深夜，各自入睡，而我一闭眼，仍然为战场上那种惨状，盘萦脑际，辗转不能成寐。我旅经此次战役，伤亡大半，两团人编成不足一个团。十一月九日，上海战局全面转移，我第七军沿太仓公路撤退，第五〇八旅于九日下午八时行动，随军部转移，令我连九时后待全军撤完，在后收容落伍人员跟进。但我部队一接到撤退命令时，争先恐后，于八时许已经撤完。到嘉定附近时，遇着一群由嘉定跑出来的老百姓，说嘉定日军已进了城。我们转移到太仓公路时，见各部大军溃退下来，凌乱不堪，军民拥挤，毫无秩序，此时已找不见第七军部队了。落伍士兵说，第七军沿公路走很久了。我督率部队赶路，至凌晨四时左右，到浏河桥（木板）上，见中央工兵部队（大概一个营）安放几十桶煤油准备烧桥。该部队长说：“不管你们哪一部，过得过不得，我奉命一到时间就烧桥。”大家都愤激地齐声大喊：“你现在若烧桥，不给我们通过，先把你杀掉再讲。”于是大家做战斗姿态，拥抢过桥去。有的把马匹赶下河，拉着马尾过，但多数马匹及各种辎重和个人行李，过不了河都丢了。过了太仓，天刚亮，幸得浓雾盖天，敌机未出动，人山人海，在公路上田野间，纷纷乱跑。到上午八时左右，云消雾散，天气晴朗，敌机成批飞来，对我溃退军民，狂轰滥炸，低空扫射，队伍更凌乱不堪，无法掌握。我即令全连官兵自行分散，跑向左前方有棵红叶树村庄附近集合。我同三位见习官和几名传令兵沿公路走，敌机投弹，我即滚下路旁水沟躲避，炸伤两名见习官和一名传令兵，但勉强能走。我赶到指定集合村落时，全连官兵已先到达。想不到，这时还有老百姓送来稀饭给我们吃，这稀饭饱含着同胞骨肉之深情，真使我们感激不尽。吃完后，我把钱给他们，他们都坚决不收，我一再感谢他们的好意，洒泪而别。

傍晚到达常熟附近，团部派人在路口等我们。常熟街中被敌机轰炸，房屋多处倒塌，商品散落满街，人民生命财产损失无数。出西门到虞山附近宿营。十三日天亮时，团长谢志恒责任心强，又很关心前线官兵，亲临视察慰问。谢团长刚走上便桥两步，遭敌机扫射，他腹部中弹倒下，卫士把他从小河拖上岸背回来，他临终说了几句话：“我完了，望你们继续努力杀敌，报仇雪耻，挽救国家民族危亡，争取最后胜利。"抬到后方急救无效，他光荣牺牲了。把他安葬在江苏省常熟县虞山上，今忆往事，隐痛犹存。

当天下午七时，我第七军向无锡撤退，半夜，到无锡时，因部队太多，互相混杂，在黑夜中，找不见第七军部队，紧跟大军向西行动。沿途经过附近村庄，听见不守纪律部队（中央军和各省部队也有），一到村边，就放冷枪，吓走老百姓，乘机进村宰鸡杀鸭，翻箱倒柜，无所不为，他们经过大街小店，抢吃抢喝，群众反感极大，是抗日革命军人之大耻。十四日上午八时许，到达常州（武进），我连官兵奔走一夜，疲劳饥饿，走不起路，我决定在车站附近做饭，又遭敌机轰炸，敌机过后，我们继续向镇江疾进。

洛阳桥血战记

刘维楷※

战斗序列及兵力配备

第二十一集团军总司令廖磊，辖第七军和第四十八军。第七军军长周祖晃辖第一七〇师（师长徐启明）、第一七一师（师长杨俊昌）和第一七二师（师长程树芬）。第四十八军军长由韦云淞副军长代理，辖第一七三师（师长贺维珍）、第一七四师（师长王赞斌）和第一七六师（师长区寿年）。第一七一师辖第五一一旅（旅长秦霖）和第五〇八旅（旅长罗活）。第五一一旅辖第一〇二一团（团长谭何易）和第一〇二二团（团长颜僧武，作者系该团中校团附，还有少校团附杨祚增，后在安徽怀远战役阵亡）。第一〇二二团辖第一营（营长农有济）、第二营（营长陈经楷）、第三营（营长覃锄平），迫击炮连（连长甘达震）和特务排（排长韦某），其他从略。该团共有十九个连长，战斗兵一千五百人。

战场地形

八一三淞沪战役中，我军战斗地点在洛阳桥，地形平坦开阔，沟渠纵横交错，间有数间茅屋，屋旁有数株独立树。这种地形难于防守，构

※ 作者当时系第二十一集团军第七军第一七一师第五一一旅第一〇二二团团附，代理团长。

筑工事只能挖立射散兵壕，如欲加强工事挖深散兵壕，则壕底冒水，只能加高胸墙，以补工事之不足，但构筑过高，又暴露目标，反而不利。为了加强防御工事，只有在阵地前挖外壕、陷阱，以阻止敌人。由于沟渠纵横交错，部队间的通信联络也受到影响。

战斗前准备

第一〇二二团于九月间，从广西开到连云港，做参战准备。这时，部队进行了政治思想工作，灌输爱国主义思想，加深对"必死不死，幸生不生""军人以服从命令为天职"的理解，强调"保家卫国"的精神，以激发官兵的爱国情绪和守土有责的决心。

在备战期间，除照常进行一般的战斗训练外，鉴于制空权操在敌人手里，为了发挥战斗本能，特别侧重夜间战斗教育，强调冲锋、肉搏、格斗的技术训练，讲究通信联络方法，使官兵在思想上有所准备。

战斗实施

当上海抗战紧张阶段，我军于十月间，从连云港用火车运送兼徒步行军到达南翔，参加作战。沿途时受敌机空袭，行进迟滞。

第一〇二二团的战斗地点洛阳桥，左翼是第一〇二一团，右翼是第一〇一六团。我团于十月中旬，接替胡宗南第一军的防务，但该军尚未等候接防部队到达，竟先行撤退。因此，我团只能按地图所示的位置，前去接防。

团的部署，以第一、第二营为第一线。第一营在右，第二营在左；第三营作为团的预备队。由于阵地正面狭窄，仅有三四百公尺，每营只担任一二百公尺的阵线，因此，营的配备第一线只派一个连，其余作为营的预备队，团属迫击炮连控置在团指挥所附近。团属特务排改为督战队，在团担任守备的范围内，检查前线退回的官兵，有无临阵脱逃的事情。轻伤者不准退下火线，违者逮捕押解团指挥所讯办，以肃军纪和稳定战局的作用。

团卫生队（即担架队）原有人员不敷使用，由团部后方负责人军需主任组织民夫队，约有二三十人协助卫生队工作。他们同仇敌忾，踊跃参加担架工作，对抢救负伤官兵做出了贡献。

进入战斗

团接防后的翌日，敌人开始向我阵地攻击，先是用飞机侦察，放气球指示炮兵射击目标，继而敌机协同炮兵猛烈向我阵地轰炸扫射和炮击。接着，敌人的轻重火器一齐发射，用坦克开路，步兵一齐向我阵地猛扑。随后敌炮兵伸延射击，阻止我增援部队前进，敌机协同炮兵，扫射及轰炸我增援部队，这是敌人一贯采用的战法。而我第一线守兵，在敌机敌炮轰炸、扫射和轰击的时候，都适当掩蔽，避免牺牲，等到敌步兵发动进攻时，迅速进入阵地，猛烈射击敌人，这是我军对付敌人的作战方法。

这天战斗，敌我双方就是按照这种战法进行的。当敌进到我阵地时，为了加强火力，第一线各营将预备队中的一个连，加入火线，把敌人击退。战斗中，敌机数架在我阵地上空轰炸、扫射，团预备队（第三营）派出几个班，用轻机枪按照平时训练对空射击的方法，向低空飞行的敌机猛烈射击，以支援第一线战斗。团属迫击炮连，向前进之敌猛烈射击。当天晚上，前线两个营各组织几个突击队，夜袭敌人阵地，使敌人夜间不敢出击。

第二天，敌人倾巢而出，重点指向我左翼，战斗的激烈数倍于第一天。过去我对"枪林弹雨""弹如雨下"，体会不深，经过这天的战斗，我才深有所感。炸弹声、枪炮声，胜似除夕的鞭炮，战场顿时变成火海，烟雾漫天。由于敌人猛攻，战况紧急，团长颜僧武指挥预备队出击，脚部负伤。右翼线营长农有济，指挥部队出击负伤；左翼线营长陈经楷指挥部队出击，身先士卒，臂部负伤，仍坚持战斗，后被击中腹部阵亡。预备队营长覃锄平，指挥部队出击负伤。第四连中的一个班长李达愚，自告奋勇，抱着集束手榴弹，奔向敌人的坦克投掷，毁敌坦克，自己也壮烈牺牲。这天战斗，反复冲锋肉搏，杀声震天动地，阵地忽得忽失三次，最后稳住了阵地。当天晚上，第一线各营仍组织突击队向敌阵地夜袭，扰袭敌人。

第三天，将团预备队第三营与第二营换防，第二营作为团的预备队。这时，团长颜僧武下了火线，由我代理团长。第一营营长由连长马挺之代理，第二营营长由营附覃道德代理，第三营营长由营附刘国群代理。这天，敌人还是向我阵地猛烈攻击，仍然采用原来的战法，我军仍按照前法对付敌人，敌不得逞，我们守住了阵地。

换防转移

这天黄昏，师长杨俊昌叫我到师指挥所接受命令，他说："今晚八时开始撤退，向嘉定集结，你回去布置，派人到师部联系。"说完问我有什么意见。我说："遵命回去办理。"他表扬我说："你还有点胆识。"我回到团指挥所，立即下令，从八时起开始撤退，在撤退前十分钟，猛烈向敌射击，以迷惑敌人，除留极少数守兵在原阵地做掩护，过半小时后自行撤退外，其余均撤下火线，到团指挥所集结，这时，团的预备队亦做掩护的姿态，掩护第一线撤退。当天晚上，月明如昼，行动较为便利。阵地上的阵亡官兵都掩埋完毕，重伤官兵亦已撤下，并在阵亡营长陈经楷的墓上，立有"烈士陈经楷之墓"的木牌，以慰忠魂。

在作战时，颜僧武和我，白天在团指挥所观察敌情，指挥作战，黄昏后到前线视察，鼓舞士气，稳定军心。由于战场地形复杂，通信联络不便，在作战的第一天，我到罗活旅指挥所联系，即迷失方向，半天后才回，颜僧武认为我已阵亡了。在这种情况下，当我撤离指挥所时，留下团附杨祚增在指挥所，担任通信联络，不使中断。

我方支援炮火白天怕敌机轰炸，隐蔽起来，晚间才对敌射击，由于敌我距离过近（仅有二三百公尺），加之发射有偏差，往往炮弹落在自己阵地上。因此，前线时常报告，要求我方炮兵延伸射击。给养方面，由于白天输送受敌机空袭，行动困难，晚间又易迷失方向，因此，主副食很少送到，官兵唯有利用干粮充饥，战斗力颇受影响。

在战场上，看不见我飞机，而敌机每日有一百余架次，在我上空扫射轰炸。闻第四十八军第一七三师第一〇三四团团长陈昭汉，初到上海战场，于拂晓时，集合全团官兵在竹林旁讲话被敌机发觉，大批敌机低空扫射轰炸，全团官兵在危急中走散，团长也负伤，损失惨重，我军没有飞机援助，吃亏甚大。

撤退后的措施

我团从第一线撤到后方，略作整理，即向嘉定前进。到达嘉定后，即行整编。原有一千五百人，经过这次战斗仅剩下五百人，伤亡了三分之二。因此，仅编成一个营，辖步兵三个连和机关枪连，以连长马挺之升任营长，原有的十几个连长，都伤亡了，只能由剩下的资深排长升充连长。排长缺少则由班长升充，班长缺少由列兵顶补。

为了鼓舞士气，继续作战，我们为在上海抗战阵亡的将士举行追悼会。特别对英勇杀敌奋不顾身的营长陈经楷、班长李光达表示哀悼。会后，并将烈士壮烈牺牲事迹报请军委会褒扬。

我团在嘉定大小潘占领阵地（野战工事），做掩护队。继而转移到常熟，在金家宅做掩护队。最后转移到无锡，沿太湖向浙江撤退，到达安徽合肥整补。上海战役到此，告一段落。

经验教训

此次战役能达成任务，在于将士用命，不怕牺牲，勇于杀敌，轻伤不退，继续战斗，决心与阵地共存亡。这的确是不容易的事，除了平日严加教育训练外，有几个因素：一、战前的准备教育，特别是提高思想、鼓励士气的工作，做得比较广泛。二、上级下级比较熟悉，便于指挥部署。三、设督战队，以鼓舞士气，防止擅自退却。四、对伤亡官兵作妥善处理，以安定军心。五、官兵不怕死，以身作则，起模范作用。

以上是成功的经验，但也有些失败的教训：一、政治思想教育不深入，仍有少数士兵临阵退缩。二、工事加强不够，遭受重大损失。三、轻敌麻痹，阵地曾数度被敌突破。四、对空射击设备不足，效果很低，致使敌机能自由活动。五、第一线部队互相支援不够，有观望不前情况。

桂军参战见闻

蓝香山※

八一三淞沪会战爆发，第二十一集团军增援前线，我随军工作。现追忆概略如下。

桂军的编制和兵员装备

抗战开始前夕（七月下旬），蒋介石召白崇禧到南京，商讨抗日战策，决定划分几个战区，分区指挥作战。京沪杭为第三战区，先由冯玉祥任司令长官，后由蒋自兼；苏皖北部为第五战区，以李宗仁为司令长官，设长官部于徐州，东拒敌军，西援第二战区阎锡山作战。白崇禧任国民政府军委会副参谋总长，协助参谋总长何应钦工作。

随李宗仁北上抗日的部队，由原第五路军编成第十一集团军，李品仙为总司令；第二十一集团军，廖磊为总司令。以后又成立第十六集团军，以夏威为总司令。

这时，桂军各师采用"乙种师"编制，由原来的每师三团扩编为每师两个旅，每旅两个团。第二十一集团军辖第七军军长周祖晃；第四十八军军长韦云淞。第七军辖第一七〇师，师长徐启明；第一七一师，师长杨俊昌；第一七二师，师长程树芬。第四十八军辖第一七三师，师长贺维珍；第一七四师，师长由副军长王赞斌兼，第一七五师，师长莫树

※ 作者当时系第二十一集团军兵站分监。

杰（拨归十一集团军）；另以谢鼎新团（原十九路军存留部队）为基干，扩编为第一七六师，以区寿年为师长，归第二十一集团军指挥。

关于桂军的兵员，九一八之后，李宗仁、白崇禧在广西实行"寓兵于团"政策，采用征兵制，大办民团。到抗战前，全省受过训练的壮丁已达一百二十万人，占全省人口十分之一。每县可以编成一个民团大队做常备兵，全省要编成二十个团的兵员，足额不难。装备方面，自一九三二年以后，广西每年向德国定购新式步枪一万支，到抗战前由我经手购进的已达五万支，可供三个军的装备。另又购进自动步枪一千支，钢盔五万顶。一九三五年，我任第五路军总部交通处长时，白崇禧曾密嘱，须在两年内准备好十六个师所需的有线和无线通信人员和器材。服装有总部自设的被服厂，又从南京领得动员费和五六万套军服，加本厂日夜赶制，定期完成，可以说是"器械到，卒服匀"了。

接受任务

八月下旬，第二十一集团军已开到徐海集中。白崇禧电召我和军校工兵科长刘勤，高级教官李晋阶到南京，命我们以第十一集团军高级参谋名义，赴东海视察日照至连云港间的国防工事。此时，廖磊已进驻海州。某晚，我到廖磊总部，廖磊对我说："我们部队新兵太多，此次作战全靠干部，如干部不卖命，作战就无把握。有机会可以帮我的忙。"次日，我将拟编阵地方案请廖核定。他说，工事缓一步进行，叫我先回南京。

八月底，我从海州回到南京，向白崇禧报告视察东海工事经过，白叫我先听刘任（高级参谋）讲述上海战场的情况，并叫我担任第二十一集团军兵站分监。接着，廖磊从侧门走进，笑容满面地对我说，香山，我们今天就出发前方，准备吧！当时，我还不知第二十一集团军已向上海开动，也不知廖磊已到南京。

为避开敌机白昼对公路的扫射，下午四时许，廖磊带领刘清凡和我及少数随从乘汽车二辆，由南京出发，驰赴第三战区司令长官部接受命令。深夜一时许抵苏州，径赴张一麐住宅见代司令长官顾祝同，顾面带睡容从寝室出来接待我们，在桌上展开地图，细声说："目前主战场在大场至南翔间，战斗很激烈，每个整编师在阵地上只能支撑三五日，桂军应在真如、南翔间进入第二阵地，支援和稳定第一线。"长官部为我们准备夜餐，餐毕，我们以紧张的心情驰赴上海战场。廖总部设于南翔以东铁路线后方的李家村，兵站设于黄坡。次日，我到苏州，由第三战区兵站总监陈劲节介绍一批后勤熟手，立即开始补给。三日内第二十一集团军三个师（第一七三、一七四、一七六师）即开到战场，进入阵地。

桂军在上海战场

当时我军作战在战略上采攻势防御，旨在坚守阵地，相机出击。但在实施过程中，由于主客观种种原因，阵地既未能坚守，进攻亦屡屡受挫，最后不得不全面撤退。就我的见闻，有以下一些情况。

一、丧失制空权，听任敌机狂轰滥炸。我国空军在抗战开始时，为保卫京沪杭迎击敌机，虽将敌人从木根津根据地飞来的重轰炸机歼灭殆尽，然我亦受重大损失，原有能作战的飞机两百多架，在空战的一个月内毁伤几尽，因而自九月中旬以来，战场上不见有我机活动，而敌方则集中海陆飞机百余架，每晨在我阵地上扫射和投弹，往往长达一小时。桂军第一七四师的一个团，初上战场无经验，于拂晓时集结在战场后方竹林内，拟待团长讲话后进入阵地，不料被敌侦察机发觉，遭到大批敌机低空扫射，一团人伤亡过半。当晚我到廖总部，韦云淞对我谈到以上情况，廖磊对着我们直噘嘴。敌机除每日成群在我阵地上空活动外，还以三架为一批，终日轮流不断地在上海、苏州间来往侦察，制空权全被敌控制，以致兵站补给线和苏州河的水运，苏沪公路和苏沪铁路的陆运，都陷于瘫痪状态，只能在每日黄昏后活动。我军通信人员往来递送公文，也为避敌机袭击，要一段一段地迎送，很费时间。我们指挥机关和后勤工作人员初到战场，一闻敌机飞来即入防空洞躲避。某日青浦附近某兵站支部工作人员十余人，闻敌机来袭，都入防空洞，适一弹命中，出入口震塌，全部窒息死亡。

二、冒敌优势炮火，浴血奋战。我军在上海战场上的野炮为数不多，敌人集中野炮在一百五十门以上，射程达八千公尺，白昼经常向我阵地和阵地后指挥所射击。某日，第一七三师师长贺维珍和该部某旅长在旅部展阅地图，贺维珍刚离开，一炮命中，将旅长炸死。敌炮又经常集中火力向我炮兵阵地猛射，某日旅长李楚霖在炮兵阵地指挥，忽一炮弹打来，当场阵亡。桂军山炮营所携带的山炮，射程仅有一千二百公尺，一直未使用，在战场上拖来拖去，反成累赘，廖磊命我将大部分山炮用火车运回桂林。敌军步兵平射炮很多，每对我重机枪射击，我军无战车炮作抵抗，只用迫击炮还击，效果甚微。在这种情况下，我军保持阵地，全仗战士们高度的爱国热情，保卫祖国的决心，以血肉作长城，浴血苦战，不惜牺牲的英雄主义精神。

三、后勤工作白昼受限制，不能适时供应。在整个战斗期间，第一线不能举火炊食，战士们只能以干粮充饥，开始时由后方输送大批饼干，尚未挨饿，不到一个月饼干吃完，乃采用冯玉祥将军的建议，烙大饼做干粮，但大饼干硬啃不动，战士们往往枵腹对敌。战士们受伤后，卫生员白昼不能上阵地救护，伤员躺在战壕里，一遇敌机扫射或炮火轰击，往往轻伤变成重伤，甚至死亡。

四、盲目实行"中央突破"，徒劳无功。上海战事自八月十三日至十月初旬，敌我均向两翼展开，我军右翼到黄浦江，左翼到长江，欲从侧面迂回包围敌人，均受地形的限制，求敌决战，只有实行中央突破。但需考虑到战术上的要求和灵活运用，首先要有空军和炮兵协助，压制敌人的火力，要有精练的工兵开路，突击扫荡敌阵地前的障碍。其次要选定突破点，从敌人最薄弱部位接近敌阵地。同时，突破面须小，以免在第一线使用过多兵力，才能做到突破一点，动摇前线。第三，须控置强有力的预备队，以便再接再厉，支援第一线；同时，准备突破有效时，从两翼扩大战果，但白崇禧主张中央突破是想在国际上显示我军的战斗力，并未考虑中央突破应具备的条件和灵活运用的战术。当时，我军缺少空军，炮火处于劣势，坦克很少，各兵种不能协同作战，步兵得不到支援。选定突破点时，蒋介石和白崇禧曾到苏州顾祝同司令部会商，顾祝同的幕僚如张世希等，主张从大场方面出击，万一突破不成，可以退回闸北原阵地，有所依托，不致动摇战线。白崇禧认为从大场出击，敌军阵地坚固，不易取胜，极力主张从南翔、真如间出击，压迫敌人入海。当时蒋介石未加可否，顾祝同终于迁就白崇禧的主张。当时白在地图上所划定的出击面很大，未顾虑到地图上的比例尺，须将桂军全部使用于第一线。又未对敌突前阵地施行严密的侦察，纯凭主观的推断。在攻击实施前，桂军也未腾出防域，集结兵力，作好部署，控置有力的预备队。加上桂军兵员来自民团，战斗技术不熟练，且缺乏战斗经验。如果部署适当，指挥有方，虽无优势火力支援，一鼓作气，英勇直前，未尝不可以奏功。但白崇禧既不知彼，又不知己，盲目主张，廖磊跟着盲目指挥，以致桂军遭受重大牺牲，未取得任何战果。某日拂晓前，桂军三个师由原阵地出击，步兵单干，一线平推，各级指挥官手中无一预备队。而且拂晓前进，黑夜未消，方向不明，战士们误向敌我空隙间的浏河方面突进。至拂晓后，我侧背暴露于敌，受敌机扫射和敌炮轰击，旅长谢鼎新阵亡。后继无兵，陷于混战，一部分新兵被打散，大部分待到日没后才退回原阵地。当时在上海战场上的我军，皆戴布帽和着灰色军衣，唯桂军戴钢盔，着黄色军装，目标特别显著。白崇禧在苏州听到散在战场上的桂军被友军收容，大感有伤体面，连日饮食不进。胡宗南部队赶到战场支援，填补空隙，才稳定了前沿阵地。

五、地形不利，战略战术呆板机械。上海郊区地势平坦开阔，适于敌人优势火力的发挥。当时敌军中程和近程火炮占优势，不仅以野炮压制我炮兵，且以步兵平射炮打坏我重机枪。阵地是临时构筑的土质工事，每遇敌炮命中，我守兵则连人带枪被埋其中。天上敌机扫射，我守兵则难以抬头。阵地前的蕴藻浜天然屏障作用不大，不能阻止敌之强袭，左翼限于长江，右翼限于黄浦江和大海，大兵团不能从侧面行动。此外，国防阵地既设于乍浦、苏州、常熟、福山一带，虽地势平坦，阵地暴露，但系钢骨水泥工事，尚可作坚强的抵抗，减少敌人炮击的损失，但因撤退混乱，这些工事也没有发挥作用。战役进行中，我军英勇作战，每日伤亡四五千人，蒋介石感于兵员难继，想撤至国防线抵抗，白崇禧极力主张坚守原阵地组织反攻。因此，战局日益陷于困境。

六、战场上始终未设置预备兵团。上海战事开始后，部队是逐渐加入的。由于第一线部队每日伤亡很大，每一个整编师或军在战场上只能抵抗三五日，凡从后方运到的部队不遑喘息，立即开上火线，因而战场上始终不见有预备兵团，使敌人得以各个击破。当时为防止敌人侧击，我阵地两侧，左由浏河沿长江至南京，右由浦东沿海至杭州湾，摆满警戒兵团，牵制了巨大的兵力。战役末期，使用在第一线的兵力达六十八个整编师，到后来无兵可调，只好从两侧逐步抽调兵力增援，形成两翼空虚，终被敌人乘虚从金山卫登陆，楔入我背后，使整个战线被迫撤退。

仓皇转移

十一月十二日，我军从上海撤退，原拟以有力的一部利用既设国防阵地，于苏州、福山间拒止敌人追击，有秩序地后撤。工事门钥匙交当地保甲长保管，保甲长已逃走，面对工事空悲叹。同时，敌海军重炮猛轰福山，敌机跟踪袭击，使我军立脚不住。于是大军分作两路，一路沿淞沪公路，一路沿太常公路，昼夜不息地向南京撤退。虽在雨天，敌机依然临空追击，苏州阊门外、无锡车站、常熟南门正街均遭狂炸，不容我军喘息，人民财产损失不计其数。特别是对我军士气影响很大，一条公路上十行八行的纵队，争先恐后，拥挤并进，秩序混乱。当时守备福山的上官云相部队被敌海军重炮轰击走散，无人指挥，阻敌无力，撤退混乱有增无已。

桂军从上海撤到无锡时，第七军军长周祖晃奉命用汽车运输到吴兴、长兴阻止杭州湾登陆之敌，掩护我军侧背。副军长兼第一七〇师师长徐启明运输到吴兴，副师长带一个团到八字桥布防，师主力在吴兴城。第一七二师师长程树芬运输到长兴城布防，军部及第一七一师师长杨俊昌运输到长兴城郊外。当时敌大批轰炸机在我军沿途各阵地轰炸，部队颇有伤亡，总部和兵站所在地广德也遭敌机狂炸，战斗两日后即向广德撤退。

桂军从上海撤退时，蒋介石原令桂军参加南京防卫战，我第一次奉命在溧水待命，准备补给，第二次奉命在湾址待命，准备转芜湖支援南京。由于白崇禧恐桂军全部牺牲，不让桂军入南京。于是命兵站沿公路从宣城、歙县通过皖浙交界处昱岭，经昌化赴于潜，命部队从广德经孝丰山区至于潜，坐观南京成败。

坚守黄渡之战

刘启尧[※]

八一三战役爆发时，我在第十六师（湘军）第九十二团第三连当司务长，师长彭位仁，于九月上旬随部到沪参战，担任上海外围黄渡一带防守任务。部队进入防线时，即加强构筑工事，日军乘我师接防之际，凌晨即向我阵地进攻，先以大炮对我阵地发炮千发左右。我连的掩蔽部被炸垮，连长覃振铭和班长曾翔及士兵七人被压在坑内，我即同一班士兵急挖开抢救。正在紧急时，敌坦克又向我阵地冲来，我连第一、二排即利用炸陷的泥坑掩蔽，阻击敌人。一面将连长等人抢救出来，连长随即指挥作战，因第三排长负伤，命我代理排长率第三排战斗。从晨五时到九时，敌军对我阵地猛扑四次，我连沉着应战，将敌击退。

我团初战告捷，守住阵地，但伤亡很多。连长认为我的司务长工作重要，须继续担任，第三排长受伤住院后，排长职务另由班长升充。我虽愿意当排长，但须服从命令，只好仍当司务长。我们在战地的事务工作，困难很多，白天不能烧火，夜间才能煮饭，还要把火遮蔽。日机有时在夜间出动侦察，发现火光就轰炸，敌舰见到火光也炮击，偶一不慎，就会遭到伤亡。

日机在白天不断出动侦察，三架一组，五架一队，发现目标就俯冲扫射投弹。我军无防空武器，空军很少出动。有几次我们见到我机夜袭日军舰，只见日舰的探照灯射上天空，对空炮火齐发，我机速即投弹返

※　作者当时系第二十一集团军第十六师第九十二团第三连司务长，后代排长。

航，对此我们都很振奋。

十月下旬，我带五六个炊事兵到上海市内采购食品，走近租界边上，见到街头巷尾都有沙包和铁丝网构筑的工事，外国水兵持枪守卫，外树一木牌，写着"华军禁止入内"，我们见到很气愤。又见附近空地上铺着一丈多宽的英、法国旗，为的是希望日机不要轰炸租界区。市内商店照常营业，茶楼酒馆，生意兴隆，娱乐场所，锣鼓喧天，和市外炮声隆隆，血肉横飞，杀声震天的情况，形成两个天地。

我师在黄渡镇一带防御一个多月，敌军猛攻七次，都被我军击退。我军战壕被炸毁随即修复，兵员由湖南保安队输送补充。特别是郊区民众的爱国热情很高，他们自动组织担架队和运输队，帮助我军运送伤兵和弹药，帮助我们煮饭，真令人感动。

敌军对我猛烈进攻，但我军齐心协力，坚决抵抗，当时执行连坐法。凡在阵地作战中，如连长后退即枪决连长，营长后退即枪决营长，一直连坐到师长，这对整肃军纪和加强战斗力起了一定的效果，官兵们都抱与阵地共存亡的决心。有一次，敌人在攻我营阵地时，用十五辆坦克开路，步兵在后面跟随前进。当敌坦克迫近时，我军士兵将捆好的集束手榴弹（每捆十二个）抱着，滚到坦克下爆炸，敌坦克三辆当场被炸毁，我军八位战士壮烈牺牲。敌被我连击退后，又增援猛攻，双方短兵血战，又被我营增兵将敌击退。这次战斗，我连伤亡三十余人。我们的士兵多是经过十多年训练的精壮战士，武器虽差，都很沉着勇猛，当敌人还在中距离时，我们不轻易射击，待敌到近距离时，才冲出战壕，与敌拼刺刀，进行肉搏战。我们的连长覃振铭是行伍出身，指挥有方，身先士卒，做到官兵团结一致，故在这次战斗中，上下一心，取得了胜利。

这次战斗进行时，我正送弹药上阵地，即行参加战斗。当时我连只有三挺轻机枪，我见第一排两名机枪射手阵亡，即向前拿起机枪对敌扫射，当面的几个敌人立刻倒地。但我们的机枪不能在原地继续射击，必须射击一会儿就灵活移位，以避免损失。这次战斗三个小时，两个排长一伤一亡，编成两个排，连长叫我暂代排长职务。随即打扫战场，掩埋战友尸体，送走伤兵，敌军的几十具遗尸也予以掩埋。

在我连整补后几天，敌军又向我师全线进攻，这是第四次攻击，又被我师击退。后来我师到第二线休整，补充枪弹后，又上第一线迎击敌军第五次至第七次的进攻，又将其击退。

我们师在上海作战达三个月之久，坚决抗敌，寸步不让，奋力拼搏，空前壮烈。敌军以一个师团七千人之多，加上飞机、坦克和敌舰炮火配合攻击，我师坚守阵地，击退强敌，这是敌人意想不到的。

从几次坦克战来看，我们的工兵太少了，我们师虽有一个工兵营编制，实际只有一个工兵连，不能配合各连埋设地雷，所以伤亡很大，我们连就伤亡一半之多。

经过四次补充，我师奉令撤离阵地，原守阵地由川军第二十六师接防。我师由南翔、嘉善，经沪杭铁路到南昌整补。到此，我师赴淞沪作战告终。

第 七 章
第十九集团军（左翼军）

宁为战死鬼，不做亡国奴

金柏源[※]

七七卢沟桥事变后，我国在日本军国主义疯狂侵略下，民情沸腾，郭沫若等同志办救亡日报，曾提出触目惊心的救亡口号："宁为战死鬼，不做亡国奴！"当时，我在中央军校学习，我们唱的军歌，也字字含蓄着仇恨日本帝国主义，以战卧沙场，肝脑涂地，马革裹尸回的思想进行教育。

一九三七年，我从中央军校毕业分派在第九师炮兵营任见习官。八一三淞沪会战爆发，我立即投入抗战的洪流。我们师从衡阳开赴上海前线。沿途经武汉、镇江，以后改乘火车到无锡。在此前后，收到师部发的许多小册子，内容全属勉励和鼓舞我们战场立功，固守阵地，英勇杀敌，为国牺牲，荣赠三代等等。到达无锡的第二天，日军飞机来轰炸车站。轰炸机是小型的，俯冲投弹，由于惯性，车站没炸到，前面的仓库却被炸燃了。次日报纸上发表了漫画家叶浅予画的《铁鸟生蛋》的漫画。当时无锡的人民群众缺乏防空知识，言行中表现幼稚、迷信和恐怖。由于避免空袭，我们部队的骡马车辆都停放在镇江，部队都待日暮行动。我们第一站到黄渡站下车，在行军途中有一个池塘，黑夜里见到水面是白色，我当作路面误入池中，全身湿透。时值初冬，但由于战事万分紧张，高昂的抗日热情和决心，我没有感到冷和不适，继续前进，直到战场前线。当时，我见习期满，但还没有转正为排级，实际以连附职称，

※ 作者当时系第十九集团军第二军第九师炮兵营见习官。

掌握四门炮（日本大正六年代山炮）参战。由于上海附近是一片水稻田，河流纵横，河面不宽但很深，没有山头高地设观测所，炮兵阵地就选择在竹林里，以大坟作掩体，全按图上标的目标射击，无法观测弹着点。但前线步兵来电话说，我们射击得很好，要求我们多发射，快发射。在军校时由德国顾问教的一套知识，我总算能有机会具体运用，狠狠射击杀伤日军。

战场上，白天除敌机狂轰滥炸外，敌人还在兵舰上升起氢气球，用来俯瞰控制战场。敌人用十五厘米榴弹炮，一射几百发，其爆炸力与杀伤力较大，加之弹如暴雨骤至，比空袭难预防。一待暮色苍茫，敌机停止了进攻，我们部队才开始行动，给养才开始送，伤员向后输送。继则步兵第一线开始剧烈战斗，步机枪、迫击炮声如春节燃放的成千上万串鞭炮爆炸，火光燃红了天空。这样浴血抗战月余，伤亡惨重。因敌人除武器装备优势外，还有坚固建筑物，居高临下，我军处于平原临时野战工事，处于挨打地位。最早参战的第七十七、七十八师，先后到达的有第十一师、十四师、六十七师和我们第二军第九师相继投入战斗。战斗中我师窦团长及我同期工兵队的同学孙思泉最先阵亡，步科同学陈有正负重伤，营连排长阵亡无数，补充多次，排班长与士兵不死者寥寥无几。在我们炮兵阵地上弄到什么吃什么，全神贯注地战斗。我记得当时曾写过一封家信。信中写道："我生逢其时，死得其所，死亦安矣。"表达我为国捐躯的决心。也供我父母为我殉职后减少些痛苦。全家人总以为我定是凶多吉少，收到我信后曾来信，知我无恙，无比欣慰！仍勉励我奋勇杀敌，勿念家事，接信后更受鼓舞。我对当时战地邮政这样负责，非常感动。在战斗中我们也曾缴获敌军军用地图，使我惊奇的是这些地图，不但精确地反映了绘制的地貌地物，而且印刷清晰度的质量，都超过我们自己的军用地图。

当时我们空军处于绝对劣势，入夜我们出动一架飞机去轰炸敌舰，敌军的几十盏探照灯齐明，紧紧盯着我机，在高空中像是几十只手电筒照射一只蚊子，挨高射炮密集的射击，真是有去无回。我第一次看见大型轰炸机，不用俯冲，在高空可直接投弹，它投下的炸弹杀伤力极强。这些轰炸机有时飞得很低，我们的官兵，一是出于仇恨，二是炸死也要和你拼一下，明知步机枪的弹道和穿甲力有限，但还是以成千上万的子弹对空猛射。我清醒地体会到发展科学技术的重要性，落后是要挨打的！进行没有充分准备的战争，是对军队官兵无比残酷的。多少善良而忠勇的官兵都做了无名英雄。还有由于伙食的不洁和医疗条件的恶劣，有多少人被霍乱等疾病夺去了生命。

当时敌人在战争形式上是向战场实行中央突破，其实是佯攻，吸引我们主力。后来证实敌军经过几个月的激烈战斗，受到巨大伤亡后，采取了战略迂回，突然从金山卫登陆了，战场形势突变，大军仓促后撤，茫茫黑夜，十几万大军，挤在一条路上，大多数跟着部队跑，但少数人离队逃跑了。这时最艰苦的要算我们炮兵了，骡马为防空袭都留在后方，前方都是小路，拆卸下来要靠人抬，兵败如山倒，途为之塞，真是步履艰难，只看见步兵轻装过去，也看见军长李延年换了长衫跑过。更焦急的是有些人跟不上，我又不得不回头去找他们，在前进路上不得不倒退，有时寻得很远仍未见人。时已深夜，散兵成群，河面上有逃难的民船，他们仅带些必要的衣物和粮食，岸上的士兵要求船靠岸搭乘，船在枪声与厉声中，不得不靠拢过来，士兵争先恐后而上，由于超载，船下沉，寒冬腊月身上全湿透了，带来的衣物和粮食全沉没了，再前进，沿途看到一些像从未出过远门的富家妇女提着一只篮子，鞋子外套上一双草鞋，右手持一竹棒做拐杖。我心想茫茫路途往何方，篮里的冷饭能维持几天？遥远的持久抗战，她们何处是归宿，何处可安息！再前进沿路都是被敌机炸毁的一片瓦砾废墟，折断的电线杆，杂乱的电线，满目疮痍。路边溪塘里漂浮着多具已被水浸泡多天的肿大尸体，更凄惨的是路旁躺着哀叫："做做好事啊，补我一枪！"这种受重伤后，无人过问的情景，令人惨痛难忍。在车站，在城市，敌机狂轰滥炸，变成人间地狱般的火海，有的全家被炸死。有的只剩下一人，有的孩子还在惨叫，妈妈早已死去，永远不能回来。回想数月前，全民抗战的情绪多么高昂，全民的确都组织起来了，如战地服务队、宣传队、救护队等等。沿着京沪铁路，全民深挖战壕的情景，还记忆犹新。我们在黑暗的茫茫长夜，仓促后撤，紧张的心情，不知寒冷与饥饿，日夜兼程。从苏州、无锡、常州沿途所见，这曾是美丽富饶的天堂，今日变成一片瓦砾废墟，惨不忍睹！一路火光冲天，烟雾弥漫，没有死的人背井离乡，扶老携幼，流离颠沛，走上了流亡的道路。我们行军路中，到处听到凄惨的号泣，这是一个现实的噩梦，人间的残酷，胜过传说中的地狱。我不禁联想起三国时王粲写的几句话："出门无所见，白骨蔽平原。"然而这又怎能比得上今天战争的残酷！因为今日人口稠密与现代化武器的杀伤手段超过古代千万倍。

从无锡起我连里有些人吃不起苦，开小差了。在这艰苦万状的时刻，上有飞机轰炸，后有追兵。当时我只有二十六岁。担当起一个连的重任，一百多人的担子落在了我的肩上。还有一件事值得一提，就是那时的炊事兵最艰苦，挑着一副行军锅，一到宿营地，就要找给养柴草烧煮，待大家吃完，片刻没有休息，又要收拾担子随军前进。连里大多数是湘籍新兵，真能吃苦，没有菜一只生辣椒就能当一餐饭。他们充分体现了中华民族的勤劳勇敢、艰苦奋斗的优良传统。

在沿京沪铁路线撤退中，也看见一些不守军纪离开队伍的士兵，有的因给养断绝，找不到自己的队伍，也有的趁火打劫，拿老百姓的东西。溃不成军。

我对淞沪会战整个战术的指挥，深为不满。敌军在金山卫登陆，这是典型的军事战略避实击虚，牵制主力，战路迂回的指挥原则。

这一切使我感到侵略战争的罪恶和残酷，和平的可贵。和平共处，应是人类追求的崇高目标。

坚守松树浦阵地

安占海※

一九三六年，我从南京中央军校第十期第二总队步兵科毕业，次年春节后分配到陆军第二军第九师。这个师的前身是黄埔军校教导第二团。该师有第二十五、二十六两旅，我被派在第二十五旅第四十九团第三营见习，团长张金廷是黄埔三期毕业生。第九师先驻防江西宜春，后移防湖南衡阳，我营担负保卫粤汉铁路任务。一九三七年八月十三日，上海抗战爆发，那时我已被任命为第三营第七连的少尉排长。八月下旬，我营奉命到武昌，改乘江轮直下镇江，然后奔赴南翔。沿途各站都有不少爱国青年迎送，箪食壶浆，大大鼓舞了部队的斗志。

到达南翔后，我部在松树浦附近进入阵地。当时正是雨季，战壕内积水深达一尺，官兵们半身浸在水中。这一带先已发生多次战斗，阵地上到处可见激战的痕迹。我排正前方是一条死水沟，沟后二三十米处便是敌军阵地，敌人说话都听得清清楚楚，无论谁暴露了目标，立刻就会招来一阵枪林弹雨。第二天，因我曾参加过东北军，营长何德春让我用东北口音向敌方喊话："东北和内蒙古同胞不要为日本鬼子卖命，掉转枪口共同对敌！"喊话声音未落，敌人就用步机枪齐射，我方当即还击。

我部在松树浦阵地坚持了两个多月，前沿阵地的官兵每三天或一周，换下来休整半天或一天。在这两个月中，基本上每天只能吃一顿饭，伙

※ 作者当时系第十九集团军第二军第九师第二十五旅第四十九团第三营第七连第二排排长。

房距前沿十华里，敌海军的观察气球，天一亮就升在空中，发现烟火便指示炮击。入夜做饭，送至阵地已是晚上十点左右了。但每餐有肉，有上海最好的大米饭，这些都是上海市民送的慰劳品。

有一天夜间，我连换下阵地休息，次日拂晓，友军阵地被敌突破，我连即刻增援。在这次战斗中，连长因病下了火线，第一排排长调第九连，第二排排长负伤送往后方，全连只剩下我一个军官，我腿部虽受伤，仍然坚持战斗。两个多月里，我部与日军激战六次，小仗天天不断，伤亡甚大，第五十二团少将团长窦长清（黄埔二期生）阵亡，两个营长负伤。全军撤退时，我连只剩四十来人，全团只有六名连排长。后团长张金廷升任第二十五旅旅长，部队辗转撤退汉口休整。

洒尽热血，为国争光

向廷瑞※

一九三七年夏，我从国民党中央军校高等教育班第五期毕业，回到重庆，接到杨森命令，要我随同他到贵州省黔西县第二十军军部，参加部队整编。整编后，我随部队参加了八一三淞沪会战。

第二十军原有三个师，缩编成第一三三、一三四两个师，撤销第一三五师。军长杨森、副军长夏炯（原第一三四师师长），参谋长解光俊，参谋处长周希濂。第一三三师师长杨汉域，参谋长冉裔（继伯），辖第三九七旅和第三九九旅。第三九七旅旅长周翰熙，副旅长向廷瑞，下辖第七九三团，团长蔡慎猷，第七九四团，团长李介立；第三九九旅旅长刘席函，副旅长杨鉴黎，下辖第七九七团，团长徐昭鉴，第七九八团，团长陈亲民。第一三四师师长杨汉忠（原第一三五师师长），副师长李朝信，参谋长郭大树，辖第四○一旅和四○二旅。第四○一旅旅长罗润德，副旅长阎定礼（未到职），下辖第八○一团，团长赵嘉谟，第八○二团，团长林相侯；第四○二旅旅长杨干才，副旅长杨汉印（未到职），第八○三团，团长李麟昭，第八○四团，团长向文彬①。

卢沟桥事变后，杨森电陈蒋介石请缨杀敌。蒋复电嘉许，令其率部开赴上海，第二十军遂为四川军队中最早参加抗战的部队。九月初，部队分别从黔西和安顺出发，集中贵阳，参加贵阳各县在南门外操场召开

※　作者当时系第十九集团军第二十军第一三三师第三九七旅副旅长。
①　第二十军编制与陈亲民《为国牺牲，在所不辞》一文有不同说法，供参考。

的欢送大会。随即由副军长夏炯指挥，沿湘黔公路徒步行进，到湖南辰溪，乘木船至常德，再换轮船经洞庭湖抵达长沙。一路受到人民群众热烈欢送，从长沙开始，我们经过的车站、码头，都有群众为官兵送洗脸水和茶水。我们坐火车到武昌徐家棚车站，连夜渡江至汉口，再换火车，其情景还被摄入电影，这更加激发了官兵的爱国荣誉感和抗敌斗志。

部队在行进时，杨森率我和军部参谋任敬修（南京步兵学校毕业）及成都某报记者张克明等，经重庆先到南京，面见蒋介石，说明此次对有现代化装备的日军作战，与过去内战迥然不同，要求先到南北战场参观，吸取作战经验。蒋介石准予先至上海郊区，继到山东胶济路沿线了解战况，发给旅费一万元，并电知沿途驻军，以便联系。

杨森到达上海后，在安亭会见了张治中，张告以前线敌我态势。又在大场会晤了第七十一军军长王敬久，参观该处我军防御工事和掩蔽部等。只见战场及附近上空，白天全为日军飞机控制，我军调动均在黑夜进行，因此夜晚公路上很拥挤。我们又到昆山拜访陈诚。其时已有一位军人在座，陈诚指着他对杨森说："你们两位都是全国知名的将领，请互相猜一猜，对方究竟是谁？"他俩都想象不出对方为何人，于是陈诚指着那位军人说："这是叶挺。"又指着杨森说："这是杨森。"我这才认识英勇善战，中外驰名的叶挺将军。然后我们乘火车北去青岛，参观了过去德军的炮台，修理军舰的船坞、警犬表演及水族陈列馆等。回到汉口，第二十军官兵正从长沙坐车到来，杨森在汉口对他们训话，略谓："我们过去打内战，对不起国家民族，是极其耻辱的。今天的抗日战争是保土卫国，流血牺牲，这是我们军人应尽的天职。我们川军绝不能辜负人民的期望，要洒尽热血为国争光！"旋即乘招商局轮船驶往南京。

我随杨森到商京时，第三九七旅刚离开下关，我即赶上部队，同往上海。到上海后，军指挥所设在南翔车站附近一号桥后的一个院子里，受第十九集团军总司令薛岳指挥，负责桥亭宅、顿悟寺、蕴藻浜、陈家行一线防守任务，右翼与大场王敬久军，左翼与阮肇昌的第六十九军衔接。第二十军防线，原为第三十二师王修身负责。这时正值日军实行所谓"第三次增援，第四次总攻"之际，敌军数万以桥亭宅、顿悟寺至陈家行一线为攻击重点，企图中央突破。第三十二师阵地失守，几被全歼。第一三三、一三四师奉命前往增援。当时蒋介石以第二十军初到战场，不谙敌情地形，将部队分割使用，由原在战场的高一级将领指挥。王修身转达上级命令，要第四〇二旅旅长杨干才派兵一团于夜间向敌反攻，收复阵地。杨即令第八〇四团团长向文彬执行任务。本来部队在黔西整编时，因军部在编制上无直属部队，故杨森将原手枪团裁编成一个营，列入向文彬团第三营建制，实际上手枪团仍担任守卫军部勤务，向团实只步兵两个营。向文彬平时治军，不仅注意提高技术，而且关心士兵生活，所以该团士兵精神状态颇好，较其他各团更为活跃能战。向奉命后，即率团进入攻击准备位置，入夜后，向敌攻击前进。敌亦顽强抵抗，战斗十分激烈。经反复冲杀，鏖战至午夜，终将敌击溃，完全收复阵地。营长只剩彭焕文一人，连长非死即伤，排长仅存四人，士兵剩一百二十余人。原来杨干才说完成任务后，由李麟昭第八〇三团接防，此时改变原令，仍由向团防守。向将残余官兵编成一个连，由彭焕文率领，连夜修复工事掩体，固守待援。向团是第二十军中最先参战部队，单独出击，上级指挥部在守候该团战报。阵地收复后，蒋介石在电话里嘉奖向文彬，升为少将，奖金六千元。次日又来电正式嘉奖。

向团收复桥亭宅、顿悟寺阵地后，林相侯第八〇二团进入蕴藻浜阵地，掩护侧翼。第二天，日军一部分与向团相持，另外集中兵力，在飞机大炮掩护下，向林团阵地猛攻。双方激战一天，日军数次进攻，均被击退。林相侯身先士卒，始终在第一线与敌拼搏，最后饮弹殉国。林原系杨森弁兵，后到四川陆军讲武堂学习，毕业后回部队，历任排、连、营、团长，素来作战勇猛。林相侯牺牲，全团伤亡亦大，只剩二百余人，编为一营，由营长胡国屏率领。后杨森电话命令师长杨汉忠亲到前线指挥。杨汉忠迅即前往，同时急令赵嘉谟率第八〇一团增援。第三天，日军继续猛攻。赵团沉着应战，终日搏斗。敌人多次进攻，均被阻止，伤亡惨重。第四天，日军又转向桥亭宅、顿悟寺阵地进攻，旅长杨干才命李麟昭团增援。李团昼夜前往，目标显著，受敌攻击，伤亡颇大，但官兵激于民族义愤，且有向团榜样，顽强战斗，阻遏敌人攻势，阵地毫无动摇。

第五天午后，王修身师陈家行阵地被突破。薛岳命杨森派部队反攻。杨森命杨汉域率第一三三师火速前进，执行任务。其时第一三三师仅第三九七旅和第三九九旅徐昭鉴团赶到，第三九九旅旅长刘席函率陈亲民团尚在途中，于是杨汉域以第三九七旅为第一线向敌攻击前进，徐昭鉴团为预备队。蕴藻浜左岸至陈家行，全系棉花地，旅长周翰熙和我命蔡慎猷团和李介立团分左右两翼，散开队形向敌急进。前面枪声密集，我们眼见王修身师残余士兵逃跑乱窜，但官兵拼命向前，毫无迟疑与惧色。

许多士兵还说："我们这次是打国战，就是牺牲了也值得！"越过王修身师残部后，先头部队立即变为散兵队形，用机枪步枪向追来日军猛烈射击。原来日军以为他们胜利了，正追击王师残兵，冷不防忽然出现这么多兵力，于是停止不前，双方对峙。接着，我们发起冲锋，全线冲杀，与日军展开肉搏。双方伤亡都很大，但我们是生力军，前仆后继，上去的人越来越多，日军飞机大炮不能发挥作用，经过一小时，敌遂不支，向后溃逃，阵地完全收复，并缴获一批枪支弹药。这时，王修身师的梁副旅长（在军校高教班与我同组学习）前来交防，并说，蕴藻浜右岸还有一段阵地系他防守，现敌退回原线，必须立即派队占领。我和周翰熙决定派李介立团随梁副旅长前去布置防务，蔡慎猷团防守正面陈家行阵地，旅部位于陈家行后方战头桥（即横跨蕴藻浜之桥）左侧竹林内，以利指挥。时已薄暮，日军惯于白昼作战，夜间停止进攻，我军则后送负伤官兵，修补工事，补充弹药，准备次日战斗。

从这天开始，我旅与敌连续激战三日。每天拂晓后，日军升起气球观察，然后飞机轮番侦察轰炸，大炮掩护，不断进攻。我军顽强抵抗，伤亡极大。支援的后续部队一遇敌机，即潜伏棉花地里，待日机掉头，再跃进一段，匍匐前进。战场上如果白天生火烧饭，敌机看到冒烟就来轰炸，我们每天只能在夜晚烧饭，入夜和拂晓前各吃一顿。但官兵斗志仍旺，坚持战斗，阵地屹立不动。第三天上午，李介立团防守的蕴藻浜阵地形势危急，预备队徐昭麟团仅剩吴伯勋一营。陈家行阵地只剩数名士兵。杨汉域无兵可派，即动用师部手枪连。下午，杨森转达薛岳命令，由广西部队廖磊第二十一集团军接替第二十军防线。不久，该部韦云淞第四十八军派队接防我旅蕴藻浜、陈家行阵地。交接之际，日军一部向蕴藻浜阵地猛攻，接防部队刚入阵地，立足未稳，向后退缩。旅部立命李介立团继续抵抗，候阵地稳固再行撤退。介立当即指挥吴伯勋营奋勇还击，将敌击退，但伤亡更大，介立亦手部负伤。至薄暮才交防完毕，入夜随旅部撤到李家村，后送苏州医院治疗。战后军事委员会授予李介立陆海空军甲种一等勋章，升为少将。全旅士兵只剩四十余名，伤亡之大，前所未有。

第二十军淞沪激战共七昼夜，使日军未能前进一步，然损失惨重。除前述伤亡者外，营长弋厚培、王笔春、先纠华等阵亡，营长刘龙骧、罗光荣、田阡陌、吴伯勋、何学植，副营长陈瑄等负伤，连、排长伤亡二百八十余人，士兵伤亡七千余人。其中两名连长给我印象最为深刻。

高峻参战前，把家庭地址报告上级，表示与阵地共存亡的决心，后来英勇牺牲。姚炯擅长武术，他用马刀、刺刀、手榴弹杀退敌人几次冲锋后，在电话上说，日本人怕大刀，请把直属队大刀供他使用。姚炯收到大刀，高兴地说："这下可杀死更多的敌人了！"第二天激战，他所在营营长负伤，就率全营官兵冲杀，守住阵地，后负伤流血过多，抢救无效，为国捐躯。

第二十军交防后，到纪王庙附近整编。全军编成两个旅，分由刘席函和杨干才率领，统受杨汉域指挥。然后到苏州、常熟一线掩护军民转移。这时，日本海军深入长江，陆战队在常熟登陆，企图迂回无锡，截断京沪铁路，将上海撤退部队歼灭在太湖地区。适先头部队第三九九旅第七九八团在梅李以北地区与日军登陆部队遭遇，阻击日军一天，团长唐武城受伤。其余部队进入常熟、辛庄、巴城镇一线，日军在飞机大炮掩护下，又向第二十军猛攻，在常熟城郊战斗尤为激烈。第二十军官兵凭借国防工事，与敌激战两昼夜，伤亡二百余人，完成了掩护任务。旋接朱绍良转来蒋介石电话，命杨森率部撤离阵地，到南京整补。我们经过石塘湾车站时，见敌机三架轰炸扫射车站，难民死伤十余人，我们用机枪步枪集中射击，击中一架，起火坠毁，其余两架逃窜而去，军民拍手称快。部队随即经句容到南京秣陵关，稍事休整。杨森刚到南京鼓楼街第二十军驻京办事处，蒋介石立即召见，说："你的部队这次在上海打得很好，第一批进口枪械到时，优先给你补充。"并发奖金三万元以示慰劳。随即命第二十军到安徽整补，担负防守安庆的任务。

桥亭宅石桥与陈家行之战

李介立[※]

八一三战役开始，杨森接到命令，赴沪参战。九月一日，第二十军从贵州出发，取道湖南沅陵、常德至汉口，乘船东下。沿途受到人民欢送和物资慰劳，官兵士气极为旺盛，高唱《义勇军进行曲》《大刀进行曲》等歌，觉得能为国家民族生存而战，虽死犹荣。我第七九四团在汉口上船情景，曾被军事委员会电影队拍了电影，使我们更受鼓舞。十月初，船到南京下关，转乘火车抵达南翔，接受薛岳指挥，军指挥所设在南翔附近。部队随即进入大场、蕴藻浜、陈家行一线准备战斗位置，迅速构筑阵地。几天后，第一三四师在大场、蕴藻浜阵地与日军第九师团一个旅、近卫师团一个旅展开了激烈的战斗。日军企图从我军阵地中央突破，我坚守桥亭宅石桥，与敌争夺三天四夜，不曾后退一步。但部队伤亡过半，师长杨汉忠负伤，第七九九团团长林相侯、营长先纠华和彭泽生阵亡，连排长伤亡一百余人。第八〇四团团长向文彬战绩突出，晋级少将，奖励六千元。后来第一三三师第三九九旅进入该阵地作战。

第三天中午，固守陈家行的第三十二师受到日军猛烈攻击，被迫撤退，薛岳命令杨森派兵收复。杨森与炮兵联系，集中火力支援步兵，并令预备队第一三三师第七九四团增援。我团将士抱必死决心，不顾敌机狂轰滥炸，勇猛向前，终于收复了陈家行。日军多次反攻，我团固守一天一夜，伤亡极大，第一营营长刘龙骧、第三营营长卢光荣负伤，第二

营营长弋厚培阵亡，师部又增派三营兵力交我团指挥。第五天中午，敌人又来进攻，战斗激烈。这时师长杨汉域打电话对我说："你的部队伤亡这样大，现在敌人又来进攻，你准备怎么办?"我回答说："师长放心，只要我没有死，阵地就能固守。如果我阵亡，请师长另派部队来。"经过激烈战斗，我们终于完成了固守任务，然后奉命把阵地交与广西部队接防。交接完毕，日军又发动进攻，广西部队一部溃退，上级命令我团收复阵地后再行撤离。我团又投入战斗，我负了伤，部队由副团长王一腭指挥。这次作战后，我被授予海陆空军甲种一等勋章，晋级少将。

为国牺牲，在所不辞

陈亲民※

　　八一三上海战起，第二十军在贵州黔西、安顺、毕节一带发出通电，请求抗日，同时将军属第一三五师和宪兵团并入第一三三、一三四师加以整补，并加紧时间进行防空、通信演习。九月初，部队集中贵阳，按第一三四师、军部、一三三师的序列向上海出发。

　　一路上，部队受到老百姓热情迎送，尤其经过安徽省庐江县冯家村时，高敬亭将军组织的儿童团排队唱歌，妇女送茶送水，令人感动，至今难忘。官兵都认为，国难当头，匹夫有责，即使牺牲，在所不辞。第七九七团九月底开到镇江车站，候车时，我见许多士兵一手拿着胶鞋，一手提着卤肉，谈笑而来。我问他们："昨天才发饷，你们就急着买鞋买肉，为什么不等到上海去慢慢花呢？"他们说："上海的情况，团长是知道的。我们大家抱定决心，吃好穿好，与敌人拼命！"我感动得连声道好。

　　十月初，部队到达上海，先后进入蕰藻浜、大场、陈家行一线。许多官兵第一件事就是写遗嘱信。我曾叫一政工人员负责，每天到战壕收信一次，交邮局寄出。有时我团一天就寄信一百六十封。我也曾写信给妻子杜嘉玉，表示必死决心。后来收到妻子回信说："接到你的信，悲感交集，大家以为你已经为国牺牲，当即为你化帛默唁。努力杀敌吧！"

　　进入战斗位置后，我们与日军松井兵团激战七天八夜。当时尸如山

※　作者当时系第十九集团军第二十军第一三三师第三九九旅第七九七团团长。

积，来不及掩埋，只好堆在前面做胸墙，托枪射击。然后我们又到苏州河与日军激战，再退到江家桥继续战斗，两地共战三昼夜，伤亡达十分之八，每个步兵团最后只剩两三个连，才奉命退守真如南翔车站，交防后撤。是役第七九九团团长林相侯、第七九九团第一营营长张玉辉等阵亡，团长周炳文、曾彦臣、李介立，营长景嘉谟、陈志远、刘龙骧等负伤。

第二十军在上海作战时，还有共产党员在我军进行政治工作，人民群众也积极支援。两师各团政工人员中，均有共产党员。他们向士兵宣传抗战，照顾生活，慰劳伤病员，教唱歌曲，帮写家信，动员民众，联络淮南皖东新四军高敬亭将军部队。我第七九七团政工队中就有三位（一女二男）共产党员。战斗激烈时，大小车站，战壕后面，均有共产党员组织的救护队，一见伤员下来，立即将他们拥扶上车休息，送茶送糖，唱《义勇军进行曲》，讲故事。伤员深受感动，个个表示："我们伤一好，立刻重上战场，与敌人再拼！"人民群众自动送柴送水，帮助运送军粮、马料、弹药，每天一到黄昏，马路上车水马龙，挤满人群，真有全民抗战之感。从苏州河到江家桥的激战中，我团第六连连长陈月村被敌机炸死，其妻当时亦在军中，悲愤至极，举起其夫断腿，代夫指挥，身先士卒，对敌冲锋，予敌以痛击，大大鼓舞了全军斗志。

我们在南翔作战五天四夜后，撤守十字桥和黄渡各两天，又撤守昆山、常熟、昆城湖各据点。十一月，经苏州、无锡、句容、秣陵关、芜湖，到达安庆整补。第二十军淞沪会战就这样结束了。

第 八 章

江防军及总预备队

奋勇克敌，显树战功

刘铁轮※

陆军第一〇二师是贵州部队第二十五军第二师改编的，辖三个建制团，一个补充团，共约一万人。师长柏辉章，副师长胡松林，参谋长杜肇华，第六〇七团团长陈蕴瑜，第六〇九团团长钟立纲，第六一二团团长陈伟光，补充团团长李维亚。除副师长胡松林是湖南人外，全师官兵都是贵州人，其中有一部分少数民族。这个部队由于历史传统关系，地方观念浓厚，但富有民族感。官兵忠实勇敢，有作战经验，战斗力较强。

七七事变以前，该师驻防河南经扶、光山一带。七七卢沟桥事变，八一三淞沪战事爆发，全国人民团结在抗日民族统一战线旗帜下，一致抗战，国共两党的军队纷纷开赴前线抗日。第一〇二师官兵自感卫国有责，电请南京军事委员会，要求调赴前线参战。八月下旬，奉令开赴上海编入第三战区参加战斗。部队从经扶出发，徒步行军到了信阳，转乘平汉、陇海、津浦、京沪铁路的军用列车向上海前进，每次停车都受到当地各界群众的热情慰劳，大家高呼口号，显见抗敌御侮的气氛十分热烈。九月初，到达常州车站，接第三战区长官部命令，开到江阴后塍担任江防，任务是掩护江阴炮台要塞，封锁江阴航道要口，拱卫南京。部队到达后塍，师部部署各团进驻江防位置，构筑防御工事。

那时我任师部参谋，奉命带领师直属工兵连的一个排，前往各团统一经始江防工事。先到第六〇七团，由副团长刘威仪协同侦察地形，拟

※ 作者当时系第一〇二师参谋。

定该团防御阵地编成计划，开始施工。然后到第六〇九团和第六一二团，统一完成师的江防工事计划。第六〇七团阵地正面是长江一个屈曲部，江流涌急，两岸地势险要，江中有沉没的军舰几艘。江阴鱼雷学校在此密布水雷，利用沉没的军舰作为江中障碍。

师的江防阵地，主向江面，扼守江阴要口，又设想敌人陆军主力可能沿京沪国道西进，因此，在东、南两个方向设防，编成一个弧形纵深阵地。部队刚一开始构筑工事，附近村镇居民群众，有的是从上海工厂撤回家中的工人，都自动送来许多木料器材，又帮助军队挖沟填土，充分体现工人群众爱国抗敌的热忱。全师江防工事构筑完成之后，奉命开往上海，防地由江阴城防司令部派部队驻守。后来敌人凭借陆空优势沿京沪国道进犯南京，这个阵地和江阴炮台要塞都未能发挥阻击作用。

此时，在淞沪战场方面，第三战区集中第九集团军张治中部、第八集团军张发奎部和第十五集团军陈诚部以及各独立军团和特种兵部队共约四十余万人，全力保卫上海。敌军六个师团先后从上海杨树浦、吴淞和宝山狮子林等处登陆，由松井石根指挥，向吴淞、罗店、大场之线进攻。至九月底，日军增至十万人，配合军舰三十多艘，向淞沪全线发起猛烈攻势。激战月余，敌我伤亡均重，第三战区普遍调用后方部队赶赴前线增援，第一〇二师奉调上海苏州河南岸，归第八集团军张发奎指挥。奉命后即从江阴行军到无锡搭乘火车，由于铁路遭受敌机轰炸，随炸随修，时断时通，部队一时登车，一时步行，走了好几天，于十月初到达虹桥、七宝镇一带机动待命，师部驻虹桥。我受命率工兵排驻七宝镇构筑师预备指挥所。这一带汉奸敌探活动非常猖獗，剪电线、破坏交通，白天摇旗子、打反光镜，夜里发信号弹，为敌机指示轰炸目标。我部到达后，数日间，就捉获两名敌探。

十月下旬，我部又奉命拨归第九集团军（总司令已由张治中改为朱绍良）第十七军团胡宗南指挥。此时该军团所属第一、第八两个军，经过蕴藻浜战斗，伤亡惨重，已撤至南翔、方泰地区休整。胡宗南命令第一〇二师两个团分别拨归第一、第八军指挥，待命渡过苏州河各就指定位置。胡宗南这道命令一下，引起第一〇二师官兵的疑虑，认为被分割瓦解了。因该师是贵州地方部队，对此最为敏感。

我在七宝镇奉命带领工兵一个班星夜赶到虹桥师部，柏辉章命我前往第六一二团，把带去的工兵班留下支援配属该团的工兵第一排，开辟渡河通路。又命我转告第六一二团团长陈伟光和第六〇七团团长陈蕴瑜，安定部属情绪，一定要打几个硬仗才站得住脚，在任何情况下，都要部队服从指挥，如有动摇军心者一定按军法从事。我领命前往，了解部队情况正常，军心也很稳定，只有少数团、营级人员心怀疑虑，个别人说："一〇二师已被解体了。"我向陈伟光和陈蕴瑜转达了柏辉章的指示，他们一致表示以视死如归的决心奋战到底。

后来陈伟光带着工兵排长王雨田和一个团附约我一同前往察看苏州河两岸地形，选定渡河点。我们穿过第四十六师防地到岸边一个小高地隐蔽下来，把苏州河两岸形势看得清清楚楚。有一个第四十六师的步哨班长告诉我们，苏州河中，时有敌人武装快艇巡游活动，对岸有敌人防守，一发现目标，就向我开枪开炮。就当前情况看来，在敌前渡河是很艰巨的。王雨田说，他已经准备了许多木材，可以供给部队漂浮强渡。陈伟光决定利用夜暗偷渡。在回来的路上，他要我转报师长，第六一二团决心在苏州河畔与敌人决一死战，剩下一兵一卒也要过河。

陈伟光连夜派人送我赶回虹桥师部，向柏辉章详细汇报两团情况和二陈的态度。柏辉章听后发出一声苦笑说："我们师的生存前途就在此一举了。"当下决定以参谋长杜肇华兼任步兵指挥官，赶赴前线指挥两个团渡河战斗，并命我回参谋处办理作战业务。

十月底至十一月初，第六十七师和第八十七师在大场一带作战后，撤至苏州河南岸北新泾、厅头镇一带布防，日军一部已突过苏州河向第六十七师正面进攻。第十七军团转移至黄渡、安亭地区与敌对峙，时有战斗。胡宗南急电第一〇二师，指定以第六〇七团配属第一军第一师李铁军指挥，以第六一二团拨归第八军第四十师指挥，克日渡过苏州河到该两师指定位置。柏辉章分析情况，在优势的敌火下强渡是不可能成功的，决定指示两个团夜暗偷渡，一举突击过河。杜肇华奉命指挥第六〇七团和第六一二团，从第四十六师左侧向苏州河南岸开进，以第四十六师为右翼依托。第六〇七团在华新附近遇敌人空中系留气球指示炮兵射击，不能前进，隐蔽至当晚，先使各营潜伏岸边。渡河时，与敌人巡游快艇发生遭遇战，击沉敌艇两艘，我方伤亡数十人，阵亡排长二人。第三营进占北岸，掩护全团渡过苏州河。第六一二团在黄渡以东地区相继渡河成功。两团当夜继续挺进，歼灭了阻击的小股敌人，分别到达第一师、四十师位置，投入战斗。

师长柏辉章指挥第六〇九团和补充团掩护第六〇七团和第六一二团过河后，右翼第四十六师阵地忽告失守，第六〇九团侧翼受到敌人攻击，激战一昼夜，营长徐天桓阵亡。柏辉章命补充团迂回插入敌后，施展他惯打包围战的手法，指挥两个团向敌包围，展开搏斗。敌军向北新泾方向败走，打破了敌人沿河西进的企图，解除了第十七军团侧翼的威胁。胡宗南来电嘉奖，称第一〇二师"奋勇克敌，显树战功"。并将第六〇七团、六一二团归还建制。接着又来一电报，将第一〇二师编入第八军建制，第六〇七团和第六一二团仍留原地作战。接电后，全师官佐额手相庆，军心大为振奋。至此，第一〇二师各以两个团跨守苏州河两岸阵地，在敌人优势的飞机、大炮袭击下，虽日有伤亡，部队仍以十当百，奋力战斗。

北新泾、厅头镇一带战况激烈，我军调动频繁，敌机发现部队行动目标就狂轰滥炸，附近通信线路多被炸断，师部与友邻部队均失去联络，战况不明。我受副师长胡松林之命，前往华溜地区与友军联系，乘夜出发，找到桂永清教导总队的一个营部，得知该总队是来接替第六十七师防务的。我在营部住宿一夜，次晨情况大变，该营奉命后撤，还说全线部队都奉命开始撤退。我紧急赶回虹桥，而师部此时还没有接到撤退的命令，过一会儿无线电台才收到第八军的电报，指令撤到苏州集结待命。

我军在淞沪全线激战三个月，击毙击伤敌人约四万人，敌军受到严重打击，胶着于原地，已无力再进。十一月上旬，敌人从日本国内派遣三个师团兵力，由苏浙交界处的金山卫登陆，向昆山进攻，企图截断我淞沪全线部队后路，牵动整个战局。第三战区前敌总指挥陈诚发出总撤退的命令，部队撤离战场，沿京沪国道转移至溧阳、句容之线阻击敌人，保卫南京。

十一月十二日，第一〇二师各团从苏州河两岸分别后撤，第六〇七团和第六一二团沿苏州河北岸经昆山，第六〇九团、补充团和师部及直属部队经青浦到苏州集结待命。为避敌机空袭，部队都分散行进，逐段集中，准备到苏州接受下一步的战斗任务。其时，大军如潮水般涌到苏州，队伍混乱不堪，敌人出动飞机和地面快速部队跟踪追击，我军在苏州站不住脚，向溧阳、句容方向撤退。第一〇二师奉命撤到无锡南郊布防，掩护后续部队通过。次晨，敌人进至第六〇七团和第六〇九团阵地，被我集中火力击退。敌人转向无锡以北地区与另一大股敌兵会合，突破我友军防地，向南京方向前进，我师奉命撤至南京江北浦口布防，参加南京保卫战。

第一〇二师经过上海、无锡战斗和南京保卫战，全师伤亡三分之二，只剩下三千余人。

英勇不屈，奋力拼搏

何聘儒[※]

八一三淞沪会战爆发后，八月下旬，陆军第二十六师接到蒋介石命令，限三天内从贵州开赴上海参战。

第二十六师接令后，即补充人员械弹粮秣，从贵州出发，途经麻江、黄平、施秉、镇远和湖南芷江、辰溪、沅陵、常德、桃源等二十多个县、市、集镇，长途跋涉三千余里，于十月初到达长沙，历时三十余天。经数日休整，坐火车抵达武汉，乘一艘外国大商轮至南京下关，转乘火车到昆山。记得我们是十月十六日拂晓前到的，白天日本飞机不断侦察轰炸，我们全部隐蔽城区附近待命。晚上八时乘汽车开赴距上海不远的洛阳桥。那里各部队来领粮秣弹药，运送伤病员，你推我挤，人涌如潮。四周房屋多被日军燃烧弹炸毁，余火未尽，显出一片紧张状态。

我军一下汽车即直奔大场附近指定地点，准备接防。部队分散在棉花地、小村庄或竹林里，日军飞机轮番轰炸，我军遭到不同程度的伤亡。十七日晚，我军开赴大场第一线，接收防务，与日军展开了激烈的战斗。

当时我军装备极其简陋，一个步兵连只有三挺机枪，五十多支汉阳造步枪，而且残缺不全，有的枪膛里没有来复线，有的用麻绳系着机柄，以防失落，但我们英勇不屈，与日军奋力拼搏。日军在飞机、大炮、坦克的紧密配合下，猛烈进攻。战场上尸体遍地，有的树上都挂着残肢断臂，我们甚至用战友的尸体堆成掩体作战。一个行伍出身的连长说："我

※ 作者当时系第四十三军第二十六师副连长。

311

身经百战，什么艰苦的仗都打过，没见过这样激烈残酷的战斗。"尽管战斗激烈，但我们士气旺盛，有的战士为了炸毁敌人坦克，拿着手榴弹与日军同归于尽。战士重伤也不肯下火线，军士刘芳说："宁愿牺牲在战场，也绝不下火线!"一位姓何的营长，子弹打完了，就用大刀杀敌，最后英勇牺牲。第二十六师血战七昼夜，最后奉命换防，开赴江西。这场战斗，我师损失巨大，四个团长阵亡两个;十四个营长伤亡十三个;连、排长伤亡更多，有时一天要替补好几个;共计伤亡二百四十余员，我也身负重伤。士兵伤亡更为惨重，有的步兵连，战斗结束仅存三五人。全师五千人，换防后，清点结果，包括炊事、饲养等后勤兵，仅剩六百人左右。在八一三战役中，全国共投入七十余师，第二十六师的战绩名列第五。当年战场上许多可歌可泣的英雄事迹，至今回想起来，依然历历在目。

江南船舶总队军运见闻

陈拔优[※]

卢沟桥事变后，蒋介石在庐山号召"全国地不分南北，人不分老幼，战不分前方后方，一致起来，团结抗日"。同时，急调第三十六师宋希濂将军，第八十八师孙元良将军，南京教导总队（等于一个师兵力）桂永清将军编为第五军，以淞沪警备司令张治中将军兼任军长。首先开赴上海对日军作战。先后调动七十三个师兵力参加八一三淞沪战场。

当时，大规模军事行动所需补给供应问题非常突出。军事委员会大本营统帅部军需总监俞飞鹏兼任后勤部长，决定征集江浙两省大小轮船、游艇和木船作为军用。以辅助京沪铁路运输之不足。

先召集各省在南京军校交辎兵系毕业之学员一批，在军事委员会执二组做后勤准备工作。我亦其中一员，奉命成立江南船舶总队、汽车总队。总队长为程鹏飞上校，我担任少校总队附，程启明负责浙江省，共同着手拟编船舶之征集编组条例和演习训练试行草案。完稿后，由我直送后勤部审批。又到镇江同江苏省建设厅长沈伯先洽商。经沈厅长大力支持，取得省主席陈果夫之同意，顺利完成征集使用任务。我满意地返回南京，要求总队长将总队部迁移镇江与建设厅配合办公。七月底全部按原有掌握之船舶资料完成编组，由行政专员兼大队长，县长兼中队长。六个专区七十八个县征集大小火轮五十吨位以上八百多艘，木船十吨以上一千一百多艘。在八月上旬编毕，正要按计划调令集中演习，八

※　作者当时系江南船舶总队少校总队附。

一三淞沪战幕拉开，日军向我守军大举进攻。总队部立令江阴、镇江、无锡各县各派一中队征用船舶到丹徒、镇江、无锡集中装运作战物资。

八月二十三日，战局吃紧，伤亡很大，物资和人民捐献的慰劳品大部分积压在沿线火车站。总队与江苏省建设厅联合下达催征命令。总队队部移驻苏州，昼夜不停地工作。所征集船数以中队为单位，分为三条航线输送补给。第一航线由丹徒、杨中、江阴、常熟、太仓送第八十八师。第二航线由镇江、丹阳、武进、无锡、苏州至青浦送第三十六师。第三航线由无锡、吴江经太湖嘉兴、金山（朱泾）至淞江送教导总队。后又调征镇江、无锡、常熟、苏州四县船舶八十艘沿河内向嘉定青浦、昆山、淞江等地抢先输送一批弹药、粮食、服装及慰劳品赶送前线。两星期内三条航线共输送补给军需三万多吨。返程装运伤病员到苏州、镇江后方医院。夜间将游艇和通信器材送至新桥、闵行、刘行金山卫前线阵地。我亲自送过两次。为防日机空袭，有时改为五艘一组分散运行。由于船长船员们同仇敌忾，有时自觉地自行完成任务。九月间上海、江苏、浙江改为第三战区。蒋介石亲自兼司令长官。顾祝同副之。程总队长同我分别来往于吴江、淞江、苏州、太仓、扬州、泰兴、南通等地布置工作。九月底，日军接连增援淞沪战场，总兵力达三十多万。我上海战场伤亡极大，火车大多时间担任前线运兵转送伤员。补给供应则大部分由船舶和汽车运输。

十一月五日前后日军开始在杭州湾金山卫登陆，向沪杭要点松江进犯。一路直捣杭州，向外扩张两翼，从嘉兴、湖州进攻苏州。我军侧背后受敌。一路由湖州、太湖、长兴、宜兴进入安徽之广德、宁国，逼近芜湖威胁南京之企图。为了保证继续抗战，大本营总部决定全线撤退。

我在松江补给站见到撤退下来的部队，还有散兵和逃难的人民群众，如排山倒海，情知不妙。赶回苏州见总队部已走空。又赶到镇江省建设厅及总队部留守人员早无人影。再回南京后勤部，只见到少数清理人员，都说"均迁武汉"。即到下关码头一巡，江边车站兵荒马乱，拥塞不堪。查到十多艘小火轮打着江南船舶总队的旗帜，满载物资和难民，船员都认为无处交卸接收。为了避免轰炸损失，我建议船员迅速离开，物资交当地驻军做补给，就此挽救了最后一批军用物资。江南船舶总队从此告终。

第 九 章

空 军

中华战鹰，殊死报国

王　倬※

　　一九三二年下半年，我时年十九岁，考入笕桥中央航空学校肄业。原属第二期，后来以过去中央军官学校所办航空班为一期，所以改为第三期。一九三四年年底毕业，留校任空军少尉飞行教官。一九三六年航校在广州和洛阳两地设立分校，我被调任广州分校飞行教官兼考试官。一九三七年春，在南昌成立空军司令部，我赴南昌任第五大队第二十四中队分队长。同年，八一三战役发生，即参加空战，直至上海陷落。现将亲身经历和所见所闻，追记于后。事隔四十多年，有些地方记忆不清，请知情者指正和补充。

初战告捷，击沉敌舰

　　卢沟桥事变发生时，国民党的飞机都集中在江西南昌青云谱飞机场，大约有二百五十架。这些飞机来自三个方面：一、原有的旧式飞机；二、为祝贺蒋介石五十寿辰而捐献的飞机，计有一百架；三、两广事变后陈济棠的广东空军飞机。在南昌的空军共分九个大队，下设中队，中队下有分队。

　　一九三七年七月底，南昌报纸以《空军为何还不北上抗日》为题，公开对空军提出质问，迫使空军不得不令第一大队（大队长为张廷孟）

和第四大队（大队长高志航）离赣北上，准备进驻察哈尔的阳明堡机场，参加抗日战争，实际上只到河南周家口机场就停留了下来。

八月四日，第五大队第二十四、二十五中队被调往扬州机场，第二十八中队调往句容。扬州机场设备简陋，没有住房，我们住在西门外一座小土地庙里，既无床铺、桌椅，又无被褥，好在天气还热，我们便席地而睡。土地庙附近没有饭馆，只能派人进城买大饼、油条充饥。后来，与南京方面联系，才解决了吃饭问题。

八月十三日午夜，我正在队部值班，突然接到蒋介石从南京打来的电话，说："在长江中的日本五十艘军舰和轮船，正在向东逃跑。你们大队立即带上炸弹，于拂晓前出动追击，加以歼灭，但已经停在黄浦江里的，则不准轰炸。"我马上向大队长丁纪徐作了汇报。

蒋介石要我们在拂晓前轰炸，事后得知其中原因是：上海虹桥机场事件发生后，蒋介石在南京召开军事会议，参加者有汪精卫、白崇禧、何应钦等人。会议决定，如果上海发生战事，立即封锁长江，不让日舰逃走。当时做记录的行政院机要秘书黄浚是个内奸，把这消息告诉了日军，日军连忙将长江内的船只全部撤离。为此，蒋介石大发脾气，将汉奸黄浚枪决，并于十三日深夜下令第五大队予以追击。

大家听到出战的消息，情绪非常激昂。丁纪徐命令中队长刘粹刚率领十八架霍克Ⅲ式驱逐机，各载五百磅炸弹一枚执行任务。参加这次作战的有梁鸿云、王倬、雍沛、袁葆康、董庆祥、姚杰、余腾甲、胡庄如、董明德、张伟华、宋恩儒、刘依均、邹赓续等人。

我们这批飞机，越过江阴要塞，沿着长江向东搜索前进，但敌舰都已跑完了。失望之际，遥见吴淞口东白龙港口尚有日舰一艘。长机立即下令改变队形，一架接一架地向下垂直俯冲投弹，第一枚炸弹没有击中，第二枚是副队长梁鸿云投的，正中敌舰尾部，浓烟弥漫，逐渐下沉，其他各机也陆续投弹，把日舰炸得无影无踪，舰上的侵略者全部葬身鱼腹。我们怀着喜悦的心情安全返抵扬州机场。

杭州上空，战斗激烈

八一三事变第二天，杭州上空也发生了激烈的战斗，担任这项战斗任务的是原来驻在河南周家口的空军第四大队。

第四大队大队长高志航知道上海已经打起来了，急不可待地单独驾机到南京，向空军总指挥部请缨杀敌。空军总指挥部是国民党于七七事变后成立的，周至柔任总指挥，毛邦初任副总指挥，张有谷为参谋长。周至柔批准了他的请求，命第四大队飞杭州笕桥机场待命。高志航就以"十万火急"的电报打给周家口第二十一中队中队长李桂丹，转达这道命令，并嘱咐金安一把高志航的座机一并飞往笕桥。第四大队有三个中队（第二十一、二十二、二十三中队），接到大队长的电报后，立即起飞。这天天气很坏，雷雨交加，但为了参加抗战，依然冒险航行，在广德加油后，就向杭州进发。到了溧阳上空，在云堆里发现九架日本轰炸机，有飞行员准备给以截击，那时飞机之间无法通话，便摇晃机翼向中队长黄光汉请示，黄以未奉上级命令，不敢下令行动。因此，这九架日机在我们眼皮底下溜走了。

高志航先到杭州笕桥，刚下飞机，即有空袭警报。当时机场上只有一些教练机，不能作战，第四大队的飞机尚未到达，而从台湾新竹出发的日本海军木更津航空队即将到来，高心急如焚。

在敌机来袭的前几分钟，李桂丹率领的第二十一中队和毛瀛初率领的第二十三中队先后着陆。高志航叫大家不要下飞机，立即起飞，自己也跨进座机，飞往空中。经过一番空战，旗开得胜，首先打落敌双发动机的重型轰炸机一架，这是日军的带队长机。这场战斗共击落敌机六架，狠狠打击了日本侵略者的气焰，也打破了日本木更津航空队不可战胜的神话。事后得知，木更津航空队队长因而自杀。

十五日，敌方木更津航空队再次袭击杭州，第四大队当即起飞迎战。从十四日下午至十五日上午，高志航仅仅休息了一两个小时，体力不能支持，但仍英勇作战。在战斗中，第四大队又获大胜，打落了好几架敌机。至此，全大队的飞行员都有了打落敌机的记录，一般是一架，而以分队长乐以琴打落最多，一口气击落了四架。但第四大队也有伤亡，高志航被击中一弹，右臂受伤，吴可强光荣牺牲。乐以琴对大家说："我们今后要永远纪念他，要为他报仇。"

杭州居民听到第四大队战果辉煌，非常高兴。市长周象贤来到机场慰问，讲了一些鼓励的话，并送来了大批慰劳品，有面包、汽水、水果等。同时，南京空军总指挥部宣布，凡参战的飞行员，八月份薪水一律发双饷，今后飞行员的伙食由国家供给，每月每人为法币三十元。

沈崇诲、任云阁、阎海文壮烈牺牲

杭州空战后，我军又频频出击淞沪，与敌机殊死搏斗，沈崇诲、任云阁、阎海文英勇牺牲，尤为悲壮。

沈崇诲清华大学毕业后投考空军，入第三期轰炸科，毕业时名列第一，平时总以尽忠报国自勉。当时他为第二大队第十一中队分队长，接到出击任务，偕第六期毕业的轰炸员任云阁，驾驶"诺斯落泼"双座轻轰炸机，率机六架，从广德机场起飞。飞至长江口，发现敌舰，这时飞机突然发生故障，他决定绕道浦东，命令后座任云阁跳伞在我军阵地降落，自己则驾机撞毁敌舰。但任云阁坚决表示与沈同生死，于是沈开足马力，推下机头，穿过敌人高射炮火网，带着一枚八百磅的炸弹俯冲，与敌舰同归于尽。后来拍了一部电影《铁鸟》，就是叙述这件事迹的。

阎海文是航校第六期毕业生，在第二十四中队当见习官。从抗战开始那天起，他就天天盼望接受任务去痛快杀敌。

八月中旬的一个早晨，指挥部命令第二十四中队派机六架，各带一枚五百磅炸弹，轰炸上海天通庵日军司令部。本来每天出任务的名单和飞行位置，都写在黑板上，阎没有排上号，他感到心焦，不断请战，甚至流下眼泪，不得已允许他担任我的二号僚机。

我们到达目标上空时，敌人高射炮火猛烈，我们机身震颤，但丝毫没有影响杀敌的决心，三千磅炸弹全部命中目标。阎海文的飞机被高射炮打掉一个翅膀，被迫跳伞，降落在敌军阵地天通庵公墓。敌人四面包围而来，他就卧倒在地，伪装死去。等到敌兵快到身边时，他翻身而起，抽出自卫双枪，左右开弓，当场击毙敌兵七名，然后用最后一颗子弹，射向自己的太阳穴，杀身成仁。

沈、阎壮烈牺牲，不但受到全国人民的尊敬，即使敌人也倍加敬仰。阎海文牺牲的第二天，日军的白川大将在汇山码头向全体海军陆战队训话时说："过去在日俄战争时，大和民族勇敢不怕死的精神安在？现在已被中国的沈崇诲、阎海文夺去了，这值得我们钦佩。对这个英雄，我现在命令用我们大日本帝国的海军军礼进行礼葬！"他随即派军舰一艘，在阎海文遗体上覆盖中日两国国旗，驶往黄海礼葬。

分批袭击登陆日军

经过好几天的战斗，日本侵略军依然进占不了上海，便电请东京增加援兵。到八月二十一日为止，已经增援了广岛第五师团、善通第十一师团、久留米第十二师团，合计兵力约五六万人，战舰也有三十余艘，集结在吴淞口和张华浜的江面上。二十四日，他们在张华浜、蕴藻浜、狮子林、罗店、浏河等港口登陆，并以飞机大炮为掩护，向我军阵地进攻。

空军总指挥部得知这个情报后，命令扬州、笕桥、句容三处的飞机分批前往轰炸和扫射。我们扬州的空军首先起飞，计有十八架，我也参加了。每架飞机各挂有延期三秒钟爆炸的炸弹十二枚，并带有大小机枪各一挺。我们飞到上海的时候，太阳刚从东方升起，日军正在强行登陆。我们低飞扫射，日军立足未稳，成批成批地倒了下去，估计敌人伤亡在一千人以上。我们十八架飞机丢完炸弹以后，凯旋返航，没有任何损伤。一回到扬州，受到了当地居民的热烈欢迎。扬州县是个小县，全县只有二十五瓶牛乳，他们自己不吃，全部犒赏给我们，以表达他们的心意。

正当我们庆功之际，机场突然遭到六架日机偷袭。事先并无警报，等到我们听到嗡嗡的飞机声，立即起飞时，日机已经到达我们头上了。第二十五中队副队长董明德及时追赶，将一架日机击落于天长县境内。我方飞行员滕茂松正在机场上准备起飞，被日机炸死，身上没有伤痕，显然是因空气震动致死的。

第二批轰炸上海登陆日军的任务，是由笕桥空军承担的，那里驻有三个中队，属于第四大队。二十四日上午，他们驾着二十架飞机到张华浜和蕴藻浜上空投弹扫射，使日军遭受重大伤亡。但我们也损失了攻击机五架，伤亡十一人，其中张俊才牺牲。

第三批是从江苏句容出发的第三大队，大队长刘超然、副大队长石友信（石友三之弟），他们所驾驶的是新从美国购进的超低空攻击机。日军吃了我们第一批第二批空袭的亏，早已布阵迎战，于是在吴淞西面展开了激战，拼搏十分激烈。我们的战果并不理想，伤亡了一些人，也损失了一些飞机。蒋介石得知最近购进的超低空攻击机受到损失，大为震怒，亲临机场，把刘超然和石友信狠狠训斥了一顿。

集中南京，继续战斗

八月下旬，空军总指挥部命令扬州的第五大队、笕桥的第四大队和句容的第三大队全部集中于南京光华门外大校场机场。其原因是：第一，淞沪战役已经扩大，日机经常空袭南京，不能没有较为巩固的空防。第二，我们空军虽然一再获胜，但飞机损失和人员伤亡也很严重，如果把一些飞机分散在三处使用，容易被日机逐一击溃，若集中起来，统一领导，更能发挥作用。

我们第五大队首先到达南京，夜间寄宿于中山陵图书馆。这里丛林茂密，幽静雅致，是航空委员会秘书长宋美龄指派励志社总干事黄仁霖为我们安排的。励志社还成立了一个战地服务团，提供弹子房、扑克、棋子、书刊画报等。饮食方面丰富多彩。各界群众所捐献的慰劳品堆积如山。医院里放着各界赠送的花篮，从病房一直摆到走廊和扶梯。

起初几天，宋美龄每晚必由黄仁霖陪同，来我们宿舍闲谈，了解当天空战实况，鼓励我们的士气。她的普通话讲不好，只会讲广东话和上海话，所以喜欢同广东人和上海人聊天，更喜欢同华侨飞行员用英语交谈。后来临时宿舍的地址被日军侦察到了，日军丢了几个炸弹，我们便分散居住，宋美龄也不大来了。

三个大队集中南京以后，我空军继续作战。这里介绍两个事例：

一、八一三事变发生后，我们几乎每夜派飞机轰炸停泊在黄浦江的出云号旗舰。它是日军在沪最大的一艘舰艇，空防力量强大，而我们战斗机所载炸弹威力不足，始终没有把它炸沉。有一次，空军总指挥部接到一份情报，说吴淞口外舟上的海面上发现日军一艘航空母舰。总指挥周至柔立即命令在南京机场值班的第二十二中队长黄光汉率领霍克Ⅲ式战斗机二十七架飞往轰炸。我们飞机以一万二千英尺的高度，飞到嵊泗海面附近，见到那里有只大船，未用望远镜仔细观察，贸然丢下一颗小炸弹，炸中该船船舷。后来低飞一看，原来不是敌舰，而是美国胡佛总统号邮船。这个乱子闹大了，蒋介石一面向美国驻华大使司徒雷登道歉和赔偿损失，一面下令要枪毙领队黄光汉。黄连夜逃走，经德国一个传教士帮忙，去了香港。

二、经过一个月的激烈战斗，我们的飞机所剩不多，日军新九六式战斗机飞入南京上空的时候，如入无人之境，轰炸之后，还得意洋洋做些特技表演。这是对中国空军的嘲笑。中队长刘粹刚气破肚皮，把自己身上的钱包交给战地服务团服务科科长刘兴亚说："我要同敌人决一死战。这个钱包请你代为保管，我活着下来，你交还给我。如果战死沙场，那么捐给国家，聊尽心意。"说罢就跨上自己的二四〇一号座机，飞上天空，独个儿同敌机搏斗，只有一两秒钟，一排子弹就命中了一架日机的要害，在一阵浓烟中坠落于南京东郊。南京居民见敌机被击落，都拍手称快。

从南京撤退至武汉

八一三战役开始时，国民党军用飞机，包括老式的在内，约有二百五十架，大多参加了上海的战斗。到了十一月六日，我们在南京的飞机能够起飞的仅有七架，人员也伤亡不少。单以我们第五大队的一个中队来说，原有飞行员十三人，至此已死了七人，重伤五人，我也受了轻伤。在一次战斗中，我的飞机吃了一百多颗子弹，其中一颗打在我的帽子上，把帽子打开一条裂缝，幸而没有打中脑袋，使我一直活到今天的古稀之年。

十一月底，空军总指挥部和我们这些活下来的飞行人员都从南京撤退到了武汉。八一三战役就这样结束了。

附：淞沪会战中八至九月击落敌机统计表

飞行员姓名	击落敌机所在地区	击落敌机机种及架数	飞行员情况及其他
高志航	杭州区	B1	阵　亡
乐以琴	同上	B4·P1	阵　亡
梁添成	同上	B2	马来西亚归侨、阵亡
高志航谭　文	同上	B1	先后阵亡
范金涵	真如	P1	阵　伤
李桂丹	杭州区	B1	阵　亡
毛瀛初	杭州及周家口	B2	周家口一役，将敌川平七郎击毙

飞行员姓名	击落敌机所在地区	击落敌机机种及架数	飞行员情况及其他
柳哲生	杭州区	B1	
陈盛馨	同上	B1	
王荫华	同上	B2	
黄光汉	同上	B1	误炸美国邮船,逃往香港
杨梦青	同上	B1	
郑少愚	同上	B1	曾受伤五次
吴鼎臣	江苏宜兴	B1	阵　伤
巴清正	杭州区	B1	
秦家柱	杭州区	B1	
徐汉灵	杭州区	B1	重伤后送香港治疗
龚业梯	同上	B1	
周庭芳	同上	B1	
杨辛骙 卫同方	同上	B1	
刘粹刚	上海及南京	B5	阵　亡
刘粹刚 董庆祥	上海区	水上战斗机	
王　倬	吴　淞	同上	
董明德	江苏天长	B2	
马廷槐	扬州	B1	
吕基淳	南京	B2	长于夜间袭击,被誉为"夜猫",后阵亡
袁葆康	上海及南京	P1·C1	
黄泮扬	南京区	B1	
陈瑞钿	苏州句容	P1·B1	归侨飞行员,曾受重伤五次
陈其光	南京区	B1	

飞行员姓名	击落敌机所在地区	击落敌机机种及架数	飞行员情况及其他
陈有维	同上	B1	
刘依均	扬州区	B1	
黄居谷	南京区	B1	
邓政熙	同上	B1	
敖居贤	同上	B1	
不　详		B 10	
合　　计	共击落日机六十架		

说明：

一、表内 B 代表轰炸机，P 代表战斗机，C 代表侦察机；B1 表示一架轰炸机。

二、表内所列系业经查明之数，而且仅指当场击落的，其余被我击伤而后来坠落或迫降者均未列入。

三、除表内所列的阵亡人员外，尚有王天祥、任云阁、沈崇海、滕茂松、张俊才、杨吉思、梁鸿云等人先后牺牲。

四、除表内所列受伤人员以外，尚有蒋其炎、雍沛、王广英、黄可宽、张光蕴、曹鼎汉、钱国幼等人重伤住院，轻伤者未列入。

八一四空战获全胜

唐中和[※]

七七卢沟桥事变后，七月中旬，杭州笕桥中央航空学校经过几天紧张的准备，全校员生、器材经浙赣铁路陆续南运，其目的地有两个，一是广西柳州机场，一是云南昆明机场。

当时在航校受训的有第七、八、九期共三期学生。第七期的学员班，都是经过南京中央军校或其他军事学校毕业后考选进去的，其中三分之一是从广东航空学校并入该班的。他们的高级飞行课程已经训练完毕，正待举行毕业典礼，由于战局关系，不得不俟航校迁到昆明后再举行，除留了七八个专门训练急需待用的轰炸员外，其他全部分配到前线空军各作战部队。

航校迁离杭州笕桥期间，八一三战事爆发，航校教育长陈庆云被任命为杭州地区空军指挥官，蒋坚忍为副指挥官。这时，杭州地区连续阴雨。八月十三日下午二时，空军第四大队大队长高志航率其大队（辖第二十一、二十二、二十三共三个中队），从河南周家口飞到笕桥机场待命。

空军第四大队是当时空军作战部队中配备力量最整齐的一个大队，从中队长、分队长到飞行员，全部是笕桥航校毕业的学生，配备的战斗机是清一色的美制"霍克"战斗机，双翼，起落架可收放，武器每机有大"考尔脱"两挺，可携带二百五十磅的炸弹两枚，巡航时速约一百七十英里，续航半径约二百八十英里。十三日下午四时，原在南昌机场的

※ 作者当时系空军轰炸独立第三十二中队飞行员。

空军第九大队（辖第二十六、二十七两个中队），由大队长刘超率领十八架美制"雪腊克"（下单翼式超低空攻击机）也飞到笕桥机场。笕桥原有奉命驻守机场的轰炸独立第三十二中队（队长彭允开，副队长徐卓元）的"道格拉斯"九架，准备随时攻击上海吴淞、闸北一带敌人，现在加上第四大队的"霍克"战斗机三十六架和第九大队的"雪腊克"战斗机十八架，共有作战飞机六十三架。笕桥机场在航校进行正常训练时，已感场地过小，设施欠缺，此时那么多飞机集中在一起，更觉拥挤不堪。

八月十四日，笕桥机场的天气状况，云高约三百米，下着毛毛细雨，能见度五百米。在一般的情况下，这种天气是不飞行的。但第九大队的"雪腊克"机却于上午八时冒着极其恶劣的天气飞赴曹娥机场了。

下午一时三十分，曹娥对空监视哨打来电话说，有敌人双发动机的轰炸机九架，已飞临曹娥上空，续向西飞，直指杭州笕桥。

此时杭州地区空军指挥官陈庆云不在笕桥机场，向各方电话查询亦不知其所在（后来据他自己说，从市区回笕桥时，交通阻塞滞留中途）。副指挥官蒋坚忍与全体飞行员在机场休息室聊天，有的打扑克牌。蒋坚忍原是航校政训处长，不懂飞机性能，没有指挥作战经验。接到曹娥对空监视哨电话后，第四大队大队长高志航当即在全大队中抽点了九个人，宣布命令："背上保险伞立即跟我出发！我首先起飞，你们一个接着一个起飞。在空中不要失去联系，抓住敌机，立即攻击，最好从后上方进击。"又说："大家必须抱着有我无敌，有敌无我，视死如归的决心！"就这样各自奔赴自己的座机边，扣好伞，登上飞机起飞了。

起飞后，他们出没云层，搜索敌机。过了一会儿，两架在机身和机翼上都有太阳旗标志的日本轰炸机从云层中蹿出，在机场上空作东西向飞行，寻找轰炸目标。一会儿，日机突然投下两枚炸弹，立即爆炸。停在机场休息室旁的两节汽油车，引起大火，休息室的门窗玻璃也全部被炸碎。日机见已命中目标，立即钻入云层。只听见云层里枪声不绝，一忽儿，被我机击中的一架日机变成一团大火，摇摇晃晃地向半山山麓坠落。接着在机场东端上空，又一架日机被我机击落，烧成一团大火飘出云层。在蚕桑学校南端上空，第三架日机被我机击中着火坠落，敌飞行员跳伞，被我地面警卫部队俘获。其他敌机仓皇逃窜，我机返航降落。此时天色已黑，不得不用落地灯照明着陆，在滑回停机线时，有两架飞机互撞，机翼各有所损，连夜修复，作战人员无一损伤。

击落的三架敌机中，第一架是被大队长高志航击落的，第二架是被中队长李桂丹击落的，第三架是谁击落的已记不清。当高志航返航落地回到停机线时，在地面所有的飞行员都拥到他的机旁，高声欢呼，那种兴高采烈的情况，真是动人。

参加这次空战的，有大队长高志航，中队长李桂丹、毛瀛初（现在台湾任民航局长），董明德（现在台湾），分队长乐以琴，飞行员张效良、李有干等。

八月十五日上午十一时，曹娥对空监视哨报告，敌双翼单发动机轰炸机九架，已经过曹娥，向杭州笕桥方向飞来。我第四大队以一个中队的飞机起飞迎击，十一时三十分左右，将敌机截在钱塘江上空。当天云高约三千英尺，敌机排成整整齐齐的品字队形，企图闯入笕桥上空。第四大队飞行员立即驾机起飞，向敌机猛攻，当即击落敌机三架，其中一架的飞行员跳伞，其他敌机立即掉头逃窜。

八月十五日，第三十二轰炸独立中队奉命去上海吴淞、闸北一带，轰炸敌军阵地，直到傍晚，飞返前进基地嘉兴机场，飞行员住在嘉兴机场以西约二华里的一座破庙里。十六日晨四时，早餐后起飞，正在机场上空集队，即遭敌两架九六式战斗机偷袭，分队长黄葆珊的飞机被击落坠地着火，人机俱毁，幸周庭芳从笕桥驾机赶来，与敌空战，赶走敌机，我机队始得继续飞向淞沪，执行前线轰炸任务，以后转航南京。

一九三八年秋，我方空军大部分作战机群已损耗殆尽，我被调到新建立的成都空军军士学校担任飞行教官。一九三九年春，空军总司令部迁到重庆后，将一九三七年八月十四日，在杭州笕桥上空与日机交战，大获全胜的日子定为"空军节"。从此，每年到这一天，国民党空军各学校、部队都举行盛大的舞会、游艺会或演京剧等庆祝活动。

原第四大队大队长高志航当时成为空中英雄，其事迹为广大民众传颂。他于笕桥空战后，即率队调赴河南周家口，不幸在一次空战中阵亡。

高牺牲后，第四大队大队长由李桂丹继任，李于武汉保卫战中与日机互撞时牺牲，该职即由毛瀛初继任。

空军抗敌纪实

曾达池※

八月十三日敌我情况

我空军鉴于上海虹桥机场事件，形势日益紧张，为防患未然计，于十二日令驻南京附近部队特别戒备，以防敌机暗袭首都，其命令之要旨是：

自十二日起，由拂晓至黄昏各派机凌空巡逻严密警戒，防敌空袭。

截至十三日十四时止，综合各方情报及我飞机侦察所得情况是：

一、吴淞、浏河口一带及黄浦江上，敌军舰、运输舰等不下二三十艘，连日甚为活动。

二、十一日有日本水上飞机三架，盘旋于龙华、虹桥之间，又有日兵五千登陆，丰田纱厂驻有日军约二千名，另有在乡军人散布各工厂中，日军并决意破坏我虹桥飞机场，昨晨似有向虹桥移动模样。

三、公大纱厂以西广场内，麻棚甚多，约为长方形，如将棚拆去，即可作为机场之用。

四、十三日九时十五分，八字桥有冲突，旋即停止。

五、驻沪日本海军陆战队现有防空武器之配置如下：

（一）移动高射炮四门，现设司令部内，随时可用汽车拖至作战地点。

※　作者当时系空军第三大队第八中队分队长。

（二）固定高射炮四门，装置于司令部后面黄陆路及天通庵车站间之操场内。

（三）高射机关枪十八挺，现装在司令部屋顶四角，每角四挺，余二挺在烟囱房。

其时，发出第一号命令，使各部队就准备位置，其命令是：

空军作战命令第一号

八月十三日十四时
于南京航空委员会

一、上海之敌，约陆军七千人，凭借多年暗中建筑之工事，及新近集中之大小兵舰约三十艘有侵占上海、危害我首都之企图。连日以来，敌水上侦察机二架或三架，陆续侦察我宁波、丽水、杭州、阜宁、海州诸地，其有无航空母舰在远海游弋，我正侦察中。

二、空军对多年来侵略之敌，有协助我陆军消灭盘踞我上海之敌海陆空军及根据地之任务。

三、各部队应于十四日黄昏以前，秘密到达准备出击之位置，完成攻击一切准备。

四、各部队之出击根据地如下：

第九大队　曹娥机场

第四大队　笕桥

第二大队　广德、长兴

暂编大队　嘉兴

第五大队　扬州

第六大队　第五队苏州

　　　　　第四队淮阴

第七大队、十六大队　滁县

第八大队　大校场

第三大队　第八队大校场

　　　　　第十七队句容

五、各部队于明（十四）日开始移动，以十六点至十八点到达根据地为标准，其由现驻地出发之时间，由大队长定之，已驻在各根据地之部队，可就地休养准备。

六、各大队可以大队或中队成队航行，但须避开省会及通商大镇，第四大队可在蚌埠加油。

七、每飞行员可带极简单之寝具。

八、到达后须迅速报告。

九、出动开始日时刻另行命令。

十、各大队长（第七大队长除外）于十四日十时到京，面授机宜。

十一、余在南京航空委员会。

右令

空军总指挥　周至柔

副总指挥　毛邦初

下达法：油印，以飞机送至各大队部。

嗣又得如下情况：

一、敌在公大纱厂附近，有构筑机场，为其空军根据地之模样。

二、现敌舰大都麇集崇明岛东南方。

三、十三日晚敌舰开始向我市府炮击。

八月十四日的战斗

本（十三）日夜二时依据以上情况，遂不待全部准备完毕，即发出第二号命令，向上海敌舰及敌租界根据地轰炸，其命令如下：

空军作战命令第二号

八月十四日二时

于南京航空委员会

一、敌舰昨晚在吴淞口附近，向我市府炮击。其大部兵舰约十余艘，仍麇集崇明岛东方海面。在公大纱厂附近，敌有构筑机场，为其空军根据地之模样。

二、本军奉命：（一）毁灭公大纱厂敌之飞机及破坏其机场。（二）轰炸向我射击及游弋海面之敌舰。

三、第二大队由航校霍机掩护，以一队轰炸公大纱厂附近敌构筑之机场及飞机，以两队轰炸吴淞口向我市府射击之敌舰，吴淞口若未发现敌舰，应向麇集崇明岛附近之敌舰轰炸之。

四、航校霍机六架，应掩护第二大队之轰炸。

五、第二大队及霍克队，以九时四十分钟到达目标为准，其出发时间、高度、队形、航线、掩护方法，均由张大队长与陈校长协商后定之。

六、第五大队（欠二十八队）先集中扬州，携带五百磅炸弹于本（十四）日午前七时准备完毕，向长江口外敌舰轰炸之，以午前九时到达目标为准，其出发时间、高度、队形、航线，由丁大队长定之。

七、第三大队自本（十四）日晨起，采紧急警戒姿势，担任首都之防空。

八、第六大队仍不断侦察海面，特须侦察敌航空母舰之行踪，自拂晓起，应以一机自苏州经启东出海，向东飞四十分钟，方返苏州，以避开长江口外敌之注意，确实侦查敌航空母舰之行动为主，如发现敌航空母舰时，则加马力飞回，迅速报告。

九、本（十四）日出动之空军，以达成轰炸任务为第一个目的，切忌与敌在空中作战，应注意之点如下：

（一）第五大队如遇敌机，应绕行以轰炸为主，轰炸后若遇敌机向我攻击，亦以极力避免空中决战为主。

（二）航校掩护机只求使第二大队达成轰炸目的，不可挑起空中战斗，设敌机向我掩护机攻击时，则采取吸引敌机速离我轰炸机之手段，如敌机向我轰炸机攻击时，则采取攻势，以牵制之，使我轰炸机安全脱离后即设法归还。

十、各驱逐机在离地之前，遇敌机来袭时，应在地面拉脱炸弹，立即起飞应战，以掩护友机之起飞。

十一、十四日开始轰炸后，应迅速准备连续轰炸，至敌舰毁灭为止。

十二、通信、油、弹、卫生等，均利用各根据地原有之设备。

十三、余在南京航空委员会。

右令

签署

下达法。以飞机传送至大队部是（十四）日，各部队之行动如下：

甲、侦察

一、第三队侦察员侦得情况：

（一）十五时二十五分黄浦江有敌舰两艘，类似巡洋舰。

（二）十五时三十分，吴淞口有巡洋舰三艘，成一队形，该舰甲板上情形甚紧张，各炮座均有士兵多名在准备中。

（三）十五时四十分，上海市内情形，双方似未接触。

二、第五队侦察员吴星泉、赵家义、高谟、张汝敦、张树功、李肇华、肖存心、张迁能、李成元侦得情况如下：

（一）十时十五分，新浦口外江中有敌舰两艘，一向崇明之北急驶，一停泊。

（二）十一时，吴淞口之石头沙附近，有敌舰十一艘停泊，江阴下游，有浅灰色兵舰下驶，附近并有商船一艘。

（三）十一时十五分，吴淞口附近有敌舰一艘，再大阪及汇山码头江中有敌舰四艘，我机到达时，敌舰互以回光通信，并发高射炮弹六七发，机上可闻炮声及见炮口火光，又接近江湾之村落四周，为浓烟所蔽，或系敌炮射击所致。

（四）十二时，浏河附近，有灰色兵舰一艘下驶，吴淞口外停灰色兵舰四艘，崇明岛附近有兵舰一艘，为烟幕所蔽，可能系航空母舰。

（五）十六时二十分，北四川路我军与在日军司令部之敌炮战中，敌方房屋有数处起火。

（六）十三时，闸北有四处起火燃烧中，虹口码头附近商轮三艘横泊江中，其外停有敌舰六艘，以封锁模样，当我机盘旋之际，敌高射炮向我射击四发，均距我飞机不远。又公大纱厂似已破坏，该纱厂西北之大席棚一座已被我军炸毁，高尔夫球场中席棚已较昨日减少。

（七）十七时十分，公共租界东北角公大纱厂燃烧未息，天通庵以北敌我正在交战中。浦东方面苏州河之东九十度处有码头一处起火，势甚猛烈。崇明岛西北有军舰九艘，吴淞至崇明间有军舰十余艘。

三、第四队侦察员朱均球、王健珍、王孟恢、阮坚煜、张焕辰、刘启东侦得情况：

（一）八时二十分至九时四十分，射阳河旧黄河口均无敌情，岚山头有渔船两艘停泊，石臼所海中有民船两艘向东南行驶。灌河口附近有灰色不明之商船三艘，一停于码头，一停于口外二里之处，一向东方航行。

（二）十五时四十分青岛港中泊敌舰三艘。

（三）十七时以前，连云港、旧黄河口、灌河口埒子口一带，均无敌情。

乙、攻击

一、晨七时第三十五队可机五架，以楔状队形，由觅桥出发，飞沪轰炸敌军械库公大纱厂，是日天气阴雨，并沪汇山码头，敌高射枪炮射击颇密，我以一千五百尺高度，沉着飞抵公大纱厂上空，用右梯形之队形，对准目标俯冲校弹当即起火，浓烟冲天，我机轰炸后，乃安全飞返觅桥，检查各机，多有弹伤，当即修妥。

二、第二大队自补充飞机后，各队已有额定之飞机九架，嗣因对北正面准备作战调动之故，损伤若干，迄十四日计有妥善之诺机二十二架。

八时四十分，第二大队副大队长孙桐岗率领诺机二十一架，携带二百五十公斤炸弹十四枚，五十公斤炸弹七十枚，分用运动式延期信管，自广德出发，经昆山赴上海，轰炸日本公大飞机场及一切设施，与蕴藻浜吴淞口一带之敌舰，我机飞抵上海后，乃分两部，一部轰炸吴淞口之敌舰，于十时十分由八百尺高度水平目测枪弹，因云低能见度不佳，爆发弹数未详，其爆发之弹，均在敌舰旁十余公尺至数十公尺处，但见敌舰摇摆甚大，即向扬子江口外鱼贯逃走，一部轰炸公大飞机场及汇山码头，于九时五十分至十时五分，由八百尺高度水平目测投弹，全数命中爆发，即见公大第一厂内部数处起火，海军货栈附近大火，公大纱厂南再起火，敌司令部附近亦起火，其轰炸汇山码头者中三弹均爆发，我机轰炸时采用中队成队防御，此役无敌机攻击，但敌之防空炮火射击甚密，我机于任务完毕后，经昆山飞返，至十一时降落广德机场者仅十五架，其他六架有降落嘉兴或因故障降落长兴，或因天气恶劣降落觅桥，逾两小时后，各机先后飞返广德，此次原定担任掩护之航校驱逐机队，因云雾过低未飞上海。

三、九时二十分第五大队大队长丁纪徐率领二十四队霍机八架，各携带二百五十公斤炸弹一枚，用速发信管，自扬州出发，沿长江至上海，轰炸江口日本军舰，飞经南通附近，发现敌驱逐舰一艘（约一千三百吨），长二百尺宽二十尺，正向上海前进中，当即由两千尺作连环之急降下投弹，其时该舰乃增加速率，作回旋之走避，并有多门机关枪炮向我机射击甚烈，是日黑云低雾大，卒被我机轰炸命中，舰首即向左侧约四十度，舰身偏侧航驶，尚未沉没，我机于轰炸后，安然飞回，时已十一时三十分。

四、十四时二十分，第二十四队队长刘粹刚率领霍机三架，各携带二百五十公斤炸弹一枚，用迅发信管，自扬州出发，沿长江赴上海，轰炸日军司令部及兵营，十五时四十分到达目标上空，由一千八百尺俯冲投弹，弹落于目标八百公尺处，其时敌高射炮火射击甚密，并有敌机七架隐于云中，向我机袭击，梁副队长之二四一〇号机，被其击落于离沪二十公里处，机损人伤。队员袁葆康所驾之机，因着陆轮之活动链被敌击坏，机轮不能放落，致落地失事，机损人无恙。

五、十四时四十五分，第二十五队队长胡庄如率领霍机三架，各携带二百五十公斤炸弹一枚，用普通信管，自扬州出发，轰炸虹口日军司令部及兵营，十五时五十分抵达目标上空，当时天气恶劣，轰炸效果不明，敌防空炮火向我射击甚密，幸无损害，我机轰炸后，于十七时二十分安然降落扬州。

六、第二大队本日下午复派诺机二十一架共携带二百五十公斤炸弹十八枚，一百二十公斤炸弹二十二枚，五十公斤炸弹二十六枚，均用瞬发信管，由副大队长孙桐岗率领，于十四时四十分及十五时四十分，分两队自广德出发，经青浦淞江飞上海，一队轰炸公大纱厂以西招商中码头以东地区及公大纱厂、汇山码头等处。一队轰炸狄思威路一带及敌司令部。十六时十七时先后到达目标上空，当即分别由一千尺及二千尺高度，目测单机投弹，与成队一齐投弹，全数爆发，即见公大纱厂起火，杨树浦、汇山码头一带起火十一处，当我机轰炸时敌防空炮火，对我射击甚猛，并有敌机混入我队偷袭，祝鸿信所驾之九〇七号机曾与对战，我机轰炸攻击后，经青浦、吴兴于十七时十分及十七时五十分先后飞返广德降落。此役，我机两架迫降虹桥机场，一机失踪，两机被敌击中多处，但均非要害。

七、十四时四十分第三十五队队长许思廉率领可机三架，每机携带三十五公斤炸弹四枚，于倾盆大雨中自笕桥飞上海，轰炸公大纱厂，经过汇山码头时，停于该处之敌舰五六艘，用高射枪炮向我射击，但仍从容飞达公大纱厂上空，依次单机俯冲投弹，均命中该纱厂棚屋，投弹后安然飞返笕桥，当经检查发现队长所驾之机，机身中梁被击断，机身机翼均被弹穿五六处，姜献梓所驾之机翼中弹数处，杨绍廉所驾之机左右支柱折断，机身机翼中弹五六处。

八、十五时五十分第三十四队刘领赐率领三式霍机一架携带五十公斤炸弹二枚，十八公斤炸弹五枚，二式霍机五架，每机携带十八公斤炸弹六枚，由杭州出发，沿铁路飞上海轰炸公大纱厂，并掩护友机，十六时三十分到达目标上空，但见敌军集中于此，沿江之飞机场内，正在装备飞机，我机当即自八千尺高度俯冲投弹，命中百分之九十以上，我机任务完成后，于十七时十分返航。

丙、迎击——对敌鹿屋木更津各航空队之歼灭战

一、杭州方面：

（一）第四大队本（十四）日遵照第一号作战命令，于十三时自周家口起飞二十七架飞往笕桥。先是大队依照冀北作战计划，于八月七日，全大队三十二架飞周家口集中，是日，除大队长高志航率领预备机五架，及二十二队全部九架，因降雨机场泥泞，故有多机于落场时翻覆失事，仅得二十七架飞机至笕桥，计分三群起飞，当第一、三两群，甫抵笕桥即有紧急警报，遂紧急着陆加油，陆续起飞，加油未竣，已见敌机九六式重轰炸机多架，从不同方向窜入，一机由东北进入，向机场中修理厂附近投弹，命中铁道上之汽油，该机投弹后即向右后转弯，当遇高大队长及二十一队分队长谭文两机，我机积极向敌机攻击，敌机被击中起火，落于半山附近；另一敌机由杭州向笕桥方向进入，见我机有备未投弹即转弯向云中逃去，时天候恶劣，云高约八百米，该机入云后即向钱塘江口方向逃去，此际，二

十二队分队长郑少愚甫加油起飞，乃升至云上向钱塘江口拦截，遇翁家埠机场，低空无云，敌机出云后，即为分队长所见，乃尾追过曹娥江始得占位攻击，当将该机击落于钱塘江口，又二十一队队长李桂丹，队员柳哲生、王文骅共同击落敌九六式轰炸机数架。

此役，二十一队队员范全涵、金安一、刘署潘三机，由周家口进驻拦桥机场，降落后，即遇敌机空袭，乃急起飞迎战，战后甫经降落，第二批敌机，再度进袭，未及加油复行起飞，金刘两机均以油不济，飞至场边停机，坠落场外失事，刘重伤后殉职，金负轻伤，另有四机微伤。

二、广德方面：

是日十八时，第三十四队队长周庭芳，驾霍机一架，自杭州出发至广德游弋，十八时三十分，在广德西北发现敌轰炸机九架，由七百尺高度向广德航进，我机即紧追其后，旋又见其折回，遂由前方攻击，因双方速度均大，致无效果，此即上升，由正上方垂直攻击，敌队形分散为三小队，追至广德机场，其时已十九时十分矣。

是役，空战事后查明共击落敌机六架，我未受损失，仅系意外之事，此事打破日本空军对中国空军不堪一击之迷梦。

八一四空军节之由来，即此役全胜之纪念日。

八月十五日的战斗

截至昨（十四）晚二十时止，综合各方面情报及飞机侦察所得之情况：

（一）敌我陆军现正在公大纱厂、天通庵内外纱厂之线对峙中。

（二）敌海军兵舰现麇集崇明岛以东者不下三十艘。

（三）敌航空母舰两艘，于十四日二十时，分停在黑山列岛及青岛附近。

（四）我陆军于明（十五）日拂晓向虹口六三公园之敌攻击，期一举歼灭之。

依据以上情况，于十四日二十四时，发出第三号命令如下：

命 令

八月十四日二十四时

南京航空委员会

一、敌陆军在公大纱厂、天通庵内外一线，与我陆军对峙中，敌海军兵舰约三十艘，仍麇集崇明岛以东。

据报敌航空母舰两艘，于十四日二十时，一在黑山列岛，一在青岛附近。

我陆军于明（十五）日拂晓，向虹口六三公园之敌攻击，期一鼓夺取敌之根据地而歼灭之。

二、本军于明（十五）日拂晓，向虹口六三公园之敌攻击，并寻觅敌之航空母舰而击毁之。

三、各大队之任务：

（一）第二大队受航校霍克机队之掩护，以虹口敌陆军战队司令部及军事建筑为主目标，以至焦土为止，第二、第三次，可在京弹。

（二）第五大队（欠二十八队）第一次以虹口敌司令部为目标，尔后以公大纱厂、大康纱厂及杨树浦之裕丰纱厂、大康第二纱厂、同兴纱厂、上海纺织纱厂等为主目标，但必须特别注意，不得有流弹落于水厂及电厂。

（三）第四大队待侦察机第一次侦察报告，专对黑山列岛北航约在马鞍列岛一带之敌航空母舰而爆灭之。

（四）第九大队协助陆军攻击虹口附近之敌炮兵预备队，防空兵及步兵重兵器等，猛烈攻击之。

陆军已协同于第一线布标示幕，队号布板为山，攻击方向为箭头布板。

（五）第六大队之第三队，以一分队监视敌之行动，第三队主力及第五队直接协助陆军轰炸虹口方面与我对峙之敌陆军，第四队用三机编队，搜索青岛方面敌航空母舰之位置及行动。第十队以虹口敌兵营为主，杨树浦各纱厂为副，第一次出击后，可在长兴加油。

（六）航校暂编大队霍克队，务必与第二大队协同，确实掩护，第一次六时三十分，同时到达目标，并消灭在上海上空妨碍我任务之敌空军。

可塞机队，以三机编队（一机装无线电，两机在后掩护之），侦察黑山列岛方面航空母舰之位置与行动，用无线电报，先通报杭州之第四大队。

达机队及其余可机队，协助陆军攻击虹口方面之敌陆军为主，以虹口敌建筑为副目标，并与嘉兴张发奎主任联络。

（七）第三大队守任首都之防空，全部取紧急姿势，特注意拂晓。

（八）第二十八队，拂晓起移驻南京，任首都防空。

四、任何飞机，不得经过苏州河以南之租界。

五、各部队第一次轰炸，应于明（十五）日六时三十分，到达目标，以轰炸四次为准。

六、根据本（十四）日之经验，由大队长决定炸弹之种类，但能多带烧夷弹。

七、驱逐机在离地之前，遇敌机来袭时，应于地面拉脱炸弹，迅速起飞应战。

八、各大队可相机变换飞机场，概定如下：第二大队在安庆，第四大队在乔司。

九、各大队战斗之后，除迅速以电话报告外，应补其笔记报告。

十、余同作战命令第二号。

十一、余在南京航空委员会。

　　　　　　　　　　　　　　　　　　署名

下达法：是以电话分别传达，油印命令尔后飞机补送各大队，并通报苏州张治中司令长官及嘉兴张发奎主任，十五日二时传完。

是（十五）日各部队之战斗及行动如下：

驻京第六大队自八月初旬分调各队于下列各地区，以便沿海之侦察。

大队部及十五队	南京
第三队	苏州
第四队	淮阴
第五队	滁州

十三日复调十六队临时配属于第六大队，使驻滁州，并调节五队分驻南京、苏州，迄本（十五）日除驻淮阴之一部仍任沿海侦察外，大队主力则多参加轰炸上海之敌。

甲、侦察

第四队张希儒、徐述仁两员侦得情况如下：

（1）六时十五分，琅玡台外之海面，有敌商船二艘，向北航进中。

（2）青岛海口外停有灰色大舰一艘。

（3）山坪岛至青岛一带海面未发现敌舰。

乙、攻击

一、七时第六大队第五队队长张毓珩率达机三架，各带炸弹八枚，自南京出发，经江阴、常熟赴上海，侦炸北四川路靶子场、虹口一带敌军。八时四十分飞抵常熟上空，适遇大风暴雨，以百余尺高度飞行，尚不能下视地面，直视亦极短，乃改向苏州转进，亦不能通过，遂于十一时返京，原拟十三时再行出发，因各队飞机麇集，汽油运输不及，不能供给，又值敌机来京空袭，遂遵令飞滁州暂避，故未施行。

二、十时十五分第五队队员陈庆柏率领达机五架，每机携带十八公斤炸弹十枚，用碰发信管，自南京出发，经苏州赴上海侦炸日军司令部及其他据点，九时许，到达目标上空，以三百尺高度，水平投弹有四枚弹中敌司令部，十二弹落其附近，均经爆发，唯敌之建筑物均系钢骨水泥，炸弹威力小，效果微，仅见屋顶击破数小孔而已，当我机进入时，敌高射枪炮射击甚密，陈庆柏所驾之飞机前座中一弹，透入保险伞之半部，轰炸后于九时四十五分飞进苏州，此役未过敌机，且风狂雨暴，亦未发现我陆军进攻。

三、八时第六大队大队长陈栖霞偕参谋长葛昌世驾四〇一号达机自南京出发，侦炸虹口、杨树浦一带之敌，九时飞抵上海，由低空潜入敌之上空，因云雾太低，对敌目标难于辨认，适遇敌高射枪炮密集射击，遂于敌阵地内高射枪炮火光起处，投下所携带三枚炸弹，并侦得吴淞口有敌舰十一艘，汇山码头四艘，江阴四艘，崇明岛一艘，已施放烟幕，似为航空母舰，闸北烟火甚炽，似攻击甚烈，公大纱厂之棚席已焚毁。

四、十一时四十五分，第五大队大队长丁纪徐率副大队长及第二十四、二十五两队各六机共十四架，每机携带五十公斤炸弹两枚，十八公斤炸弹六枚，由扬州飞上海，轰炸日兵营，飞至泰兴附近，因云雾极低，不能通过，折回扬州机场降落。

五、十三时三十分，第二大队十一队队长龚颖澄率领诺机十七架，携带二百五十公斤炸弹十二枚，一百公斤炸弹二枚，五十公斤炸弹三十二枚，十八公斤炸弹四枚，用碰发信管，分两队自广德出发，一队飞往杭州湾轰炸三星岛附近之敌航空母舰，一队经淞江口往上海轰炸敌陆战队司令部。飞往杭州湾之一队，见该湾八十公里附近并无敌航空母舰踪迹，唯见有敌舰进入钱塘江口，我机队遂仍折回以炸敌舰。飞往上海之一队，在杨树浦之一带，见火势尚未熄灭，敌防空炮火甚为浓密，我两队飞机，乃于十四时二十分至十五时四十分之间，各以三机成队，分自五千尺至七千尺高度施行轰炸，其轰炸敌舰之一队，投弹后弹着点离敌舰约三十公尺，均经爆发，敌舰遂即向东逃遁，其轰炸敌司令部之一队，投弹后见司令部南面起火多处，弹着点因云低不详，公大纱厂命中三弹，我机任务毕，即直进广德，于十八时降落。

六、十五时，第五大队副大队长马庭槐率领二十五队机共六架，再飞上海轰炸日本兵营，后离上海约五十公里，因云雾太低，能见度不良，遂折回扬州机场降落。是日第五大队各机两次因天气关系，不能达成任务，而敌之轰炸机，因油量充足，得在高空盘旋飞行，伺机分袭我南京、南昌等处。

七、第七大队第十六队队长杨鸿鼎率领可机六架，自滁县出发，飞上海轰炸敌司令部，到达后，即对准目标轰炸，多数命中，但敌防空炮火极强，三〇一二号机前座之队员聂盛友被射中头部，当即殉职，该机乃由后座汪汉淹驾驶回滁县。

八、本（十五）日晚，第四大队代大队长王天祥率第二十二队副队长赖名汤等飞机八架，轰炸虹口日本兵营，战果丰硕。

丙、迎击

一、杭州方面：

（一）嘉兴：本（十五）日暂编各队奉命集中嘉兴，晨五时敌机九架袭击嘉兴，因未得情报，第三十五队各机于敌投弹中起飞，其中一架未及起飞被敌机炸损。第三十二队驻笕桥各机于五时起赴嘉兴。驻乔司两机迄十一时四十分始飞抵嘉兴，继奉命飞上海轰炸天通庵车站及日海军陆战队司令部。于十四时三十分，忽接电话谓敌机十六架，由海屿硖石方面飞来，各机遂起飞疏散，副大队长徐单元率机三架在空盘旋一小时，未发现敌机，乃降落，其他各机及三十五队各机均降落长兴。

（二）曹娥：第九大队于昨（十四）日，遵照第一号作战命令由许昌飞往曹娥，十三时三十分，二十六队、二十七队来克机共十八架，由许昌起飞，中途于蚌埠加油，属时过久，傍晚二十六队九机到达曹娥；二十七队中之一机，因故障降落周家口，只有两机到达曹娥，其余六机因天候昏暗，且对曹娥机场素不熟悉，已至绍兴之东，仍折回杭州机场，是日杭州机场被敌空袭后，已无灯火，当时其中两机过杭州时，昏暗中曾受地面射击微伤，其余六机到达时，复误为敌机而遭射击，且遍伤散布飞机，致来机降落时与场中散布之飞机相撞，造成损害。

八月十九日的战斗

截至昨（十八）晚二十二时止综合各方面情报所得之情况如下：

一、据报：敌有准备在崇明附近，南洲地方建筑飞机场之势，又令现在马鞍列岛附近之"凤翔"号航空母舰移至普陀山停泊，似有占领普陀山企图。

二、我军战况甚佳，已将敌军包围在吴淞文监师路（即达路）及施高塔路一带。

三、敌海军多在白龙港附近停泊，浦江本（十八）日晨，所泊日舰有出击、龙田、球磨、川内及鱼雷艇。

四、敌航空母舰本（十八）日行动，于长江口外，北纬三十一度十分，至三十二度，东经一百二十二度五十分之海面佘山一带依据以上情况，于十八日二十三时发出第七号命令如下：

空军作战命令第七号

八月十八日二十三时四十分

于南京总指挥部

一、敌海军集中停泊于白龙港附近。敌空军本（十八）日不敢深入，仅于我军阵线后方略施轰炸。

二、我空军趁敌不备之际，扑灭敌之航空母舰及轰击扰乱我阵地后方之敌轰炸机。

三、第四大队明（十九）日派六机携带加油箱，于八时三十分到达广德，加油归张大队长廷孟指挥，掩护第二大队至长江口外轰炸敌之航空母舰。

四、第二大队受第四大队六机之掩护，于明（十九）日九时起，机携带二百五十公斤炸弹至长江口外，敌航空母舰活动区域，搜寻敌航空母舰而击灭之。

至机油料已届使用限度，尚不能发觉敌母舰时，即轰炸白龙港之敌军舰。

五、第五大队明（十九）日，携加油箱于十二时，在上海巡逻一小时至十二时，离沪仍返驻地，专捕捉敌之轰炸机或战斗侦察机而击灭之，避免与敌驱逐机在空中决战，当攻击敌轰炸机或侦察机时，须确实明了敌有无掩护之驱逐机在其上空。

六、第四大队派出飞机关于掩护第二大队之队形、高度、位置及通信联络等，统由张大队长命令之。

七、第二大队轰炸时，须严切注意鸭窝沙以南之江西友邦之兵舰集中区域，不得轰炸，违者严惩。

八、其余各部队，均在原地警备休息。

九、余在南京总指挥部。

命令下达法：先以电话传达，油印由第六大队飞送，另电洛阳、许昌、汉口等处部队，严密警戒，以防北面之敌机袭击。

是（十九）日京沪及广州方面各队之行动如下：

一、驻广州第十八队，派可机分次由侦察员李云龙、麦焕球、陈民、明忠义，先后飞伶仃洋一带侦察，所得情况如下：

（一）七时五十五分先到唐家湾、伶仃洋一带，无敌舰。

（二）九时三十分内，伶仃洋一带，未发现敌迹。

（三）十三时十分，港口外伶仃洋一带无敌情。

（四）十七时内，伶仃洋、唐家湾、澳门一带，无情况。

二、九时，第二大队第十一队队长龚颖澄及第九队队长谢郁青，各率诺机七架，共携带五百公斤炸弹二枚，二百五十公斤炸弹十二枚，五十公斤炸弹七枚，先后分别于九时及九时四十五分，自广德出发，经长兴、吴兴往炸佘山附近敌航空母舰或白龙港之敌军舰。我军飞抵白龙港、花岛山一带，发现敌舰十余艘集结，龚队长于十一时，自七千尺半瞄准投弹，均命中敌舰左右舱附近，全数爆发，因云块所阻，轰炸结果不明，谢队于十三时七千五百尺高度，分两次投弹，全数爆发，命中之弹，落于舰体左舱一公尺处（约为二等巡洋舰），我机任务完毕，仍循原路于十二时四十分及十五分先后飞返。

是晚，全部飞机，飞往安庆。

队员沈崇海、轰炸员陈锡纯所驾之机，在南汇附近脱离队形，于吴淞口外，坠落海中。

此役，第四大队、第二十一队队长李桂丹，于七时三十分率机六架，自南京飞往广德加油后，即以三千公尺高度成 V 字队形，掩护第二大队经南京至佘山轰炸敌航空母舰，逾飞抵花鸟山时，发现敌舰，投弹毕，复掩护飞回广德机场降落。

未几，忽有敌袭警报，乃即成队起飞，以一千二百公尺高度在空巡逻，十三时三十分，业悌于广德西北发现敌重轰炸机二架，由南京方向低空向南逃逸，我机将其击落后，于十四时三十分回机场降落。

三、九时四十五分，第五大队长丁纪徐，率机十二架，编成六个分队，每队二机，排成梯形，自扬州出发，以六千尺高度沿长江飞往上海上空，搜索截击敌轰炸机及侦察机，飞至苏州以北，遭遇敌轰炸机五架，驱逐机四架，其驱逐机高度较我机约高二千尺，当时对着我队形冲来，我机即加速上升，至九千尺，敌机因上空性能较差，乃入云中逃避，我因奉命不与战斗，于十一时许乃率部队飞至上海，在一万二千尺高度，历时一小时未见敌机，于十三时整队安返扬州。

本日驻扬州部队，于十二时半、十五时、十八时，三次接敌机空袭的电话，均经起飞警戒，未遇敌机。十九时二十分，未得警报，忽有敌机经扬州机场飞行，未投弹，当即起飞追击，不及而返。

四、十四时左右，敌机多架袭击广德，正值第二大队及第四大队出发各机任务完毕返场之际，地面即用信号枪示警，第四大队各机在上空搜索，与敌机遭遇于广德东南约三十里之处，当时击落敌机两架，其余敌机狼狈逃去。

五、十八时二十分，句容第三大队，接广德站长电话"镇江有敌机九架，向南京方向飞行"。大队长蒋其炎，即命起机飞京上空，旋见总站铺示着陆信号乃回场，正着陆时，总站又来电话："敌机九架正炸南京"，我各机再起飞，敌已逃去，此为敌机第一次夜袭首都。

八月二十一日的战斗

截至（二十日）晚二十二时止，综合各方情报及飞机侦察所得情形如下：

一、（二十日）六时三十分，敌由虹口溃退至外白渡桥时，遭到空军轰炸，仓皇冲至桥南公共租界，目睹英军将敌缴械百余。

二、敌占川沙荒滩作机场，其航空母舰在崇明岛海面。

三、汇山码头，已被我军完全占领。

四、敌拟起捞浦江之沉船，以便兵舰开进攻击南市及浦东。

五、苏省花鸟山及嵊山岛，于十七日被敌海军二十七驱逐舰占领，花鸟山灯塔及无线电台已被毁，该岛枪械均被劫掠。

六、我中路八十七师，拟今午进抵岳州路、唐山路之线，大场、南翔今被敌机轰炸。

七、万国商团消息谓：敌陆军四千拟在常熟登陆，并拟在川沙县属之海滩及崇明岛对岸建造机场。

依据以上情况，于昨（二十）日二十三时发出第九号命令如下：

空军作战命令第九号

> 八月二十日二十三时
> 于南京空军总指挥部

一、虹口附近被我包围之敌，纷纷向苏州河以南公共租界逃遁，敌空军本（二十）日被我二十四队击落敌水上机两架。

二、我空军明（二十一）日以毁灭杨树浦之敌建筑物为目的。

三、第二大队全部明（二十一）日受第四大队掩护携带二百五十公斤炸弹轰炸公大第一纱厂。

四、第四大队明（二十一）日以九机携带一百磅炸弹及燃烧弹护送第二大队，并轰炸杨树浦裕丰纱厂至明华糖厂之间敌人。

五、第三十队两机，明（二十一）日受第四大队之掩护，携带五百公斤炸弹，轰炸目标与第四大队同。

六、第五大队明（二十一）日，第一次定五时起飞，携带五百磅炸弹，轰炸恒丰纱厂至汇山码头间敌人，高度一万二千尺。

七、第二大队、第四大队、第三十队明（二十一）日五时开始起飞，其次序如下：

诺机、霍机、马丁机

八、起飞后，一同向目标飞进，其高度如下：

霍机一万四千尺

马丁机一万尺

诺机八千尺

九、各部队进入目标之航线，自上海市中心方向，沿浦江向西攻击。

十、第四大队掩护诺机及马丁机时，须占后方之位置，遇敌机时，即拉高空投弹，专任掩护。

十一、第一次轰炸后，第二、第四大队回南京，第五大队回扬州，装载油弹准备第二次轰炸。第三十队则回汉口宿营。

十二、第二次轰炸后，第二大队回安庆宿营，第四大队回南京宿营。

十三、第四大队余部第二十八队、三十四队、第十七队，明（二十一）日均须于四时三十分准备完毕，以防敌机袭击。

十四、余在南京空军总指挥部。

命　　令

署名

下达法。以电话分别传达，随补油印命令，扬州、句容由第六大队派机送达，并通报第一军区司令部、防空指挥部，并用电话通报沪杭警备司令部。

八月二十一日，各部队之战况如下：

一、四时二十分，第三大队接到敌机乘拂晓袭击我首都之电报，当即起飞，分为两队，第一队由第十七队队长黄扬洋率领霍机七架，在句容、南京之间上空巡逻。五时许，我机抵南京南方，黄队长发现敌机三架，成 V 字队形，在南京迤北山地上空，因有训令我机不能经过南京市上空，只可绕城前往迎击，当到达目的地时，已不见敌机。第十七队分队长秦家柱，五时二十分正在南京北巡逻，忽见扬子江有弹落下，水浪翻腾，乃发现敌机三架，高度约一万二千尺上下，我机高度仅六千尺，急向侧方升俯。奈敌机已知有备，将炸弹全数投入江中，向东方沿江逃遁，我机隐藏下方追踪疾飞升高，直追至扬州，仍相差三千多尺，两机上机枪故障，加以机身中弹六处，无法再追，即向句容返航，其余各机，未与敌机遭遇，于七时后飞回降落。

二、第五大队本日奉令，五时起飞，飞沪轰炸，因三时四十五分及四时三十分迭发警报，不得点灯，因而工作迟缓，迄五时装竣油弹，正试车中，五时十五分有敌轰炸机六架，分为两小队，成 V 字队形，高度一万尺，自西飞来，袭击扬州机场，第一小队到达机场上空，先以机枪扫射后，投下二百五十公斤以上炸弹五枚，投弹后即向东直飞，未几有一敌机转向西飞；第二小队到机场上空，未投弹即向东直飞。当时我霍机六架起飞迎击，董明德与朱恩儒各驾机追击敌第一小队以东两机，直追至泰县附近，各拟在敌后下方三百公尺距离外射击，即见敌机放烟，复在敌机正后方一百公尺处射击多次，该两敌机均着火下坠，一落泰县东台间，一落泰县附近。另敌第一小队转向西飞之一机，为刘依钧所追击，追距二百公尺处，对敌射击，即见敌机左发动机冒烟，继续追射，敌机即起火下坠，落于六合、仪征之间。袁葆康驾机追击第二小队，追至如皋以东地方，将该小队第三号机击落。

此役，先于三时四十分及四时三十分得警报两次，均未见敌机，及至敌机到达机场而未得警报，且是日天有薄雾，各机均负有轰炸任务，装上炸弹准备出发，故未能全数起飞，结果，敌重轰炸机被我击落四架，而我亦被敌炸毁飞机四架，空战中受伤一架，在机场附近迫降时，机毁人轻伤，队员及通信士被炸伤各一人，通信士滕茂江伤重身亡。

三、五时，第二大队的第九队队长谢郁青率诺机六架，携带二百五十公斤炸弹六枚，使用迟发信管，自广德出发，往南京赴上海轰炸公大纱厂之敌。同时二十二队队长黄光汉率领霍机九架专任掩护，但进入上海后，失去联络。敌水上驱逐机九架，自上海西面来袭，包围我诺机，我诺机乃分成两队，用分队防御队形，仍向目的地航行，数度进冲，均未奏效，其时我两队失去联络，被迫折回。顾全祥、游云章、王万全等所驾之机三架，炸弹均投太湖。

此役，原定八机出发，其中有两机因故障未能起飞，已出发飞机，其中两机于返航时失去联络，降落滁县，其余四机于八时四十分回降南京机场。

四、七时十分第五大队大队长丁纪徐率领霍机四架，以两机任轰炸，各携带二百五十公斤炸弹一枚，使用迅发信管，以两机任掩护，自扬州出发，飞往上海轰炸恒丰纱厂及大阪和平公司、南满铁路公司各码头，八时零五分飞抵目标上空，由一万尺俯冲至五千尺投弹，落于汇山码头东北约三千尺处，其时敌高射炮向我射击，幸无伤损，于九时二十五分飞进扬州机场降落。

五、十二时，第二大队之第九队队长谢郁青率领诺机八架，携带五百公斤炸弹各两枚，二百五十公斤炸弹八枚，使用迟发信管，自南京出发，经广德加油后，于十四时起飞，经南汇往泗焦岛轰炸敌航空母舰，同时，有第四大队二十三队队长毛瀛初领霍机六架任掩护，十五时飞抵目标上空，自七千尺一次投弹，全数爆发，未经命中，当轰炸时，敌防空炮火甚多，但仅在五千尺以下，并在大战山发现敌水上机两架准备起飞，当由二十三队吕基城、姜世荣骤降射击数次，敌方损坏情况不明，又侦得防空炮火多由泗焦岛发出，泗焦及花鸟山附近游弋兵舰甚多，泗焦港口可做水上飞机场，泗焦掘出新土甚多，以做永久工事，十七时经泗焦、镇海飞返南京机场降落。

此役，我军经过杭州时，防空炮火发射甚多，想是监视时疏忽所致。

六、第四大队第二十二队分队长乐以琴，赴上海轰炸敌航空母舰，在沪西朱家宅击落驱逐机一架。

空军作战命令第十一号

八月二十一日十六时三十分

于南京空军总指挥部

一、上海之敌已呈动摇之象。

二、我空军以疲惫敌人精力之目的施行连续夜袭。

三、第六大队以达机六架，配熟习夜间飞行人员，服夜游击之任务。

四、以介司为根据飞行场，由杭州总站设置完全夜航设备及准备达机一队三日之油弹。

五、游击队以单机出动为原则，并选有利目标射击以扰乱之。

六、每夜至少以三机各出动一次，以三夜为度。

七、其他一切细部之布置，由第六大队准备，拟明（二十二）日夜间实施。

八、余在南京总指挥部。

署名

下达法：复写送第六大队，以电报令知杭州、上海、嘉兴、苏州、建德、兰溪、诸暨各战场。

陈大队长奉令后，当即编成派遣支队如下：

甲、军队区分

支队长空军少校 陈栖霞

副支队长空军少校 李怀民

参谋空军中尉 吕志坚

队 员：空军中尉王仁恬、陈历寿、徐述仁、高冠才、吕亚杰、王孟恢、张培义、王健珍、刘景枝、肖九韶

乙、飞机区分

达机四〇二、四〇三、四〇五、四〇六、四〇九、四一〇计共六架。

并限定飞行人员拟今十六时前，地勤人员于今二十四时前到达杭州待命。

高志航淞沪空战立殊功

刘荫桓※

　　高志航系通化县三棵榆树人，原名高铭久，字子恒，家贫务农。其父高景文，母李氏，生兄弟六人，姐妹二人，铭久为长兄。幼年时期在家务农，九岁入学，十三岁远离家乡，考入奉天（沈阳）中法中学。一九二〇年在学时期因家贫困，以减轻家庭负担，投笔从戎，考入东北陆军军官教育班学习。就学期间，东北军扩建空军，他立志去法国学空军。而当局教育长郭松龄将军说："你身体太小不能出国，给中国人丢脸。"他生气地说："法国人也不是高个子，并且我也学过法文，同时，我决心将高铭久名字枪毙了，更名为高志航，决心出国学习航空，以便将来立志杀敌报国。"当时，郭松龄军长的夫人在座说："你有这样的好学生，一定派他出国留学深造，说不定将来会成为一个英雄人物呢？"在郭松龄夫人的鼓励下，高志航于一九二四年到法国学习二年航空，以优异成绩，于一九二六年回国。回国后，张学良将军任命高志航为东北航空处少校（陆军衔）驾驶员，时年十九岁。他正当青年，在技术方面刻苦锻炼，精益求精，在每次演习中，均获奖励。不幸，有一次在演习中，因机械发生故障，降落时，将右腿折断。在南满医院治疗后，腿稍有些弯曲，对驾驶飞机有障碍，后又到哈尔滨医院，做第二次手术，打断另接。愈后，腿比原来短一分，设法穿厚跟鞋，调剂成功，对驾驶飞机毫无影响，而且技术上比以前更有进步。因此群众均称高瘸子飞行员。

　　※　作者当时系空军第四大队少尉特务员，空军驱逐司令部后勤主任。

　　九一八事变后，张学良将军接受南京国民政府命令，撤入关内，以待国联裁判。当时东北军有飞机三百多架。山西阎锡山有二十架左右。山东韩复榘有十架左右，南京国民政府有一百架。

　　此时，高志航目睹日寇横行，惨杀同胞，他因耻于滞留敌占区，将家属打发回原籍，只身一人向飞机场三百多架飞机含泪告别，化装进山海关，投靠山东韩复榘空军驻济南机场聂队长。聂系他的同学，聂对他说："你在这里有危险！"让他立即南下，介绍到南京航委会报到。

　　一九三二年春，高志航到南京报到后，首先分配到杭州笕桥航空学校担任空军少尉见习。当时南京政府歧视东北人，经过航委会主任黄光锐第一次检阅，飞行员纷纷表演，唯独他是见习人员没有表演资格。黄主任下令让高志航表演一下看一看，恰巧降落时飞机腿子放迟，飞机受伤，由此好多人都说："他是东北人，来搞破坏的。"而黄主任却说："这是由于他没有训练的关系。"反而提升为空军中尉分队长。在任分队长期间，他自修自练，刻苦学习，夜里不用打灯起飞无阻，把飞行各种技术，如：倒飞、弧形飞等等，练得精益求精。黄主任在第二次校阅时，认为他的技术是中国飞行员中独一无二，晋升他为空军上尉教官。在航校半年后，又提升为空军教导总队少校总队附，当时与总队长毛邦初思想不一致，矛盾重重。

　　此时，正当蒋介石五十大庆，全国献礼祝寿，英、德、意各国为了推销飞机，派飞机在南京上空表演作战技术。高总队附在杭州留守，闻讯后自动进京表演。高志航以各种特殊技术表演。蒋介石观看后，询问表演的飞行员是谁？有这样高超技术。毛邦初说："是高志航总队附在表演。"蒋介石立即命令召见。蒋对高说："你的技术很高，赶超世界水平。"当即把自己的"天窗号"飞机奖给了高志航自用。由此高志航的名字人人皆知。

　　此后，蒋介石命令他去意大利购买飞机。他到意大利，会见首相墨索里尼。中意双方议定，两国飞行员共同表演，高志航的技术在意大利上空施展开来，深受称赞。意大利军火商向他出售落后的飞机，用大批的金钱行贿。他拒不受贿，将意币掷地而去。他在向墨索里尼辞行时说："贵国飞机已经太落后了，并且贵国用行贿方式出售飞机，我们中国人绝不接受，请原谅。我们将去美国，再见！"当时意大利首相非常钦佩他的行为，即将身上自带的钢笔式手枪送给他作为纪念，同时又来电赞美高志航，不辱使命称号。高志航到美国购回霍克式驱逐机一百架回国。回国后，立即成立五个大队。高志航任第四大队中校大队长，在杭州筧桥开始训练新的飞行员。

七七卢沟桥事变后，全国总动员一致抗日。蒋介石说："陆军由冯玉祥副委员长指挥，海空军由我指挥。"蒋说空军出动一千架飞机作战。当时航委会秘书长宋美龄说："出不了那么多！"蒋说："出五百架。"宋说："只有驱逐机一百架左右。"

八一三淞沪会战爆发，日航空母舰木更津航空队百架轰炸机开始轰炸江、浙两省，于八月十四日敌机八架，进入杭州市区上空轰炸。当时，航委会命令不抵抗，空军跑警报。而高志航主张"将在外，君命有所不受"，家仇国恨，等待何时！日机乱炸我同胞，令人忍无可忍！于是他下令起飞，他首先拦住敌机歼杀，只见天空中无数铁鹰，有的俯冲，有的仰攻，翻腾旋转得满天黑烟圈。他首开第一炮，击落日领队机。接着，各中、分队长四面出击。十分钟战斗后，击落敌机六架，两架受伤逃跑了。辉煌战果，轰动全国。蒋介石把八月十四日，六比零的战斗日子，定为空军节。

后来，日军又调来佐世保航空队二百架飞机（内中驱逐机一百架，与我军展开激烈空战。数月后，中国四大金刚高志航、刘粹刚、李桂丹、乐以琴将日军四大天王分别击落，俘虏A天王，B、C、D三个天王都阵亡于杭州、南京、上海一带。A天王俘至南京。A天王原系杭州航校日籍军事教官，中国航校学员大多数是他的学生，我飞行员都以师生之礼相待，因此他受到无比的感动。他说："你们可以炸'出云号'航空母舰，必须牺牲一人一机，把中国机涂改国徽，我把信号交代与你们，发出信号，航空网即开放，人机必须向烟筒窜进，同归于尽，才能完成任务。哪一位愿意前去，请举手！"全体学员都举起手来，愿意前去炸舰。A天王看到这一情景，认为中国必胜，日本必亡。他说："好吧，你们把证章都交给我，摸到谁，谁去。"乐以琴证章被抽中，毅然决然向"出云号"母舰袭击。乐发出信号，日舰张开航空网，人机直入尾部烟筒中壮烈牺牲。母舰受了重伤，狼狈逃窜黄浦江港外。A天王还说："日飞行员发誓时说：我要做了亏心事，出门就碰上高志航。"可见高志航在日空军中的影响。

一九三八年后，我方飞机消耗殆尽，无力作战。高志航因背部受伤，在庐山休养。这时，蒋介石电召他到南京，派他去兰州接收苏联斯大林支援我国驱逐机一百架的任务。但是高志航伤尚未痊愈，应召到京，未见蒋时，就问部下："日寇来轰炸为何不打？"部下说是因为我机速度与日机相差三分之一，加之敌多我少，很难作战。高志航即说："可下令少加油，少带弹，不必要的机件拆掉，飞行员轻装上阵，减少重量，发挥特效，必能战胜。"于是，多日未作战的南京，忽然发生热战。高志航率领四架飞机，打得日寇落花流水，敌机两架狼狈逃窜，高志航跟踪追击，时值黄昏，高到了镇江机场，伤口疼痛，给机场信号，不用灯安全降落机场。他离机时说，我要休息，不准报告航委会，我要安静的休息，以后再报告。但是，蒋介石和国民政府林森主席问今日何人作战，打败了日军？这时，得到报告，是高志航，但高现已失踪。最后得知降落镇江，当即派专车到镇江迎接，洽商接收苏机事宜。

高志航以空军上校第四大队长身份，到兰州机场与苏联空军少将专使以俄语谈话。专使说："你留学苏联否？"高说："没有到过贵国，我们中国的将领都会说几国的语言。"苏联专使说："我不会说中国话，十分抱歉，请原谅。"又说："你们飞行员对苏机驾驶，因腿短比较困难，飞机速度快，操纵灵，必失事，训练一个多月无进展，还需要时间训练方能作战。"高说："我国急需与日寇作战，三日内就要训练好，以回南方应战。我可以试一试你们的飞机性能。"对方说："可以，但是苏机头重要，特别注意操纵。"高说："知道了。"他飞上天空，在空中倒飞三分钟，又做了各种特技，回到机场，苏少将握他双手，称他是天神，是现代英雄。双方交接办妥后，下令三日内一定训练好，即飞汉口作战。当时毛邦初主任下令，经西安、洛阳、周家口三站加油飞汉口，遇到敌机作战要有充分计划。而高建议不到周家口，因周家口机场小，容量不够，我们用两站加油，足够回到汉口。毛邦初不同意，坚持按原计划行动。当时，形成将帅不和。毛邦初说："如果途中作战油量不足，谁来负责？"在起飞前，高志航向部下刘荫桓说："你率领地勤人员先飞回汉口司令部，和王参谋、于机务长把司令部整理一下，并告诉司令部全体人员，苏联飞机比美国飞机速度快三分之一，与日寇作战，日必败，我必胜，不久就要回老家了，让他们放心，为国干好工作吧！"起飞后，他到周家口时，气候不良，通报敌机一队，向汉口方面轰炸，情报传达敌机沿平汉路向驻马店方向前进。但敌机佯作迂回前来偷袭周家口。高志航下令全体紧急上机作战。高跑步上机刚入机舱，敌机已进入机场，第一个炸弹，就落在主机上，高志航、机械长、机械师等六人壮烈殉国。炸伤我机四十多架。

高志航牺牲噩耗传到航委会、国民政府和军委会，各位首长悲痛之下，由蒋介石主持，在汉口商务会大礼堂举行追悼会，蒋介石亲自献花圈致哀。高志航英雄殉国，死之伟大，生之有威，永垂千古。

高志航英雄灵柩在湖北宜昌下陵。英雄时年三十一岁。

附录

淞沪会战大事记

一九三七年

七月十一日

△ 日驻华海军第三舰队司令官长谷川，乘旗舰抵上海，当日午后，在舰上举行特别警备会议，到会的有：海军武官本田辅、佐官冲野、田中，第三舰队参谋长岩村，陆战队司令大川内等，陆军武官喜多等，讨论所谓保护日侨问题。

△ 日海军省海相米内，召开紧急会议，对中国海面及舰队行动提出种种计划，宛如战时状态。

二十四日

△ 日驻沪军，连日在江湾作军事演习。

△ 日制造水兵宫崎贞雄失踪事件。

二十八日

△ 日政府训令长江沿岸日侨两万九千二百多人撤回国。

二十九日

△ 日参谋本部决定"对华作战计划"，提出以部分兵力在青岛、上海附近作战。

△ 上海市各界抗敌后援会连日来发表告全国同胞书、举行集会，要求抵抗侵略，收复失地。

三十一日

△ 日军继卢沟桥事件后，侵占天津。

八月三日

△ 华北危局，已至最后关头，全国上下一致拥护蒋委员长应战主张。

四日

△ 日军上午由前门开入北平城内。

八日

△ 日海军第三舰队司令官长谷川，奉命作侵略上海的兵力部署。

九日

△ 日军海军大山勇夫在虹桥机场制造事件。

十日

△ 日命佐世保战舰二十余艘、运输舰五艘开赴上海。并动员上海日海军陆战队及在乡军人与义勇团约万人应召参战。

△ 日第一、第三舰队约三十余艘军舰，猬集黄浦江及长江下游浏河以下各港口。

十一日

△ 中国政府令京沪警备司令张治中率第八十七、八十八、三十六师及重炮兵两个团，向上海预定的围攻线推进，准备抗敌。翌日凌晨，我军抵达上海。第八十七师一部进至吴淞，主力进驻上海市中心区；第八十八师进至北站与江湾间；炮兵第十团第一营及炮兵第八团进至真如、大场；独立第二十旅进至南翔；第五十六师及炮兵第三团第二营自南京、宜兴兼程向上海输送；令刘和鼎为江防指挥官，率第五十六师及江苏保安队第二、四两团控置于太仓附近。张治中的司令部进驻南翔。

△ 中国政府续令苏浙边区司令张发奎将第五十五师、第五十七师、独立第二十旅开赴浦东及上海近郊，并令主力向华东集中，预备扫荡上海敌军基地，阻止敌军登陆，确保淞沪，巩固南京。

△ 国民党军政要人阎锡山、余汉谋、何键、白崇禧、朱绍良、冯玉祥、黄绍竑、顾祝同、何成浚、刘湘、程潜、李济琛、陈铭枢、蒋光鼐、龙云、黄旭初、蔡廷锴等，纷纷到南京协商抗日军事，表示愿"在蒋委员长领导下，救亡图存"。

十二日

△ 国民政府主席林森推蒋介石为国民政府陆海空军大元帅。

△ 日陆军省、参谋部协议，以第十一、第三两师团编成一个军团，以大将松井石根为上海派遣军司令官，下辖第三师团，师团长藤田进中将；第十一师团，师团长山宝中武中将，开赴上海作战，并确定浏河、吴淞为登陆地点。

△ 中国外交部发表虹桥事件声明："中国绝不放弃领土任何部分，遇有侵略，唯有实行天赋之自卫权以应之。"

△ 原淞沪停战协定共同委员会，应日方要求召开会议，参加者有上海市长俞鸿钧、日驻沪总领事冈本和英、法、美、意四国代表，冈本横蛮要求中国停止设置防御工事，会议无结果。

△ 我军以商船沉于十六铺,封锁黄浦江,以防日舰向上游进攻。

△ 日在沪海军陆战队约九千名,除大本营江湾司令部外,余配置于杨树浦、沪西各日纱厂及虹口区各日办的学校内。

十三日

△ 晨九时十五分,日军舰重炮向我闸北轰击,日陆战队一小队,由天通庵及横浜路方面,越过淞沪路冲入宝山路,向我驻在西宝兴路附近之保安队射击。我军为自卫计,予以抗击。约二十分钟,敌始退走。八一三淞沪会战由此开始。

△ 日内阁召开紧急会议,妄言为行使"自卫"权,借口对我发动全面侵略战争。

十四日

△ 蒋委员长下令总攻击,并宣布封锁长江下游。

△ 下午四时,我军第八十八师进占持志大学、五洲公墓、八字桥、宝山桥各要点。第二六四旅旅长黄兴梅率师奋战,英勇殉国。第八十七师进占沪江大学及其北面黄浦江岸。中国空军出击轰炸敌海军陆战队司令部、汇山码头、公大纱厂及海面敌舰,均命中起火,敌旗舰"出云号"受创,双方空战,互有损伤。

△ 英、美、法三国驻沪当局成立租界防御委员会,并从香港、西贡调兵来沪。

△ 淞沪警备司令杨虎奉令兼任上海戒严司令。

十五日

△ 中共中央发布"抗日救国十大纲领"。

△ 京沪警备司令张治中发表通电,决心抗战到底。

△ 中国军队陆续开到上海。计有刘和鼎军之一部、第二师补充旅、第六十一师、第九十八师及第十一师等部。

△ 日军烧毁沪江大学。

△ 我军占领日海军俱乐部。

十六日

△ 我空军三十二架飞吴淞口、浏河一带,轰炸敌舰。

△ 我陆军包围日海军驻沪司令部,击毙日武官本田,并攻占五洲公墓、爱国女学及粤东中学。

△ 我空军下午四时许,飞越租界上空时,炸弹误落于大世界前(今延安中路西藏中路交叉点)及外滩南京路口,行人死伤甚多。

十七日

△ 晨，我军占领范家宅附近之日海军操场，敌退入租界。我军左翼沿浦江推进，包围裕丰纱厂、大康纱厂间之发电厂日军。

△ 我炮兵对日军司令部射击，命中甚多，因敌工事坚固，未能摧毁。

十八日

△ 我军进至东有恒路、汉壁礼路，右翼进至吴淞路、沈家湾以南。敌军退汇山码头。

△ 浦东敌军企图在龙王庙登陆，被我军击退。吴淞、浏河一带，敌舰猬集已达五十余艘，计驱逐舰二十五艘、大巡洋舰五艘、航空母舰二艘及大小炮舰等。

△ 夜晚，双方炮战，敌舰移到美国旗舰附近，借以掩护，并向我浦东阵地开炮。

十九日

△ 我军从闸北、虹口向杨树浦、汇山码头攻击。下午五时前，第八十七师左翼前锋突入杨树浦租界至岳州路附近。我军攻入汇山码头之线，切断日军东西两翼。敌死守待援。我军缺乏攻坚武器，进展迟滞。

△ 日军部分退入租界，被英军缴械拘押。

△ 浦东我军第五十五师进至黄浦江岸，遭敌舰炮击，不能继续推进。

△ 张治中司令部进驻江湾叶家花园指挥作战。

△ 中国政府照会各国使领，凡各国停泊在黄浦江之兵舰及商轮，须远离日舰，否则发生事故，概不负责。

△ 日首相近卫宣告，决定以武力解决中日冲突，不容第三者干涉。

△ 美旗舰"奥格雷斯"号停泊在黄浦江，为流弹击中，伤亡多人。美总统召开会议，主张缓用中立法。

△ 敌援军抵沪，先头部队午后由吴淞登陆，向我吴淞、江湾阵地攻击。

二十日

△ 中国政府成立大本营，以蒋介石为大元帅。编定全国战斗序列，划江苏长江以南（包括京沪）及浙江为第三战区，以冯玉祥为战区司令长官，颁布作战指导要旨：

一、作战方针：第三战区以巩固首都及保有经济策源地之目的，迅速围歼上海附近之敌，并打破敌军在沿江、沿海登陆之企图。

二、兵团防区划分：苏州河以北，沿黄浦江以西，属第九集团军，以张治中为总司令。苏州河以南、浦东及杭州湾左岸，属第八集团军，以张发奎为总司令。

△ 晨，我军分三路发起总攻，第九十八师全力进攻杨树浦。第三十六师、第八十七师推进到百老汇路、唐山路、华德路之线。第十一师及教导总队第二团控置于江湾市中心区为总预备队。

△ 日军以浅水艇运少数援军，由日领署前码头登陆。

二十一日

△ 第三十六师在战车掩护下攻抵汇山码头，因受敌海军舰炮轰击，拂晓后，退回百老汇路北侧，我战车第一、二连全被击毁。敌顽抗待援。第三十六师陈瑞河旅长负重伤，营长李增率全营士兵三百名，英勇突击，葬身火海，战车一连长亦阵亡，我军终因火力不足，未竟全功。敌增援续到，双方激战，陷于僵持状态。

二十二日

△ 第十五集团军成立，以陈诚为总司令，指挥早已到达之第九十八师、第十一师及刚到嘉定之第六十七师、第十四师（第十一、十四、六十七师均属罗卓英部）。

△ 吴淞口外新到敌援军，急图登陆，吴淞口、杨林口、浏河等地俱有炮战，川沙、白龙港敌舰，亦在伺机登陆。

△ 汇山码头我军继续向两翼进展，东面逼近杨树浦路，西面到横滨河。北四川路我军占永丰大楼，正向吴淞路挺进。

△ 日军连日失利，狄思威路一带之敌，已陷绝境。日军在杨树浦一带纵火，企图阻我军前进，百老汇路、公平路、兆丰路等处起火，烟火相接，长达数里，迄二十三日晚未熄。

△ 在吴淞口外三夹水附近，停有敌航空母舰三艘（日共有航空母舰六艘，现出动半数），其飞机不但在上海市肆虐，有时到南京等地轰炸。

二十三日

△ 日军第十一师团于拂晓前，在三十余艘敌舰密集炮火掩护下，向狮子林及川沙口登陆，攻击宝山、月浦、罗店我军阵地。我军仅第五十六师有一连拒敌，迅调第十一师支援。

△ 日军第三师团于凌晨分乘汽艇从吴淞铁路码头强行登陆。傍晚，敌进逼蕴藻浜，被我军击退。

△ 第九集团军总司令张治中派王敬久为淞沪前敌指挥官，指挥在虹口、杨树浦作战的第三十六师、第八十七师、第八十八师、独立第二十旅、保安总团及教导总队各部。

△ 第九十八师师长夏楚中指挥该师和第十一师抗击登陆之敌，十七时，收复罗店。从击毙日军军官身上得日军作战图，敌进攻方向，指向罗店、嘉定及浏河。

△ 我军第十一师向川沙口之敌进攻，第九十八师向狮子林攻击。教导总队第二团进至张家宅、殷家浜、南徐家汇之线，攻击登陆之敌。第八十八师一个团进至蕴藻浜南岸设防。

△ 日机轰炸先施公司，死伤八百余人。

△ 法国步兵一个大队从香港调到上海。

△ 美国务卿赫尔呼吁中日双方停战。

△ 我炮兵击沉敌舰一艘；是日毙伤敌军一千二百余人，我军亦伤亡三百余人。

二十四日

△ 公共租界内百老汇路、西狄思威路、斐伦路间，敌我隔河激战，我军冲过四卡子桥，向东街进击；汇山码头方面，我军曾一度将怡和路东西大板码头占领。

△ 吴淞口外敌航空母舰之飞机一百零五架，全部起飞，第十二大队飞南京、杭州等地轰炸，第十一大队在上海近郊投弹。

△ 敌千余人在吴淞登陆，我保安一团进行阻击，第八十七师即派第二六一旅一营增援，与敌激战。

△ 第九十八师击退狮子林之敌。

△ 第三十六师和第八十七师抽调四个团将张华浜之敌包围。

△ 我军撤出杨树浦，沿租界路口固守。

二十五日

△ 敌第三师团由松井石根指挥，向沿江之吴淞口、浏河、川沙口、狮子林一带登陆，其主力向罗店进犯。

△ 我军在罗店、月浦重创日军。

△ 日海军第三舰队司令官长谷川宣布封锁中国沿海口岸，自山海关至汕头止。

二十六日

△ 英大使许阁森被日机射伤，英向日提出严重抗议。

二十七日

△ 虹口、杨树浦正面之敌，拂晓前，由俱乐部方面向我军反攻两次，都被孙元良部击退。

△ 张华浜之敌，受我第八十七师攻击，被迫退到张华浜车站附近。

△ 美政府重申不放弃远东利益。

△ 英首相、外相、枢密大臣会议，决定维护在华利益，并欢迎美总统的停战呼吁。

△ 我空军零时五分再度袭击黄浦江、虹口一带敌舰。

二十八日

△ 我军与在罗店之敌激战旬余，伤亡过半，罗店镇陷落。

△ 日军在杨树浦区各码头纷纷登陆，起运大批军械辎重物资，陆军接防虹口、杨树浦一带阵地，当晚向我北站阵地反攻。

△ 浦东方面，炮战激烈，敌军企图在浦东登陆。

△ 日机下午炸南站，死伤三百余人。

△ 日首相近卫宣称：决定增加对华兵力。

三十日

△ 中国政府为日本发动侵华战争，向国联提交声明书。

△ 我机误炸美轮"胡佛号"，我国外交部向美道歉，并答应赔偿损失。

三十一日

△ 日第三兵团的第六十六联队，在飞机三十余架和海军舰炮协助下，强行登陆，进占吴淞。我守军第六十一师一个团死战。上海保安总团仍固守吴淞炮台。

△ 守刘行的我第六师调到杨行、吴淞与敌激战。

△ 日机首次轰炸广州。

△ 日机在大场扫射红十字会掩护队，两人受伤，又轰炸杨行车站，伤亡二百余人。

九月一日

△ 日军之精锐部队久留米第十二师团之福冈第十二旅团，善通寺第十一师团之往岛第二十二旅团，广岛第五师团之山口第二十一旅团，名古屋第三师团之静冈第二十九旅团，金泽第九师团之敦贺第十八旅团，熊本第六师团之鹿儿岛第三十六旅团，共计三个师团之众，抵上海。

△ 晚，日援军到后，开始总攻，自浏河起，经罗店、宝山、狮子

林、炮台湾、吴淞，折入蕴藻浜、张华浜、江湾、北四川路底联成一线，实施全线攻击，使我军首尾难应，放弃部分阵地。

二日

△ 敌天谷支队为解第十一师团罗店之围，沿吴淞、月浦、罗店之线推进。

△ 我军击毙敌第三师团步兵第十八联队饭田支队长于公大纱厂北面阵地。

△ 敌猛攻宝山县及张华浜车站。

四日

△ 日政府追加侵华战费二十五亿日元。

五日

△ 晨，敌倾全力犯宝山县城，我军姚子青营全体壮烈牺牲，城随沦陷。吴淞镇亦被敌包围。罗店附近战事甚烈。

△ 日机轰炸北新泾镇、周家宅，死伤百余人。

△ 据调查，吴淞口外之大小敌舰，连同最近驶沪之运输舰，共达九十艘以上，加上吴淞、浦江、石洞、浏河、杨林口、七丫口等江面所泊敌舰约一百三十余艘。

△ 日调整侵华机构及将领。驻屯军部取消，代之以华北前敌司令部，由天津移北平，原陆相寺内寿一任总司令，辖九个师团，坂垣任平绥路方面总指挥；香月任平汉方面总指挥；岗部任津浦方面总指挥，松井石根任上海陆军最高指挥官。

△ 我第三战区颁发第二期作战指导，其要旨为：

一、战略要旨，以保持经济重心，巩固首都而作持久战，就包围敌人现势，运转优势兵力，截断登陆之敌，限制其发展，打破敌包围我军之企图，收各个击破之效。

二、兵团部署：第八集团军防守浦东，威胁浦江右岸之敌。第九集团军的任务是：（一）围攻虹口、杨树浦之敌而封锁之；（二）续攻张华浜之敌而歼灭之；（三）固守吴淞、江湾、宝山据点；（四）应使后方部队在北站、横浜港、五洲公墓、芦泾浦、江湾镇、庙行、顾家宅沿蕴藻浜南岸向西至黑大黄宅之线，构筑据点工事，阻击敌人。第十五集团军的任务是：1. 固守罗店以南与浏河以西地区；2. 分兵对内新镇、曹王庙及沈家桥方面攻敌两翼；3. 在刘行、嘉定、浏河之线构筑据点工事，阻击敌人。

六日

△　宝山县城争夺激烈。

△　虬江码头、沈家宅、罗店等地战斗激烈。

七日

△　日继续向上海增兵，计有台湾守备队、重藤支队，从华北抽调步兵十个大队，炮兵两个中队，野战炮兵一个大队，高射炮队五队。

△　日参谋本部增派第九、第十三、第一〇一师团到上海。

△　张华浜之敌全力向我右翼军及中央军第三十六师阵地猛攻，激战全日，卒将敌击退。

八日

△　虬江码头之敌，又倾全力向我军进攻，被我军击退。

△　日机轰炸松江车站，死伤七百余人。

九日

△　上午十时，敌舰炮集中火力向我军右翼军沿军工路一带猛烈射击，飞机轰炸，以一个步兵团进攻，激战至薄暮，双方伤亡惨重，仍相持对垒。

△　月浦、罗店之线和淞沪公路、蕴藻浜附近，双方也展开激战。

十日

△　晚，第十五集团军右翼阵地被突破，退至杨行、月浦新阵地，与敌对峙。

十一日

△　杨行我军阵地被敌突破。

△　吴淞之敌占我张家村、吴家宅一带阵地。

△　我第三战区长官部命令第九集团军向北站、江湾、庙行、蕴藻浜右岸之线转移。

十二日

△　午后，日高级将领在日沪领署召集临时会议，商讨今后总攻我军阵地策略。

△　我军放弃第一道防线。

△　日军在杨树浦开始执行海关事务。

△　中国出席国联大会首席代表顾维钧就日本侵华事件向国联递交申诉书。

十五日

△　敌复占罗店。

十七日

△ 我军全线退守北站、江湾、庙行、罗店以南、施相公庙、浏河之线。

△ 英、美、法、意等国驻沪海军司令通知上海市长俞鸿钧与日方长谷川，要求中日双方飞机勿飞越租界上空，高射炮勿向租界方向射击。

十八日

△ 双方在刘行、罗店西激战，毙伤敌千余人，毁敌战车三辆，击落敌机一架。我军退至罗店以西。

二十日

△ 日海军第三舰队司令长谷川通告各国驻华使节，日空军将轰炸南京，限各国官兵离开南京。遭到苏、英、法等国抗议。

二十一日

△ 我统帅部令第三战区调整部署：分为右翼、中央、左翼三个作战军。右翼军总司令张发奎，辖第八集团军及第十集团军；中央军总司令朱绍良，辖第九集团军；左翼军总司令陈诚，辖第十五集团军及第十九集团军。

二十三日

△ 蒋介石发表谈话，承认中共的合法地位，并公布中共七月十五日发表的共赴国难合作宣言。

二十四日

△ 蒋介石答外国记者称："中国为各国而战，各国应该援助中国。"

二十五日

△ 连日来，战事重心仍在江湾、罗店、刘行等线。

△ 日军援兵增多，一批军火抵沪，其主力舰"长门"号、"陆奥"号亦先后到沪。

△ 中共中央发表《告日本海陆空军宣言》，指出中日两国士兵应该联合起来，反对共同的敌人日本法西斯军阀。

二十八日

△ 日军发动第四次总攻。

△ 国联大会一致通过中国问题议决案，谴责日机滥炸中国平民。

二十九日

△ 长谷川派员分访英、美、法等国驻沪海军司令，要求各国军舰移泊浦江下游，以便日军进攻南市。

三十日

△ 午后，日军高级将领在天潼路熙华德路口之日本电信局举行重要会议，出席的有日陆空军总司令松井、师团长板田、第三舰队司令长谷川、特别陆战队司令大川内、第三舰队参谋长杉山元藏等十余人。

△ 中国代表在国联大会上，要求确认日本为侵略国。

△ 日军在沪参战兵力增加到约二十万人。

△ 日军步骑兵向刘行东北我军阵地猛冲，突入阵地约三公里，我军转移到蕴藻浜、陈行、广福、施相公庙一线。

十月一日

△ 日首相近卫、陆相杉山、海相米内和外相广田举行四相会议，决定《处理中国事变纲要》，扩大华北和华中战局，设想通过十月攻势，迫使南京政府议和，以结束战争。

△ 敌增援部队第一〇二、一〇六、一〇七、一一四、一一六等师团之各一个旅团及台湾军等部，先后抵沪，总计在沪敌兵力二十万人以上。

△ 日军十月对上海攻势的兵力部署：第一〇一师团在吴淞、上海间登陆，进入蕴藻浜北岸。第九师团和第十三师团分别由大阪、神户开来。其作战意图是：（一）以三个师团向大场镇攻击；（二）第十一师团进入杨泾一线，回旋掩护其右侧面；（三）以第十三师团作第二线，在军主力的右翼之后；（四）攻击大场镇，进入苏州河一线，向南推进；（五）进攻目的是进入苏州河一线，消灭上海北面的中国军队，封锁上海西南面，进而攻击南翔。

△ 据上海《立报》讯：八一三以来，日军伤亡已逾三万人。

二日

△ 日军总司令松井限三天内，占领嘉定、浏河、刘行、大场、闸北、浦东等处。

△ 敌集中兵力向罗店、刘行发动进攻，我军沿沪太公路撤退约一千余米。

△ 晚，敌以轻型战车三十余辆，协同步兵一千六百余人，由北四川路冲入我方警戒线。

△ 英国伦敦推行"大中华运动"，支持中国抗战。

三日

△ 晨，日军向沪太公路东西两侧进攻。

△ 敌舰驶入常澄交界之段山港，向岸上民房用重炮轰击。

四日

△ 日外务省特派在野外交家伊藤等十余人抵沪，行诱骗手段。

△ 战斗仍在罗店、刘行附近进行，敌企图渡蕴藻浜。

六日

△ 敌主力分两路进犯：一路由罗店沿沪太公路，经施相公庙向嘉定进攻；在刘行方面之敌，经广福镇向嘉定进攻。路由顾家宅强渡蕴藻浜，抵南岸进袭庙行，张华浜之敌西进，威胁江湾、闸北之线。

△ 国联大会通过关于中日冲突事件的决议案，谴责日本，声援中国。

七日

△ 敌第三、第九两师团在优势炮火掩护下，由蕴藻浜北岸向第八十七师及第一军正面强行渡河，被我军击退，成拉锯战。

八日

△ 驻沪日军总司令发表声明：日军进攻之目的，在于强迫中国政府与抗日军队改变对日态度。

九日

△ 国联邀请十三国在北平举行九国公约会议，觅取解决中日争端之办法。

十日

△ 中国外交部照会国联，声明接受九国公约会议的邀请。

△ 连日来闸北之六三花园、八字桥、浦东、蕴藻浜等地均有激烈战斗。

十五日

△ 国民政府军委会发布训令："前方自应奋勇应战，如有擅自退却者，当予依法连坐，其余战地文武官佐，亦应各本天良，一致抵御。如有擅退或抗御不力等情事，亦当依法严惩，绝不宽贷。"

△ 据国民党上海社会局统计：抗战前全市计有商店八万六千六百三十九家，工厂五千五百二十五家，作坊一万六千八百五十一家。总计工商业厂号十万零九千零十五家。日军侵入上海，使全市社教机关的经济损失即达一千零九十四万二千二百四十二元。

二十一日

△ 中国增援部队第二十一集团军到沪后，为恢复蕴藻浜南岸阵地，

366

决定对敌全线反攻。以第四十八军第一路，向黄港、北侯宅、谈家头附近蕴藻浜南岸之敌攻击。以第六十六军为第二路，由赵家宅向东攻击，以第十五集团军之第九十八军为第三路，由广福南侧向孙家渡、张家宅之线攻击。原守备各师，各向当面之敌攻击。全线于十九时开始攻击，激战彻夜，各路均有进展。

二十二日

△ 敌主力在飞机及舰炮支援下，向我第二十一集团军反攻，激战至二十三日，双方伤亡甚大，我军退守小石桥、大场、走马塘、新泾桥、唐家桥之线。第一七〇师第五一〇旅旅长庞汉祯，第一七一师第五一一旅旅长秦霖及团长廖雄、谢鼎新、褚兆月等阵亡。

△ 闸北至庙行、陈行以北阵地均无变化。

△ 日军在宝山县城组织伪县政府，任命日本人吉田为县长。

二十五日

△ 敌第十一、十三和第九师团主力向大场方面猛攻，突破翔大公路，进窥南翔，大场形势危急。我军走马塘阵地亦被突破。

二十六日

△ 我第十八师朱耀华部放弃大场，庙行、江湾、闸北守军，亦自动放弃阵地。我军主力退守南翔一线。一部退至苏州河以南，一部留守苏州河以北各要点。

二十七日

△ 我第八十八师第二六二旅第五二四团团附谢晋元奉命率领该团主力，坚守闸北四行仓库，抗击敌人。

△ 日本发表宣言，拒绝参加北平九国公约会议。

二十八日

△ 坚守闸北四行仓库八百孤军（实四百余人）英勇事迹，轰动全市。

△ 我军已退守真如、彭浦一线。

△ 日军侵占闸北，大肆焚烧，闸北尽成焦土，平民死伤枕藉。

二十八日

△ 我军转入新防线，由沪西中央造币厂起，向西经真如、江桥，转西北至小南翔，折东北至广福镇、登桥镇，与浏河成一垂直线。

△ 我军又放弃真如，撤退至苏州河南岸；沪西方面双方在中山路、北新泾一带，隔苏州河对峙。

二十九日

△ 日军占闸北后，分两路：一路由大夏大学直插苏州河；一路由真如向周家桥镇进攻。

三十日

△ 真如大道发生激战。午后，敌第二师团之一部，向广福镇前老陆宅猛烈进攻。我军继续向后撤退。

三十一日

△ 坚守四行仓库孤军，与敌对抗五日后，蒋介石令淞沪警备司令杨虎，会同第八十八师师长孙元良，迫令第五二四团谢晋元团长、杨瑞符营长率孤军三百九十八人，退入租界。

△ 日军在闸北纵火焚烧，损失达二亿元以上。

△ 敌以全力强渡苏州河，封锁南市。以第三师团、第九师团先行渡河，第一〇一师团随后跟进，第十一师团阻击南翔我军。

△ 我军放弃南翔以东苏州河北岸全部阵地。

十一月五日

△ 晨，日军第十军（司令官柳川平助）以第六、第十八、第一一四师团及国崎支队为骨干，在舰炮掩护下，于杭州湾北岸金山卫附近之漕泾镇、全公亭、金丝娘桥三处登陆，向淞沪我军主力之右侧攻击，企图会同越过苏州河之敌全力夹击我军。

△ 中国统帅部急令浦东第六十二师及第四十五旅与枫泾第七十九师夹击金山卫登陆之敌。并令第十一预备师由苏嘉铁路驰援。

△ 金山卫登陆之敌，分两路，一路由全公亭向新仓进攻；一路由漕泾镇及金丝娘桥向张堰镇进攻。

六日

△ 敌占松隐镇。日军大批登陆，总数已达六七千人。

八日

△ 日军窜至石湖荡、张庄市，松江失陷。

△ 我第六十七军由豫北调来，准备阻击登陆之敌，但部队尚未集中，即被敌各个击破。淞沪我军主力侧背受到重大威胁。

△ 我第三战区策定第三期作战指导要旨：

一、作战方针：以打破敌之包围企图，巩固南京，京沪线利用既设阵地，节约兵力，以一部用于沪杭拒敌，一部用以巩固首都。待后援部队到达后，以广德为中心，转移攻势，压迫敌人于钱塘江西歼灭之。

二、指导要领：（一）京沪方面以最少兵力利用吴城镇、福山镇之线阵地阻止敌人，不得已时转移锡（无锡）澄（江阴）线及宜兴、武进阵地。（二）由京沪方面抽调两师至吴兴归第八集团军指挥，再抽调三至五师捍卫南京。（三）沪杭方面防守崇德、南浔镇之线及临平镇、吴兴之线，最后以第十集团军退守杭州附近。第七军的两个师退守长兴附近，待川军到达后，转移攻势。（四）续到的川军六个师，车运者至广德附近，船运者至宁国附近集中，以广德为重点，攻击沪杭之敌。

八日

△ 我第三战区长官部下达转移命令。

九日

△ 我军放弃苏州河南岸除南市以外的阵地。我军向青浦、白鹤港之线转移，秩序混乱。

△ 日军进占虹桥机场和龙华镇。敌续向青浦、白鹤港之线突进，我第五十八师第一七四旅旅长吴继光指挥部队阻击时阵亡，该线于十日弃守。

十日

△ 日军佐藤支队在浦东登陆，步兵第五旅团向南市发起总攻。枫泾镇失陷。

十一日

△ 敌第六师团攻占青浦，进至苏州河岸。南市我军奉令撤出阵地。

△ 上海市长发表告市民书，沉痛宣告上海沦陷。

十二日

△ 我左翼军主力西撤，右翼军撤至苏嘉线附近及其以西地区。

十三日

△ 沿京沪路西进之敌，抵安亭西南。

△ 敌重藤支队于六时乘艇在白汲口西南中洲登陆，向常熟推进，进攻支塘，企图截断公路交通。

△ 我军于当晚向台浦、平湖、嘉善之线及苏州、福山阵地转移。

十四日

△ 日军第十三师团攻占浏河镇，太仓相继陷落。

十五日

△ 敌我双方在兴隆街、福山、常熟及沿江一带激战。

十九日

△ 日军攻占苏州。

△ 由太仓前进之敌，突破肖家桥、谢家桥我军阵地，协同浒浦之敌，进逼常熟、福山。我军当晚向锡澄线转移，并令第十五、第二十一集团军向太湖西南之安吉、孝丰、宁国、宣城等地转移。

二十日

△ 国民政府宣布迁都重庆。

二十五日

△ 敌重藤支队截断江阴、无锡之间公路，敌第十六、十一师团及第九师团主力进攻无锡，无锡失陷。

二十六日

△ 京沪线我军一部向常州撤退，主力向浙赣皖边区撤退。吴兴失陷。

二十七日

△ 我江阴要塞与敌激战五天，援绝陷落。守军第一〇三师、一一二师突围向镇江转移。

△ 苏州之敌秋山支队渡过太湖，向我军攻击，北向常州迂回。太湖南岸之敌第十军攻陷长兴后，主力经宜兴、溧阳、溧水向南京进攻，一部经广德、宣城向芜湖进犯。

△ 京沪路方面，敌上海派遣军主力（四个师又一个支队）分三路，一路经无锡、金坛、王天寺；一路经无锡、丹阳、句容；一路经江阴、镇江桥会攻南京。

附注：敌由金山卫登陆后进攻情况及南京保卫战情况，请看《南京保卫战》一书。

图书在版编目 (CIP) 数据

淞沪会战/ 宋希濂，黄维等著. —北京 : 中国文史
出版社,2013.1

（正面战场 : 原国民党将领抗日战争亲历记）

ISBN 978 - 7 - 5034 - 3702 - 1

Ⅰ. ①淞… Ⅱ. ①宋… ②黄… Ⅲ. ①八·一三事变
(1937) - 史料 Ⅳ. ①K265.506

中国版本图书馆 CIP 数据核字 (2012) 第 286393 号

责任编辑 : 马合省　卢祥秋

出版发行 : **中国文史出版社**

社　　址 : 北京市海淀区西八里庄 69 号院　邮编 : 100142

电　　话 : 010 - 81136606　81136602　81136603 (发行部)

传　　真 : 010 - 81136655

印　　装 : 北京新华印刷有限公司

经　　销 : 全国新华书店

开　　本 : 720 × 1020　1/16

印　　张 : 24　　　　字数 : 400 千字

版　　次 : 2013 年 1 月第 1 版

印　　次 : 2020 年 9 月第 4 次印刷

定　　价 : 83.00 元

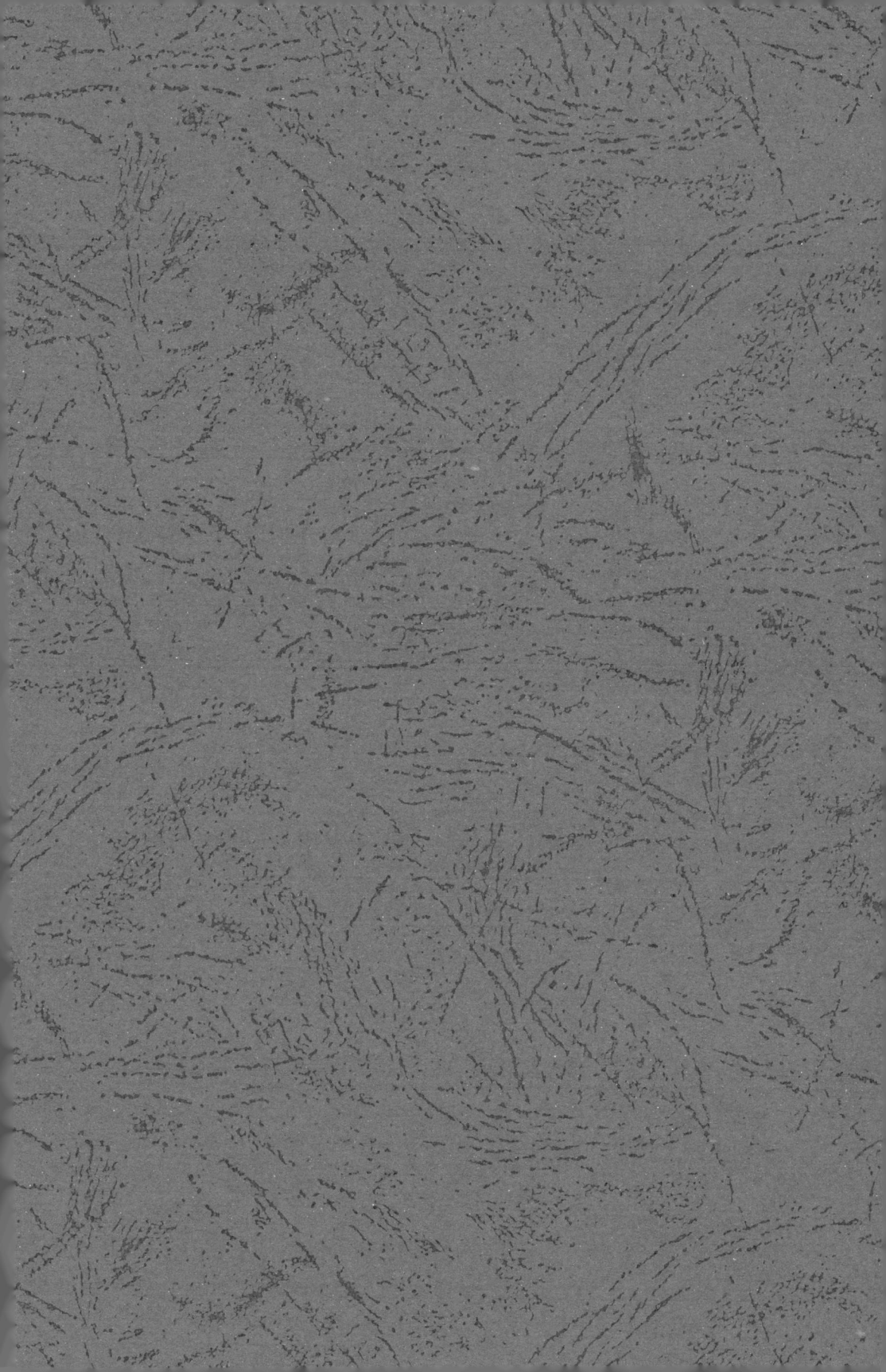